ÉDITORIAL

n chef

e *Dieu*

Chaque jour que Dieu fait est un jour nouveau ! Un jour où il se donne à connaître comme Père plein d'amour et d'attention. Et voici qu'à la mi-temps de l'Année sainte, au premier jour de ce mois de juillet, retentit par la bouche de Jésus l'appel de ce Père tout aimant : *Allez apprendre ce que signifie : Je veux la miséricorde, non le sacrifice.* Appel réitéré le 15 juillet, *Si vous aviez compris de ce que signifie : Je veux la miséricorde, non le sacrifice. Allez apprendre* que je suis venu pour sauver les pécheurs en les appelant à recevoir ma vie. *Si vous aviez compris, vous n'auriez pas condamné* les pauvres pécheurs qui vous entourent. Le Christ nous demande d'avoir un cœur ouvert à l'autre et un regard plein de compassion. Ne sommes-nous pas nous-mêmes des pécheurs pardonnés ? Comment ne pas admettre que l'autre, si différent, puisse vivre de ce même pardon. Et plus encore, qu'à travers notre regard, notre accueil, notre compassion, il découvre qu'il est un pécheur pardonné.

Quand l'été nous fait ouvrir toutes grandes les fenêtres de nos maisons pour y laisser entrer le soleil, demandons à l'Esprit Saint de nous aider à ouvrir nos cœurs pour qu'y pénètre le soleil de la miséricorde. Nous savons reconnaître ce qui est bienfaisant pour nos corps, reconnaissons ce qui est bienfaisant pour nos âmes : l'action de grâce, la joie, le pardon, le don de soi. Prenons le temps de méditer la parole de Dieu, nous y trouverons la nourriture pour nos âmes et la force pour nos vies. Bel été ! ■

Regard sur la liturgie

Temps liturgique, temps ordinaire ?

Père Pierre Remise

Ce mois de juillet, début du temps des vacances estivales, n'est-il pas un temps privilégié pour se refaire, se reposer, changer d'horizon, se ressourcer, se rencontrer ? Pour d'autres, c'est une période de travail intense, où l'accueil et la rencontre gardent une grande place. Face à ce temps particulier, la liturgie nous donne de vivre des dimanches dits du « temps ordinaire[1] ». Seraient-ils invitation à la banalité et à la discrétion alors que bien souvent nos assemblées dominicales s'ouvrent aux « touristes » de passage ? Mettons-nous à l'école de l'année liturgique en soulignant tout d'abord que le dimanche en est le fondement et la porte d'entrée.

■ Le dimanche ■

Le dimanche, nous faisons mémoire de la résurrection : « Chaque semaine, au jour qu'elle a appelé "jour

1. « En dehors des temps possédant leur caractère propre, il reste dans le cycle de l'année 33 ou 34 semaines où l'on ne célèbre aucun aspect particulier du mystère du Christ. On y commémore plutôt le mystère même du Christ dans sa plénitude, particulièrement le dimanche. Cette période est appelée temps ordinaire », *Normes universelles de l'année liturgique*, nos 43-44.

du Seigneur", [l'Église] fait mémoire de la résurrection du Seigneur, qu'elle célèbre encore une fois par an, en même temps que sa bienheureuse Passion, par la grande solennité de Pâques[2]. » C'est un jour de joie et d'allégresse sans jeûne, et où l'on prie debout, car le Christ s'est levé d'entre les morts : « Comme quelques-uns plient le genou le dimanche et aux jours de la Pentecôte, le saint concile a décidé que, pour observer une règle uniforme, tous devraient adresser leurs prières à Dieu en restant debout[3]. »

Le « jour du Seigneur » est aussi appelé « premier jour de la semaine », ce qui souligne que la résurrection inaugure le monde nouveau, mais n'oublie pas le premier jour de la Genèse, lorsque la lumière fut. Or le Christ, notre lumière, vient illuminer la semaine qui commence.

Il se trouve, par ailleurs, que le « jour du soleil », selon l'habitude antique de nommer les jours à partir des planètes, coïncide avec le jour de l'assemblée en mémoire de la résurrection. N'y a-t-il pas là une heureuse façon de souligner que le Christ est le soleil levant qui vient nous visiter ? Ce jour est aussi nommé « huitième jour » ce qui, dans la mystique juive, désigne la vie auprès de Dieu. La résurrection du Christ inaugure la vie future, la vie éternelle, dans laquelle nous entrons par le baptême ; c'est pourquoi bien des baptistères sont des octogones.

La richesse du dimanche fait le cœur du temps ordinaire. C'est à partir de cette pâque hebdomadaire que sont nées les célébrations annuelles de Pâques, puis de la Nativité.

▪ TEMPS DE L'INCARNATION ▪

En nous mettant à l'école de l'année liturgique, nous constatons que l'Avent et le temps de Noël débouchent

2. Constitution sur la liturgie, n° 102.
3. Concile de Nicée (325), canon 20.

sur quelques semaines de « temps ordinaire ». Quatre dimanches creusent en nous l'attente de la venue du Seigneur. Qu'il s'agisse de sa venue dans la gloire à la fin des temps, du mémorial de l'Incarnation à Noël ou de sa venue « intermédiaire » dans nos vies de chaque jour, nous faisons nôtre l'attente des grands saints de l'Ancien Testament appelant la venue du Messie – particulièrement Isaïe et Jean Baptiste –, mais aussi l'attente de Marie de Nazareth. Ainsi, nous nous préparons aux mystères des commencements que met sous nos yeux le temps de Noël. Durant ces quelques jours, nous parcourons les trente années de la vie cachée de Jésus, de sa naissance à son baptême par Jean jusqu'au premier signe de sa gloire, à Cana. Ainsi, l'antienne du *Magnificat* à l'office du soir de l'Épiphanie concentre différents mystères : « Aujourd'hui l'étoile a conduit les mages vers la crèche ; aujourd'hui l'eau fut changée en vin aux noces de Cana ; aujourd'hui le Christ a été baptisé par Jean dans le Jourdain pour nous sauver. » Cet enracinement dans le mystère de l'Incarnation nous conduit au temps ordinaire, c'est-à-dire à vivre dans le concret de nos vies la foi au Christ qui s'est fait l'un de nous, qui a grandi et s'est développé, qui a vécu la vie ordinaire d'un artisan de Nazareth, et a progressivement pris conscience de sa mission. Ce long enracinement a conduit aux trois années de la vie publique de Jésus dont témoignent les Évangiles.

La Fête des fêtes

Les quarante jours du Carême sont nés de la solidarité de toute l'assemblée chrétienne avec, d'une part, les catéchumènes et, d'autre part, les pénitents. Le Carême est pour eux l'ultime retraite préparatoire à l'entrée dans la vie chrétienne par les sacrements de l'initiation chrétienne ou à la réintégration dans la communauté par la pénitence. Ce temps de rénovation apparaît comme nécessaire à la célébration du *triduum* pascal auquel il conduit et qui est le cœur de l'année liturgique, unissant inséparablement la mort et la résurrection du Seigneur.

Dans la nuit de Pâques, nous feuilletons l'album de famille qui nous remémore l'œuvre de Dieu dans l'histoire, nous célébrons les sacrements qui font les chrétiens, nous renouvelons notre profession de foi, puis, pendant cinquante jours, nous savourons la joie particulière de la résurrection. Nous lisons alors les Actes des Apôtres et l'Évangile de Jean; de dimanche en dimanche nous est donné tout ce dont l'Église a besoin pour vivre.

Au terme de cette cinquantaine d'allégresse, nous « retombons » dans le « temps ordinaire ». Après la fête, il faut durer. Vient le temps de la patience, de la persévérance, de l'espérance: les ornements sont de couleur verte. Après avoir célébré le mystère pascal, nous voici dans l'ordinaire de nos vies, là où s'incarne la fidélité à l'Évangile dans l'attente de la venue du Christ, roi de l'univers. De dimanche en dimanche, nous approfondissons un même Évangile toujours éclairé par la première lecture, et nous suivons, dans une deuxième lecture, un même livre de la Bible. Nourris de la Parole et du pain de vie, nous sommes armés pour vivre notre vie quotidienne, surtout lorsque se présente le combat spirituel.

■ L'ORDINAIRE DU TEMPS ■

Le cycle liturgique n'est pas un perpétuel recommencement; de même que les escaliers à vis de nos clochers, tout en paraissant tourner sur place, nous élèvent, de même l'année liturgique nous travaille et nous élève dans l'attente de la rencontre finale. Les dimanches du temps ordinaire réveillent en nous la joie de la résurrection, faisant irruption dans la banalité des jours où nous rejoint celui qui a voulu être l'un de nous. Les deux périodes de temps ordinaire font se rejoindre le bois de la crèche et le bois de la croix, le mystère de l'Incarnation et celui de la rédemption[4].

En ce mois de juillet, temps de migrations diverses, l'assemblée dominicale nous offre ce temps de ressourcement nécessaire pour vivre la joie et la paix profondes enracinées dans la foi au Christ mort et ressuscité. C'est ce que nous rappelle la 6e préface des dimanches : « Vraiment il est juste et bon de te rendre gloire, Père très saint [...]. Dans cette existence de chaque jour que nous recevons de ta grâce, la vie éternelle est déjà commencée : nous avons reçu les premiers dons de l'Esprit par qui tu as ressuscité Jésus d'entre les morts, et nous vivons dans l'espérance que s'accomplisse en nous le mystère de Pâques. »

(*__Pierre Remise__, prêtre du diocèse de Mende (Lozère), a la charge de la pastorale sacramentelle et liturgique de son diocèse.*

---

4. Cela est rappelé d'une autre façon au Puy-en-Velay : cette année le Vendredi saint tombait le 25 mars, jour de l'Annonciation. Traditionnellement, c'est alors une année jubilaire au Puy.

Prière vivante

Prier en marchant

Jacques Gauthier

La vie est souvent représentée comme un pèlerinage et la mort, un passage. Nous marchons vers Dieu tels que nous sommes, à l'âge que nous avons. Parfois, nous nous arrêtons. Une parole nous tire alors de notre torpeur et nous fait prendre la route en priant. L'étoile de la foi nous guide, à l'exemple des mages, et nous habitons notre cœur, éclairés par la parole de Dieu. Nous savons que nous allons vers la gloire, puisque la mort a été vaincue par la résurrection du Christ, lui qui est *le Chemin, la Vérité et la Vie* (Jn 14, 6).

À la suite du Christ

Jésus a beaucoup marché sur les routes empoussiérées de la Palestine. Les évangélistes évoquent sa vie publique comme une montée vers Jérusalem. Jésus enseigne et prie en marchant, absorbé dans sa relation au Père. On le voit marcher sur les eaux, traverser les champs de blé, exhorter ses disciples à le suivre : *Si quelqu'un veut marcher à ma suite, qu'il renonce à lui-même, qu'il prenne sa croix et qu'il me suive* (Mt 16, 24). Ressuscité, il marche avec les disciples d'Emmaüs, leur explique les Écritures, réchauffe leur cœur avant la fraction du pain. Avec un tel compagnon de route, nous n'avons jamais fini de naître, de marcher, de grandir, de célébrer.

Marcher dans la rue ou dans un parc, en ville ou à la campagne peut être une belle occasion de prier, de s'intérioriser en présence du Seigneur. Le corps s'assouplit au rythme des pas et se détend. Nous descendons dans notre cœur tout en laissant errer notre esprit. La prière arrive au détour d'une maison, d'un buisson, d'un paysage : une louange, une demande... Elle habite notre « marche », souvent en silence, et le Christ vient à notre rencontre. Nous nous laissons prendre par sa présence au lieu de vouloir tout comprendre. *Et moi, je suis avec vous tous les jours jusqu'à la fin du monde* (Mt 28, 20).

La marche méditative

Le matin, je marche ou je fais du jogging dans la ville et dans la nature en bénissant le Seigneur pour la beauté de sa création. Je respire et je rends grâce. Le chemin que je prends me construit à mesure que j'avance. Je marche d'un pas léger, car je porte au cœur la promesse d'une aube éternelle. Je laisse mon regard se promener sur ce qui m'entoure. Je prends conscience de mes pieds sur le sol, j'écoute ma respiration. Je répète le nom de Jésus, lumière sur ma route. Je lui confie les miens, lui parle comme à un ami.

Le soir, il m'arrive de méditer un verset de psaume ou une parole de l'Évangile, de « marcher » le chapelet avec mon épouse (lire ma prochaine chronique sur le rosaire). La parole de Dieu et le chapelet me donnent la force de ne jamais me lasser de chercher le Seigneur. Et le trouvant, de le chercher davantage.

Alors, je conduirai les aveugles sur un chemin qui leur est inconnu; je les mènerai par des sentiers qu'ils ignorent. Je changerai, pour eux, les ténèbres en lumière ; les lieux accidentés, je les aplanirai (Is 42, 16).

En pèlerinage

Le corps qui marche se fait aussi pèlerin quand il se dirige vers une église, un sanctuaire. « À quoi la route, s'il n'y a pas d'église au bout? » écrit Claudel dans *L'Annonce faite à Marie*. Qu'il est bon de marcher de long en large dans une église et de ne penser à rien. Seulement laisser le regard se poser sur la pierre qui chante, écouter les vitraux nous parler de Dieu. Se reposer un moment, puis s'en retourner doucement vers le sanctuaire de notre cœur où Dieu demeure.

La marche se vit concrètement sur les chemins de différents pèlerinages. Celui de Compostelle, souvent qualifié de « chemin d'étoiles », est le plus célèbre. Mais que l'on parte en pèlerinage ou non, nous sommes déjà des pèlerins sur cette terre. L'amour est le seul bagage qui vaille la peine d'être emporté. La route sacrée qui mène au Dieu caché est l'autre à aimer. Pas besoin de partir bien loin pour vivre ce pèlerinage de l'amour, le quotidien s'en occupe. Ainsi, il peut arriver que partir pour Compostelle ou ailleurs devienne une fuite du « vrai de la vie », selon l'expression de Thérèse de Lisieux, la sainte des petits pas.

Comme l'écrit si bien le pape François dans l'encyclique *Laudato si'* : « Tout est lié, et, comme êtres humains, nous sommes tous unis comme des frères et des sœurs dans un merveilleux pèlerinage, entrelacés par l'amour que Dieu porte à chacune de ses créatures et qui nous unit aussi, avec une tendre affection, à frère soleil, à sœur lune, à sœur rivière et à mère terre » (n° 92).

Époux, poète, prédicateur, **Jacques Gauthier** *a publié soixante-dix livres. Il collabore à plusieurs revues. Parmi ses ouvrages :* Chemins vers le silence intérieur avec Thérèse de Lisieux. Jésus raconté par ses proches. *Consulter son site et son blog : jacquesgauthier.com.*

Seigneur mon Dieu, je ne sais pas où
je vais, je ne vois pas la route devant moi,
je ne peux pas prévoir avec certitude
où elle aboutira.
Je ne me connais pas vraiment
moi-même et, si je crois sincèrement
suivre ta volonté, cela ne veut pas dire
qu'en fait je m'y conforme.
Je crois cependant que mon désir
de te plaire te plaît.
J'espère avoir ce désir au cœur en tout
ce que je fais, et ne jamais rien faire
à l'avenir sans ce désir.
En agissant ainsi, je sais
que tu me conduiras sur la bonne route,
même si je ne la connais pas moi-même.
Je te ferai donc toujours confiance.
Même quand j'aurai l'impression
que je me suis perdu
et que je marche à l'ombre de la mort.
Je n'aurai nulle crainte car tu es toujours
avec moi et jamais tu ne me laisseras
seul dans le péril.

Thomas Merton

L'intelligence de la prière des Heures

Prier au souffle de l'Esprit

Bénédicte Ducatel

Au fil des Heures, la prière construit notre être chrétien à l'image du Christ. Or le Christ vit sa relation étroite au Père dans l'élan d'amour de l'Esprit qui les unit.

L'Esprit à notre secours

Il n'y a pas de prière sans présence de l'Esprit Saint, lui qui *vient au secours de notre faiblesse, car nous ne savons pas prier comme il faut* (Rm 8, 26), il n'y a pas de vie chrétienne sans puissance de l'Esprit car *personne n'est capable* de confesser la foi et *de dire* : *« Jésus Christ est Seigneur » sinon dans l'Esprit Saint* (1 Co 12, 3). Dans la prière des Heures, nous faisons l'expérience de cette inhabitation de l'Esprit qui nous pousse à exprimer bien des réalités que spontanément nous n'oserions ni dire ni demander. La prière, ce dialogue amoureux avec Dieu, peut-elle laisser monter des sentiments rudes, des phrases imprononçables ? Qui oserait s'agenouiller et dire : *Déverse sur* mes ennemis *ta fureur, que le feu de ta colère les saisisse* (Ps 68, 25) ? Il faut non le feu de la colère mais celui de l'Esprit pour laisser monter du fond de notre être ces sentiments troubles et inavouables qui expriment les blessures de notre cœur. Celles-là mêmes devant lesquelles Dieu est saisi de compassion, et qu'il veut voir venir au jour pour les apaiser, les guérir, les transformer dans la Pâque de son Fils *venu pour que* nous ayons *la vie, la vie en abondance* (Jn 10, 10).

L'Esprit chante en nous

L'Esprit vient au secours de notre incapacité à entrer dans la louange. Quand notre cœur est fermé, que la peur, la rancœur, le doute, l'angoisse, etc. nous submergent, il est bien difficile de faire monter vers Dieu cet acte de louange. Alors, tandis que nous prononçons les mots que la liturgie nous donne, l'Esprit vient les chanter en nous, vient leur donner leur poids de vie, parce que « sa vie se greffe aux âmes qu'il touche » et qu'il « respire en notre bouche plus que nous-mêmes[1] ». Ce qui vaut pour les situations difficiles vaut dans la simplicité du jour, où la distance qui nous sépare de Dieu est comme comblée par l'œuvre de l'Esprit qui porte à son achèvement la prière que nous faisons monter dans l'humble patience de la répétition. Nous en avons la certitude, « l'Esprit qui poursuit son œuvre dans le monde achève toute sanctification[2] ». De même qu'il sanctifie le pain, il sanctifie notre prière pour qu'elle soit agréable au Père.

L'Esprit qui unit

Comme il est le lien d'amour entre le Père et le Fils, l'Esprit est le lien d'unité entre les baptisés, qu'il rassemble en un seul corps, le Corps du Christ. Esprit d'unité, Esprit d'amour, il recueille nos prières éparses et les rassemble en une prière qui plaît à Dieu parce qu'il y reconnaît celle de son Fils. En consentant à l'œuvre de l'Esprit en nous, nous faisons de notre prière un creuset de vie nouvelle, et de notre vie une prière.

1. D. Rimaud, *Ouvrez vos cœurs*, hymne pour la Pentecôte.
2. Prière eucharistique IV.

Témoin de l'Évangile

Jean Bastaire, pionnier de l'écologie chrétienne

Mathilde Cortès

« Tuberculose », annonce le médecin du service militaire. Jean Bastaire a 20 ans. Nous sommes en 1947. Au sanatorium, une double rencontre l'empêche de sombrer dans le désespoir. L'abbé Ducretet, aumônier, et Hélène Périchon, jeune médecin, vont être les médiateurs de la rencontre décisive de sa vie : le Christ. Le fils d'imprimeurs athées a certes été baptisé enfant mais jusque-là, sa spiritualité s'est développée par ses lectures, parmi lesquelles les philosophies orientales. Jean découvre la richesse d'une religion incarnée avec les écrits du père de Lubac et de Charles Péguy. Quelques mois plus tard, l'abbé Ducretet marie Jean et Hélène. Ils ont le désir « d'accueillir et de rayonner la sainteté ensemble ». Professeur agrégé d'italien, Jean approfondit sa formation intellectuelle et spirituelle. Il devient un spécialiste reconnu de Péguy et collabore à de nombreux journaux. Il compose plusieurs textes dramatiques, des poèmes et des aphorismes : une œuvre importante et cohérente. Jean et Hélène n'ont pas eu d'enfants. Dans les années 1980, Jean traverse une dépression. De santé fragile, ils ne quitteront guère leur maison de Meylan, où Hélène meurt en 1992. C'est elle qui a initié Jean au combat de sa vie : l'écologie chrétienne.

Après sa mort, Jean travaille considérablement et signe « Hélène et Jean Bastaire » ses livres sur le sujet, manifestant le lien spirituel qui les unit dans la communion des saints.

Mystique engagé

Humble et discret sous son béret et derrière sa vieille machine à écrire, Bastaire est aussi un indigné. Au nom de sa foi, il ne cache pas sa révolte face à ce monde tyrannisé par l'argent, cette « société de prédateurs où tout ce qui entoure l'homme est une proie à dévorer par lui ». Il fustige le consumérisme dont la publicité est l'aiguillon et prône la sobriété. « Ministre de l'univers remis entre ses mains, [l'homme] a charge de le gérer afin que l'univers engendre le fruit dont il est porteur pour l'éternité des siècles. » Bastaire va bien au-delà des préoccupations de sauvetage de la planète. Il s'agit du salut. L'écologie chrétienne est eschatologique : « [La création] n'est pas un séjour provisoire pour l'homme qui, une fois sauvé, la laisserait partir à la casse. Non, elle a été créée comme un tout, dont l'homme est le centre, pour être glorifiée. Saint Paul va jusqu'à affirmer qu'elle gémit dans les douleurs de l'enfantement et aspire à voir *la révélation des fils de Dieu* (Rm 8, 19). Sa conscience obscure aspire à ce que l'homme sauvé la mène à son achèvement [...] en la sanctifiant et en l'offrant au Père par un usage humble et plein de respect de ses biens. »

Théologien de la création

Bastaire évoque le lien de charité entre toutes les créatures créées par un même Père et réunies dans une même louange, celle des psaumes 18, 103 ou 148, ou du cantique des trois enfants (Dn 3, 52-90). Certaines de ses affirmations sont sans doute discutables mais il pose les bases d'une théologie de la création puisée dans l'Écriture, les Pères de l'Église, saint Jean de la Croix et les mystiques, les exégèses de Paul Claudel. Il s'appuie sur Jean-Paul II qui souhaitait une « conversion écologique » puis sur Benoît XVI qui a approfondi la question dans des textes peu répercutés. Méconnu, Bastaire l'est aussi. Il écrit à Patrice de Plunkett : « Je "rame "depuis près d'un quart de siècle sur l'océan de l'écologie chrétienne dont on commence seulement à pressentir l'immensité temporelle et spirituelle. J'ai dû me convaincre que ce que j'avançais était vraiment nouveau, tant je recueillais peu d'échos [...]. Nous sommes dans le sillage du Christ total de saint Paul en qui toutes choses ont été créées et toutes sont récapitulées pour être offertes au Père par le sang de la croix. »

Une écologie qui convertit les cœurs

Bastaire se prend à rêver d'une fondation de « petits frères et petites sœurs de la création ». Il meurt à 86 ans en 2013. Deux ans plus tard, on imagine sa joie au ciel devant l'encyclique *Laudato si'* du pape François qui prône l'« écologie intégrale ». En 2014, le cardinal Barbarin dont il était proche, inaugure à l'université catholique de Lyon une chaire Jean Bastaire pour approfondir la théologie de la création. Car ce que Bastaire définit n'est pas un courant politique ni des mesures techniques. C'est une écologie qui convertit les cœurs : « La révolution devra s'effectuer dans l'homme même, au plus profond de son for intime. »

*(**Mathilde Cortès**, 35 ans, s'engage dans l'action humanitaire après des études d'histoire. Mère de famille et auteur, elle voyage sur les chemins de pèlerinage, notamment jusqu'à Jérusalem avec son mari Édouard et en famille, jusqu'à Rome.*

Petite sœur nature

Il est urgent que les chrétiens prennent conscience de l'enjeu [écologique] autrement que par un exorcisme aveugle de cette peur du paganisme qui les saisit aux tripes devant la montée des mystiques infantiles ou dégradées du new age. Mauvaise conseillère, cette réaction de rejet pourrait les faire tomber dans une erreur inverse : ne pas voir le bien-fondé de la révolte de la nature contre la frénétique instrumentalisation de toutes choses que développe notre temps.
À sa racine, la colère que nourrit la sensibilité écologique ne peut être confondue avec une simple nostalgie pastorale et bucolique. C'est le cri de l'ensemble des créatures victimes de la démesure prédatrice de l'homme. Encore plus essentiellement, au-delà des effets d'une gestion désastreuse, c'est la marque de l'oubli par l'homme de sa vocation de rédempteur cosmique.

Hélène et Jean Bastaire, *Pour une écologie chrétienne*, Cerf, Paris, 2004, p. 74

Pour aller plus loin : Hélène et Jean Bastaire, *Pour un Christ vert*, Salvator, Paris, 2009.

Intentions du pape

Intention universelle

LE RESPECT DES PEUPLES INDIGÈNES

Prions pour que soient respectés les peuples indigènes menacés dans leur identité et leur existence même.

« Il est indispensable de prêter attention aux nouvelles formes de pauvreté et de fragilité dans lesquelles nous sommes appelés à reconnaître le Christ souffrant, même si, en apparence, cela ne nous apporte pas des avantages tangibles et immédiats. »

Pape François, *La Joie de l'Évangile*, n° 210

➢ Avons-nous déjà prié pour les peuples indigènes ? Pensons-nous que leur mode de vie nous concerne et peut avoir une influence sur notre vie ?

Intention pour l'évangélisation

LA MISSION CONTINENTALE EN AMÉRIQUE LATINE

Prions pour que l'Église de l'Amérique latine et des Caraïbes, à travers sa mission continentale, annonce l'Évangile avec un élan et un enthousiasme renouvelés.

« Évangéliser, c'est témoigner en premier l'amour de Dieu, c'est dépasser nos égoïsmes, c'est servir en nous inclinant pour laver les pieds de nos frères comme a fait Jésus. Allez, sans peur, pour servir. En suivant ces trois paroles vous expérimenterez que celui qui évangélise est évangélisé, celui qui transmet la joie de la foi reçoit davantage la joie. »

Pape François, *Homélie*, Rio, 28 juillet 2013

➢ L'annonce de l'Évangile nécessite une coopération dans la prière, quelle part prenons-nous à cette coopération ?

Petite chronique biblique

Marie-Noëlle Thabut

■ *La Bible présente quelques scènes étonnantes: d'Abraham osant demander des comptes à Dieu sur sa justice à Marthe faisant des reproches à Jésus qui n'envoie pas sa sœur Marie aux cuisines. Du côté des discours, nous rencontrerons quelques paradoxes: de Moïse affirmant que la Loi nous libère à Jésus disant que la vraie force est du côté des agneaux et non des loups, en passant par un roi Salomon bien changeant.* ■

Le défi chrétien

14e dimanche du temps ordinaire, C

Je vous envoie comme des agneaux au milieu des loups (Lc 10, 3).

Lorsque Jésus prit l'initiative d'envoyer ses disciples en mission, il leur donna une feuille de route qui tenait en quelques mots. Cela commençait par une consigne somme toute peu rassurante: *Je vous envoie comme des agneaux au milieu des loups*. Il est clair que seule la douceur de l'agneau est digne des disciples de celui qui est *doux et humble de cœur*. Mais cette exigence dictée par Jésus résonnait certainement à l'oreille de ses disciples comme un défi: celui de trop nombreux prophètes affrontés à la violence de ceux à qui ils délivraient pourtant la plus belle nouvelle qui soit, la découverte d'un Dieu d'amour. Lorsque Jésus avait déclaré à ses compatriotes dans la synagogue de Nazareth : *Aucun prophète n'est bien accueilli dans sa patrie*, il énonçait une expérience connue de tous et maintes fois répétée. Celle de Jérémie, par exemple, qui se comparait lui-même à un *agneau docile, mené à la boucherie* lorsqu'il entendait proférer dans son dos des propos hostiles à son égard. Il ne faisait pourtant rien d'autre que d'accomplir la mission confiée par Dieu lui-même : *À cause de la parole du Seigneur, je suis en butte, à longueur de journée, aux outrages et aux sarcasmes* (Jr 20, 8, TOB).

Reste à savoir pourquoi les véritables témoins de l'amour divin sont si mal reçus. Peut-être parce que l'amour de Dieu, s'il est gratuit, n'en est pas moins exigeant dès lors qu'il invite à une véritable conversion des cœurs et des comportements. Le livre de la Sagesse résume bien la violence qui agresse parfois les témoins de Dieu : *Traquons le juste : il nous gêne. Il est devenu un reproche vivant* (Sg 2, 12.14).

Le code de la route de la liberté

15e dimanche du temps ordinaire, C

Elle est tout près de toi, cette Parole (Dt 30, 14).

Il ne faut jamais oublier dans quel contexte le peuple a reçu les tables de la Loi. Après plusieurs siècles de présence en Égypte, les Hébreux avaient vu leur situation se détériorer. Ils avaient été bien accueillis à leur arrivée, parce qu'ils étaient de la famille de Joseph, le grand bienfaiteur des années difficiles. Mais les temps avaient changé. Le livre de l'Exode dit simplement : *Un nouveau roi vint au pouvoir en Égypte. Il n'avait pas connu Joseph* (Ex 1, 8).

Traduisez : finie la reconnaissance envers l'ancêtre, désormais ces immigrés étaient mal vus. On pouvait les tolérer dans le rôle de main-d'œuvre à bon marché, mais on se méfiait d'eux au point de les empêcher de se reproduire. Ils avaient donc connu le mépris, les humiliations, les travaux forcés.

C'est alors que Dieu est intervenu pour les libérer. Désormais Israël se souviendra que Dieu a entendu ses cris de détresse et l'a fait sortir d'Égypte, la terre de servitude, comme on l'appelait. C'est donc tout naturellement qu'on a accueilli la Loi donnée par ce même Dieu au Sinaï comme la suite de son entreprise de libération, une sorte de code de la route de la liberté, en somme. Reste que tout le monde n'a pas toujours envie de s'y conformer, alors, à ceux qui regimbent, l'auteur du livre du Deutéronome doit redire l'importance de la fidélité. L'un de ses arguments consiste à dire qu'elle s'impose d'elle-même dès lors qu'on a une conscience un peu éclairée : *Cette loi que je te prescris aujourd'hui n'est pas au-dessus de tes forces ni hors de ton atteinte* (Dt 30, 11).

Marthe et Marie

16e dimanche du temps ordinaire, C

Marthe, Marthe, tu te donnes du souci et tu t'agites (Lc 10, 41).

Lorsqu'il avait envoyé ses disciples en mission, Jésus leur avait recommandé d'accepter l'hospitalité : *Restez dans cette maison, mangeant et buvant ce que l'on vous sert ; car l'ouvrier mérite son salaire* (Lc 10, 7). On ne s'étonne donc pas de le voir lui-même accepter avec simplicité celle de Marthe et Marie. Les deux sœurs l'accueillent chacune à sa façon : l'une, assise à ses pieds, boit ses paroles, l'autre prépare le déjeuner. On ne peut pas dire que l'une est active, l'autre passive, puisque toutes deux ne sont occupées que de lui.

La fébrilité de Marthe inspire à Jésus une petite mise au point qui nous concerne tous et toutes, nous qui sommes tour à tour Marthe et Marie. Il n'est pas question de négliger ni de minimiser, encore moins de mépriser les nécessités matérielles. Elles sont la matière première du Royaume. Et, bien concrètement, qui dit hospitalité dit repas soigné, donc préparatifs ; « tuer le veau gras » est même une expression biblique ! Mais Jésus nous invite à ne pas inverser les priorités : *Marthe, Marthe, tu t'inquiètes et tu t'agites pour bien des choses. Une seule est nécessaire* (Lc 10, 41-42). Inquiétude et agitation ne sont pas de mise pour ce qui n'est après tout que secondaire. La *meilleure part*, c'est encore d'écouter le Seigneur. *Cherchez d'abord le royaume de Dieu et sa justice, et tout cela vous sera donné par surcroît.* La formule est de Jésus dans l'Évangile de Matthieu (6, 33) ; elle est peut-être le meilleur commentaire de la leçon qu'il nous donne dans la maison de Marthe et Marie.

Abraham et la justice de Dieu

17e dimanche du temps ordinaire, C

Vas-tu vraiment faire périr le juste avec le coupable ?
(Gn 18, 23).

Abraham avait une idée très précise de la justice de Dieu héritée de sa Babylonie natale : il imaginait une balance sur laquelle les divinités pesaient scrupuleusement les mérites et les fautes des hommes. Toute faute méritait châtiment, tout mérite venait en compensation.

Et voilà que le Dieu qui venait de lui proposer une alliance le mettait au courant de projets terribles à l'encontre de Sodome et Gomorrhe. Deux villes coupables, c'était un fait, mais la balance avait-elle été respectée? Audacieusement, Abraham posa la question. Puisqu'il s'agissait de villes, elles étaient composées d'individus différents dont certains étaient coupables, certainement, mais n'y avait-il pas aussi des justes? Les mérites des uns compenseraient les fautes des autres.

Ce raisonnement imparable et que Dieu eut la bonté d'écouter jusqu'au bout nous vaut un récit étonnant de ce que l'on pourrait appeler la négociation d'Abraham. Tout le problème était de savoir combien de justes il fallait pouvoir mettre dans la balance pour compenser les fautes immenses des autres habitants. Abraham risqua le chiffre de cinquante justes et Dieu promit: *Si je trouve cinquante justes dans Sodome, à cause d'eux je pardonnerai à toute la ville* (Gn 18, 26). Fort de cette première réponse encourageante, Abraham s'enhardit, peut-être n'y en aurait-il pas exactement cinquante, mais seulement quarante-cinq, ou quarante, ou trente, ou même vingt, voire seulement dix? Mais il n'y avait même pas dix justes dans la ville de Sodome, hélas. Et Abraham ne savait pas encore que la justice de Dieu n'obéit pas à la logique de la balance, lui *qui est riche en pardon* comme l'a découvert Isaïe (55, 7) beaucoup plus tard.

De qui donc parlait Qohèleth?

18e dimanche du temps ordinaire, C

Vanité des vanités, tout est vanité! (Qo 1, 2).

Tout le monde connaît cette sentence un peu désabusée que l'auteur du livre de Qohèleth attribue au roi Salomon vieillissant. Pourtant, au début de son règne, le fils de David ne tenait certainement pas ce genre de propos. En parcourant sa longue existence, on peut distinguer trois périodes: après sa sortie de l'enfance, il y eut d'abord la période ambitieuse, il n'avait aucun droit au trône mais était bien décidé à l'obtenir. Le roi son père avait trois fils plus âgés que lui de trois mères différentes : Amnone, Absalom et Adonias. Amnone fut tué par Absalom pour s'être mal conduit avec la sœur de celui-ci, Tamar. Après ce meurtre, Absalom dut s'exiler provisoirement pour échapper à la vindicte paternelle. Quand il revint, trop pressé d'occuper le trône, il fomenta un coup d'État contre son père, mais il y trouva la mort. Restait Adonias, et celui-ci célébra joyeusement, un peu trop vite, son accession au pouvoir. Bethsabée, la mère de Salomon, rappela juste à temps au roi David une prétendue promesse en sa faveur. Et Salomon fut sacré de justesse. Il fit bientôt place nette en supprimant, selon l'usage, tous ses rivaux potentiels.

La deuxième période, au contraire, fut admirable de sagesse et d'humilité. Enfin régnait à Jérusalem un roi selon le cœur de Dieu. Ce fut, heureusement, la période la plus longue.

Enfin, troisième acte, hélas, les années passant, Salomon trahit son Dieu à mesure que ses innombrables épouses obtenaient de lui des temples pour toutes leurs divinités, et lui-même se laissa entraîner dans de folles dépenses qui ruinèrent le peuple écrasé d'impôts et creusèrent le lit de la révolte. À peine avait-il fermé les yeux que son fils Roboam, un incapable, perdait le contrôle du pays. L'unité du royaume était à jamais perdue. Oui, Salomon aurait bien pu dire : *Tout n'était que vanité et poursuite de vent* (Qo 2, 11).

(**Marie-Noëlle Thabut** *est bibliste dans le diocèse de Versailles. Avec un grand sens pédagogique, elle fait partager sa passion pour la Bible à travers des formations, des conférences et des voyages. Elle collabore régulièrement à* Panorama, *à Radio Notre-Dame et à* MAGNIFICAT.

Goûter la Parole

MÉDITATION EN FORME DE *LECTIO DIVINA*

Père Hervé Guillez

▪ LIRE – MATTHIEU 13, 47-53 ▪

Sous la conduite de l'Esprit Saint, prenez le temps de savourer la lecture de cette parabole dont vous trouverez le texte le jeudi 28 juillet, page 372.

▪ MÉDITER – LA PERSPECTIVE D'UN JUGEMENT ▪

Chez saint Matthieu, le discours en paraboles se termine par la perspective du jugement, mais le Royaume dont il parle n'est pas le résultat de ce jugement, il est comme le filet déjà en action, nous tirant vers le rivage où aura lieu le tri final entre *les méchants* et *les justes*. Le Royaume est déjà présent à travers l'enseignement de Jésus, et la mission des disciples, *pêcheurs d'hommes* (Mt 4, 19). Le cadre du discours – Jésus semant sa Parole depuis la *mer* vers une foule rassemblée sur le *rivage* et accueillant plus ou moins cette Parole – souligne combien l'ultime parabole n'est pas un chapitre autonome dans l'instruction de Jésus, mais la mise en lumière d'un aspect de sa pédagogie. Ainsi se trouvent renforcées l'urgence de nos décisions et la portée de notre responsabilité en œuvre vis-à-vis de cette Parole. L'attention que chacun est appelé à porter à la Parole prépare la matière du tri. Son accueil nous fait naître au Royaume, nous devenons *fils du Royaume* (Mt 13, 38), ce qui s'exprime à travers une capacité de choix radical (« vendre tout pour… », cf. les paraboles du trésor et de la perle, Mt 13, 44-46). Le tri se fait déjà entre *ce qui est bon* et *ce qui ne vaut rien*. *Ce qui ne vaut rien*, littéralement « ce qui est pourri, gâté », ne correspond pas à une variété de poisson non commercialisable, mais à un poisson dont la chair, *a priori* bonne, s'est dénaturée, pervertie. Nous ne pouvons, sans danger, remettre à demain notre écoute, notre réponse à la Parole.

■ PRIER – SEIGNEUR, EXPLIQUE-MOI ENCORE ! ■

Pauvres disciples si assurés de leur compréhension! Pourtant les événements qui suivent vont leur révéler combien ils se trouvent encore à distance de leur Maître, que le choix d'engager leur vie, de « vendre tout pour acheter le trésor », est sans cesse à reprendre. Seigneur, moi aussi, il m'arrive de te dire : « Oui, Seigneur, j'ai tout compris ! » Tu ne cherches pas alors par une interrogation inquisitrice à me montrer mes lacunes. Tu acceptes ma parole que tu sais pourtant pleine d'illusions. Ces dernières peuvent venir de ma difficulté à accepter la radicalité de ton appel – j'aimerais te suivre à bon compte, sans trop d'effort – ou de la méconnaissance des blocages, des blessures qui peuvent me stopper, me ralentir, me fourvoyer... Comme beaucoup d'écoliers, je pense que savoir par cœur le texte de la leçon suffit pour réussir à tous les coups l'exercice. Être savant ne veut pas dire avoir de l'expérience. Explique-moi donc encore, Seigneur, quel obstacle ta parole trouve dans le sol de mon cœur : combats, soucis, désinvolture et oubli trop rapide. Quel choix radical ne sais-je pas poser en réponse, quelle impatience met un frein à l'action de ta grâce ? Comme nous y invite l'Apôtre Pierre (2 P 1, 5-7), donne-moi de savoir parcourir l'échelle qui va de la foi à l'amour : foi (écoute de la Parole), vertu (engagement de mon être), persévérance, piété et fraternité (où je m'appuie sur l'aide divine et sur la présence des frères), pour vivre en vérité de la charité.

■ Contempler – Maître de la maison ■

Le discours sur le Royaume est composé de sept paraboles : sept comme autant de jours de la semaine. Écouter et répondre à la Parole est une attention de tous les jours. Jésus nous parle non seulement par le texte littéral de l'Évangile, mais aussi par les événements, les rencontres qui nous sollicitent, nous aident à mettre la Parole en œuvre. La conclusion se présente comme une huitième parabole même si elle n'en a pas le nom : huit comme le chiffre de l'accomplissement qui révèle l'enjeu. Mettre en œuvre l'ensemble de l'enseignement de Jésus nous établit à notre place dans la maison qu'est l'Église. Le texte présente comme une progression : de *scribe* à *disciple* jusqu'à devenir *maître de maison* (intendant). Le scribe écoute et cherche à connaître, le disciple apprend à mettre en œuvre en suivant l'exemple du Maître, l'intendant se trouve engagé vis-à-vis des autres : témoignage, évangélisation, accompagnement des autres habitants… Le *trésor* n'est autre que la Parole elle-même pour laquelle le disciple a tout lâché. Il se révèle inépuisable, d'une surabondance jamais démentie. Ce qui est ancien, l'expérience accumulée, révèle une capacité d'ouverture à une nouveauté surprenante, un accomplissement. Nous voyons combien dans l'Église la tradition ne porte pas au conformisme, à une pastorale de conservation, mais nourrit l'innovation évangélisatrice. Comprendre cela s'apparente au fait de devenir les « disciples missionnaires » dont notre monde a tant besoin.

Le père **Hervé Guillez**, *prêtre du diocèse de Paris, est curé de la paroisse Saint-François-d'Assise et enseignant pour la Formation continue de la foi.*

Les mots de l'Écriture

Marcher

Christine Pellistrandi

Avec ses longues journées et sa lumière radieuse, juillet est un mois favorable à la marche. Que ce soit sur les sentiers escarpés de nos montagnes ou sur les chemins si secs de Saint-Jacques, nous apprenons l'endurance et, tout en contemplant la beauté du paysage, nous découvrons la joie de l'émerveillement.

Un ange guide la marche d'Israël

Marcher sur le chemin du Seigneur est la condition pour rester en vie et être heureux (cf. Dt 5, 33). Mais ce chemin-là est semé d'embûches et de tentations. Ainsi, dès que Moïse s'est éloigné, le peuple s'empresse-t-il de se fabriquer une idole à portée de mains, que l'on puisse toucher et saisir. Devant un tel péché, Moïse demande à Dieu de pardonner à ceux qui avaient pris cette initiative malencontreuse. Puis, Dieu confirme Moïse dans sa mission qui est de conduire Israël vers la Terre promise et lui promet la présence de son ange : *Va donc, conduis le peuple vers le lieu que je t'ai indiqué, et mon ange ira devant toi* (Ex 32, 34). Bien des siècles plus tard, il en sera de même au retour de l'Exil. Il n'y a rien à craindre car Dieu est fidèle et protège son peuple. Isaïe annonce que ce retour du peuple vers sa Terre sainte ne se fera ni dans la précipitation ni dans la panique, mais dans la paix, *car il marche devant vous, le Seigneur, et celui qui ferme la marche, c'est le Dieu d'Israël !* (Is 52, 12).

Marcher derrière Jésus

Je suis la lumière du monde. Celui qui me suit ne marchera pas dans les ténèbres, il aura la lumière de la vie (Jn 8, 12). Comme le désert a été un lieu d'épreuve pour Israël, notre vie peut parfois nous apparaître bien obscure. Les ténèbres sont l'image de ces temps d'hésitation qui ne nous permettent pas de découvrir où est le bon chemin. Mais la connaissance de Jésus et la découverte de son amour sont la lumière de notre vie parce que lui, Jésus, guérit les yeux aveugles (cf. Jn 9).

Marche et transmission

Les disciples qui marchent en direction d'Emmaüs ne reconnaissent pas l'inconnu qui vient se joindre à leur conversation et qui les interroge sur les raisons de leur sombre mine. Jésus va les accompagner, se mettre à marcher à leur pas, et chemin faisant, il va leur expliquer ce qui avait été dit à son sujet dans la loi de Moïse, les prophètes et les psaumes. En agissant ainsi, Jésus lui-même applique la recommandation faite à tout fils d'Israël. En effet, le temps de la marche est un moment propice pour transmettre la parole de Dieu : *Ces paroles que je te donne aujourd'hui resteront dans ton cœur. Tu les rediras à tes fils, tu les répéteras sans cesse, à la maison ou en voyage, que tu sois couché ou que tu sois levé* (Dt 6, 6-7).

Ainsi, lorsque nous échangeons la parole de Dieu avec nos compagnons de marche, nous rejoignons la volonté de Dieu. Et, comme Jésus avec les pèlerins d'Emmaüs, nous nous ouvrons les uns les autres à l'émerveillement.

Christine Pellistrandi *enseigne l'Écriture sainte au collège des Bernardins. Elle intervient chaque jour à Radio Notre-Dame et porte le souci de la transmission de la foi.*

Bible et liturgie

Marie-Noëlle Thabut

Sainte Anne et saint Joachim

Lorsque le calendrier programme la fête de sainte Anne et de saint Joachim, nous pensons immédiatement aux parents de la Vierge Marie. Mais que savons-nous d'eux ? Pour commencer, l'Ancien Testament cite deux femmes répondant au prénom d'Anne : la mère du prophète Samuel au XIe siècle avant notre ère, et une héroïne du conte de Tobie. Dans le Nouveau Testament, nous rencontrerons une seule femme prénommée Anne, la prophétesse qui accueille l'enfant Jésus au temple de Jérusalem : événement que nous célébrons dans la fête de la Présentation (la Chandeleur). Le dernier représentant de ce prénom est un homme, le grand prêtre, beau-père de Caïphe. Jésus a comparu devant eux deux lors de son procès. Quant à Joachim, on n'en connaît pas un seul.

Tout ceci pour dire que la Bible est muette sur Anne et Joachim. Mais alors où nous tourner pour satisfaire notre curiosité bien légitime à l'égard des parents de la Vierge Marie ? Vers d'autres livres, ceux que l'on appelle les Apocryphes, que l'Église n'a pas retenus dans le Canon des Écritures (la liste officielle) ; et ceux-ci ne manquent pas.

Complies

avant le repos de la nuit

(On peut commencer par une révision de la journée, ou par un acte pénitentiel dans la célébration commune.)

Dieu, viens à mon aide,
Seigneur, à notre secours.

Gloire au Père, et au Fils, et au Saint-Esprit !

HYMNE

L'heure s'avance ; fais-nous grâce,
Toi dont le jour n'a pas de fin.
Reste avec nous quand tout s'efface,
Dieu des lumières sans déclin.

Tu sais toi-même où sont nos peines :
Porte au Royaume nos travaux.
Sans toi, notre œuvre serait vaine :
Viens préparer les temps nouveaux.

Comme un veilleur attend l'aurore,
Nous appelons le jour promis.
Mais si la nuit demeure encore,
Tiens-nous déjà pour tes amis.

Dieu qui sans cesse nous enfantes,
À toi ces derniers mots du jour !
L'Esprit du Christ en nous les chante
Et les confie à ton amour.

PSAUME 90 **Dieu est toujours avec nous**

Quand je me tiens sous l'abri du Très-Haut
et repose à l'ombre du Puissant,
je dis au Seigneur : « Mon refuge,
mon rempart, mon Dieu, dont je suis sûr ! »

C’est lui qui te sauve des filets du chasseur
et de la peste maléfique ; *
il te couvre et te protège.
Tu trouves sous son aile un refuge :
sa fidélité est une armure, un bouclier.

Tu ne craindras ni les terreurs de la nuit,
ni la flèche qui vole au grand jour,
ni la peste qui rôde dans le noir,
ni le fléau qui frappe à midi.

Qu’il en tombe mille à tes côtés, +
qu’il en tombe dix mille à ta droite, *
toi, tu restes hors d’atteinte.

Il suffit que tu ouvres les yeux,
tu verras le salaire du méchant.
Oui, le Seigneur est ton refuge ;
tu as fait du Très-Haut ta forteresse.

Le malheur ne pourra te toucher,
ni le danger, approcher de ta demeure :
il donne mission à ses anges
de te garder sur tous tes chemins.

Ils te porteront sur leurs mains
pour que ton pied ne heurte les pierres ;
tu marcheras sur la vipère et le scorpion,
tu écraseras le lion et le Dragon.

« Puisqu’il s’attache à moi, je le délivre ;
je le défends, car il connaît mon nom.
Il m’appelle et, moi, je lui réponds ;
je suis avec lui dans son épreuve.

« Je veux le libérer, le glorifier ; +
de longs jours, je veux le rassasier, *
et je ferai qu’il voie mon salut. »

Gloire au Père, et au Fils, et au Saint-Esprit,
pour les siècles des siècles. Amen.

Dieu Très-Haut, Dieu Puissant, tu as pris sous ta protection ton serviteur, tu l'as gardé sur tous ses chemins d'homme et tu as été avec lui dans son épreuve. Tiens-nous, comme lui, dans la confiance malgré les terreurs de la nuit. Défends-nous au moment du combat : que nous soyons glorifiés avec lui !

Ou bien :

Psaume 30 (I) **Supplication confiante**

En toi, Seigneur, j'ai mon refuge ;
garde-moi d'être humilié pour toujours.

Dans ta justice, libère-moi ;
écoute, et viens me délivrer.
Sois le rocher qui m'abrite,
la maison fortifiée qui me sauve.

Ma forteresse et mon roc, c'est toi :
pour l'honneur de ton nom,
tu me guides et me conduis.
Tu m'arraches au filet qu'ils m'ont tendu ;
oui, c'est toi mon abri.

En tes mains je remets mon esprit ;
tu me rachètes, Seigneur, Dieu de vérité.
Je hais les adorateurs de faux dieux,
et moi, je suis sûr du Seigneur.

Ton amour me fait danser de joie :
tu vois ma misère et tu sais ma détresse.
Tu ne m'as pas livré aux mains de l'ennemi ;
devant moi, tu as ouvert un passage.

Gloire au Père, et au Fils, et au Saint-Esprit,
pour les siècles des siècles. Amen.

Dieu qui ouvres un passage devant l'homme en détresse et qui offres un lieu sûr à tes fidèles humiliés, garde en tes mains les jours de l'Église, et rends courage à ceux qui t'espèrent. S'ils sont, avec le Christ, dans la souffrance, qu'ils puissent te bénir, avec lui, pour tes merveilles d'amour.

Parole de Dieu — 1 Pierre 5, 8-9a

SOYEZ SOBRES, veillez : votre adversaire, le diable, comme un lion rugissant, rôde, cherchant qui dévorer. Résistez-lui avec la force de la foi.

Ou bien :

Parole de Dieu — Deutéronome 6, 4-7

ÉCOUTE, ISRAËL : le Seigneur notre Dieu est l'Unique. Tu aimeras le Seigneur ton Dieu de tout ton cœur, de toute ton âme et de toute ta force. Ces paroles que je te donne aujourd'hui resteront dans ton cœur. Tu les rediras à tes fils, tu les répéteras sans cesse, à la maison ou en voyage, que tu sois couché ou que tu sois levé.

℟ *En tes mains, Seigneur, je remets mon esprit.*
℣ *Écoute et viens me délivrer.* ℟
Gloire au Père. ℟

CANTIQUE DE SYMÉON (Texte, couverture A)

Sauve-nous, Seigneur, quand nous veillons ; garde-nous quand nous dormons : nous veillerons avec le Christ, et nous reposerons en paix.

PRIÈRE

Dieu qui es fidèle et juste, réponds à ton Église en prière, comme tu as répondu à Jésus, ton serviteur. Quand le souffle en elle s'épuise, fais-la vivre du souffle de ton

Esprit : qu'elle médite sur l'œuvre de tes mains, pour avancer, libre et confiante, vers le matin de sa Pâque. Par Jésus, le Christ, notre Seigneur. Amen.

BÉNÉDICTION

Que le Seigneur tourne vers nous son visage et nous apporte la paix. Amen.

ANTIENNE MARIALE

Sous l'abri de ta miséricorde,
nous nous réfugions, Sainte Mère de Dieu.
Ne méprise pas nos prières
quand nous sommes dans l'épreuve,
mais de tous les dangers
délivre-nous toujours,
Vierge glorieuse, Vierge bienheureuse.

[VENDREDI 1ER JUILLET]

Prière du matin

Dieu saint, Dieu fort, Dieu immortel,
prends pitié de nous !

Gloire au Père, et au Fils, et au Saint-Esprit,
au Dieu qui est, qui était, et qui vient,
pour les siècles des siècles. Amen. Alléluia.

HYMNE

Toi qui nous as cherchés
Quand nous étions perdus, loin de toi,
Pour que nous devenions
Le peuple racheté,
Ton Église en ce monde.

℟ Nous te louons, nous te bénissons !
Nous te louons et nous te bénissons !
Gloire à toi, Messie crucifié,
Gloire à toi, scandale et folie pour ce monde !
Gloire à toi, Messie crucifié,
Sagesse et puissance de Dieu !

Toi qui nous as tirés
De nos prisons d'exil et de mort,
Pour que nous entonnions
Le chant des libérés
En mémoire de Pâques.

PSAUME 99 **Appel à la louange**

Est-il de bonheur plus grand que de vivre dans l'action de grâce ? Tout vient de Dieu ! De là vient la joie du peuple qui s'avance vers sa demeure éternelle.

Acclamez le Seigneur, terre entière, — acclamez
servez le Seigneur dans l'allégresse, — servez
venez à lui avec des chants de joie ! — venez

Reconnaissez que le Seigneur est Dieu : — reconnaissez
il nous a faits, et nous sommes à lui,
nous, son peuple, son troupeau.

Venez dans sa maison lui rendre grâce, — rendez grâce
dans sa demeure chanter ses louanges ;
rendez-lui grâce et bénissez son nom ! — bénissez

Oui, le Seigneur est bon, — oui
éternel est son amour,
sa fidélité demeure d'âge en âge.

Gloire au Père, et au Fils, et au Saint-Esprit…

Parole de Dieu — Colossiens 3, 12-13

PUISQUE VOUS AVEZ ÉTÉ choisis par Dieu, que vous êtes sanctifiés, aimés par lui, revêtez-vous de tendresse et de compassion, de bonté, d'humilité, de douceur et de patience. Supportez-vous les uns les autres, et pardonnez-vous mutuellement si vous avez des reproches à vous faire. Le Seigneur vous a pardonné : faites de même.

Près de toi, Seigneur, se trouve le pardon !

CANTIQUE DE ZACHARIE (Texte, couverture B)

LOUANGE ET INTERCESSION

Par sa mort sur la croix, le Christ a sauvé le genre humain. Bénissons-le :

℟ Béni sois-tu, ô Christ, notre Sauveur !

Du ciel, tu es descendu comme la lumière.

De Marie, tu es né comme le germe divin.

De la croix, tu es tombé comme le fruit.

Au ciel tu es monté, prémices des vivants.

Tu te présentes au Père comme l'offrande parfaite.

Intentions libres

Notre Père…

Dieu d'amour, éternellement fidèle, accueille l'action de grâce de ton peuple : nous reconnaissons ce que tu fais pour nous, et nous venons à toi, en bénissant ton nom, pour te servir dans la joie de l'Esprit. Par Jésus Christ.

Que le Seigneur qui nous a sauvés par sa croix
soit pour nous la résurrection et la vie. Amen.

LA MESSE

Vendredi de la 13e semaine du temps ordinaire

(En ce jour, on peut choisir les oraisons, entre filets, de la messe votive du Sacré-Cœur, Missel romain, *n° 6.)*

Voici quelles sont, d'âge en âge, les pensées de son cœur : délivrer de la mort ceux qui espèrent son amour, les garder en vie aux jours de famine.

PRIÈRE. Dieu d'infinie bonté, fortifie notre cœur de la force du Christ, mets en nous le feu dont brûle son cœur ; nous lui ressemblerons alors davantage, et nous pourrons entrer dans le bonheur qu'il nous a mérité pour toujours. Lui qui règne.

Lecture du livre du prophète Amos 8, 4-6.9-12

ECOUTEZ CECI, vous qui écrasez le malheureux pour anéantir les humbles du pays, car vous dites : « Quand donc la fête de la nouvelle lune sera-t-elle passée, pour que nous puissions vendre notre blé ? Quand donc le sabbat

sera-t-il fini, pour que nous puissions écouler notre froment ? Nous allons diminuer les mesures, augmenter les prix et fausser les balances. Nous pourrons acheter le faible pour un peu d'argent, le malheureux pour une paire de sandales. Nous vendrons jusqu'aux déchets du froment ! » Ce jour-là – oracle du Seigneur Dieu –, je ferai disparaître le soleil en plein midi, en plein jour, j'obscurcirai la lumière sur la terre. Je changerai vos fêtes en deuil, tous vos chants en lamentations ; je vous obligerai tous à vous vêtir de toile à sac, à vous raser la tête. Je mettrai ce pays en deuil comme pour un fils unique, et, dans la suite des jours, il connaîtra l'amertume. Voici venir des jours – oracle du Seigneur Dieu – où j'enverrai la famine sur la terre ; ce ne sera pas une faim de pain ni une soif d'eau, mais la faim et la soif d'entendre les paroles du Seigneur. On se traînera d'une mer à l'autre, marchant à l'aventure du nord au levant, pour chercher en tout lieu la parole du Seigneur, mais on ne la trouvera pas.
— ***Parole du Seigneur.***

Psaume 118

L'homme ne vit pas seulement de pain,
mais de toute parole qui sort de la bouche de Dieu.

Heureux ceux qui gardent les exigences de Dieu,
ils le cherchent de tout cœur !
De tout mon cœur, je te cherche, Seigneur ;
garde-moi de fuir tes volontés.

Mon âme a brûlé de désir
en tout temps pour tes décisions.
J'ai choisi la voie de la fidélité,
je m'ajuste à tes décisions.

Vois, j'ai désiré tes préceptes :
par ta justice fais-moi vivre.

Prière du soir

Adorons le Seigneur,
c'est lui qui nous a faits.

Gloire au Père, et au Fils, et au Saint-Esprit,
au Dieu qui est, qui était, et qui vient,
pour les siècles des siècles. Amen. Alléluia.

HYMNE

Si ton Corps, ô Jésus,
Si tes bras étendus
Fléchirent au Calvaire,
Ce fut de supporter
Tout le poids de misère
De nos cœurs endurcis,
De nos corps de péché.

Proclamée dans l'Esprit,
Ta Parole aujourd'hui
Invite tous les hommes :
Prenez sur vous mon joug,
Et gagnez le Royaume ;
Il est doux ce fardeau,
Le fardeau de l'amour.

Lorsqu'au bout du chemin
Nous rendrons en tes mains
Le compte de nos actes,
Mets à notre crédit
Tout le poids de ta grâce,
En mémoire du jour
Où ta mort nous guérit.

Au jardin du pardon,
Pour toujours nous vivrons,
Vêtus de ta lumière ;

SAINTS
D'HIER ET D'AUJOURD'HUI

Le martyrologe romain fait mémoire de SAINT AARON

Recevons la paix de Dieu,
lui qui accueille les saints dans la demeure du ciel.

L'Église commémore aujourd'hui saint Aaron, frère de Moïse et de Miryam. Sans doute plus doué humainement que son frère – il avait la parole facile et un ascendant naturel sur les hommes –, il s'efface derrière Moïse qui reçoit de Dieu une vocation bien particulière. De la tribu de Lévi, il est consacré par Moïse comme prêtre de l'ancienne Alliance. En toutes circonstances, il soutient son frère Moïse sans défaillir et jusqu'au bout, c'est-à-dire jusque dans la mort même, puisque, comme Moïse, *il n'entrera pas dans le pays que je donne aux fils d'Israël, puisque vous avez été rebelles à ma parole aux eaux de Mériba* (Nb 20, 24). Il meurt au sommet d'une montagne, non loin de Cadès. Aaron est un saint que nous partageons avec nos aînés dans la foi et avec les chrétiens de toutes confessions. Un saint biblique qui peut nous aider à ne pas être jaloux de la vocation des autres, voire même à nous mettre au service de cette vocation qui nous dépasse. *N'y a-t-il pas ton frère Aaron,* dit le Seigneur à Moïse (Ex 4, 14). Sachons humblement demander l'aide de nos frères !

Bonne fête !
Domitien, Thierry, Dietrich, Goulven, Servan et Servane

Le parfum des cantiques

Cantique d'Isaïe

Nathalie Nabert

La droiture est le chemin du juste

Le cantique d'Isaïe (p. 48), dans sa beauté formelle, tout empreinte des fragments de l'histoire, se referme sur la belle thématique de l'union à Dieu, dans cette atmosphère de paix qui caractérise les grandes espérances. Mais cette douceur accueillie de l'amour de Dieu y est donnée comme le fruit d'un long cheminement dont la fidélité à la Loi et la confiance sont les stations obligées.

■ FIDÉLITÉ À LA LOI ■

Le contexte de rédaction de ce cantique d'Isaïe éclaire le contenu abrupt des premiers versets dont le vocabulaire militaire de la fortification témoigne d'une menace, toujours actuelle, mais aussi d'une protection : *ville forte, muraille et avant-mur* (v. 1), *portes* (v. 2). Isaïe, qui s'exprime au VIIIe siècle avant Jésus Christ, est le prophète de l'Emmanuel, mais sa mission contient aussi l'annonce de la ruine d'Israël et des peuples infidèles. Ce contexte douloureux trouble son âme sensible, mais trouve sa justification dans la revendication d'une politique droite qui refuse les alliances militaires dégradantes – notamment avec l'Égypte – pour ne se fier qu'à Dieu et à Dieu seul. Durant cette période de dévastation, ses oracles ont des couleurs d'apocalypse : *La terre est en deuil, elle s'épuise, le monde dépérit, il s'épuise* (Is 24, 4), jusqu'à ce qu'éclate le chant d'espérance de l'avènement de Dieu sur les divisions généreusement accordée l'entrée dans le royaume éternel de notre Seigneur et Sauveur Jésus Christ.

Viens, Seigneur, viens nous sauver !

CANTIQUE DE ZACHARIE (Texte, couverture B)

LOUANGE ET INTERCESSION

Avec toutes les générations qui ont chanté la gloire de la Vierge Marie, disons à Dieu notre reconnaissance :

℟ Nous te louons, Seigneur,
et nous te bénissons !

Pour l'humilité de la Vierge,
et sa docilité à ta parole,

Pour son allégresse
et pour l'œuvre, en elle, de l'Esprit,

Pour l'enfant qu'elle a porté,
qu'elle a couché dans la mangeoire,

Pour son offrande au Temple
et son obéissance à la Loi,

Pour sa présence à Cana,
pour sa tranquille prière,

Pour sa foi dans l'épreuve,
pour sa force au Calvaire,

Pour sa joie au matin de Pâques,
et parce qu'elle est notre mère, Intentions libres

Notre Père…

Accorde à tes serviteurs, Dieu très bon, de posséder la santé de l'âme et du corps, et, par la glorieuse intercession de la sainte Vierge Marie, d'être libérés des tristesses de ce monde, et de goûter les joies de l'éternité. Par Jésus.

LA MESSE

Samedi de la 13e semaine du temps ordinaire

(En ce jour, on peut choisir les oraisons, entre filets, de la messe en l'honneur de la Vierge Marie,* Missel romain, *n° 8.)

Nous te saluons, Mère très sainte : tu as mis au monde le Roi qui gouverne le ciel et la terre pour les siècles sans fin.

PRIÈRE ——— **page précédente**

Lecture du livre du prophète Amos **9, 11-15**

AINSI PARLE LE SEIGNEUR : Ce jour-là, je relèverai la hutte de David, qui s'écroule ; je réparerai ses brèches, je relèverai ses ruines, je la rebâtirai telle qu'aux jours d'autrefois, afin que ses habitants prennent possession du reste d'Édom et de toutes les nations sur lesquelles mon nom fut jadis invoqué, – oracle du Seigneur, qui fera tout cela. Voici venir des jours – oracle du Seigneur – où se suivront de près laboureur et moissonneur, le fouleur de raisins et celui qui jette la semence. Les montagnes laisseront couler le vin nouveau, toutes les collines en seront ruisselantes. Je ramènerai les captifs de mon peuple Israël ; ils rebâtiront les villes dévastées et les habiteront ; ils planteront des vignes et en boiront le vin ; ils cultiveront des jardins et en mangeront les fruits. Je les planterai sur leur sol, et jamais plus ils ne seront arrachés du sol que je leur ai donné. Le Seigneur ton Dieu a parlé.

— Parole du Seigneur.

PSAUME 84

Ce que dit le Seigneur,
c'est la paix pour son peuple.

J'écoute : que dira le Seigneur Dieu ?
Ce qu'il dit, c'est la paix
pour son peuple et ses fidèles ;
qu'ils ne reviennent jamais à leur folie !

Amour et vérité se rencontrent,
justice et paix s'embrassent ;
la vérité germera de la terre
et du ciel se penchera la justice.

Le Seigneur donnera ses bienfaits,
et notre terre donnera son fruit.
La justice marchera devant lui,
et ses pas traceront le chemin.

Alléluia. Alléluia. Mes brebis écoutent ma voix, dit le Seigneur ; moi, je les connais, et elles me suivent. Alléluia.

Évangile de Jésus Christ
selon saint Matthieu 9, 14-17

En ce temps-là, les disciples de Jean le Baptiste s'approchèrent de Jésus en disant : « Pourquoi, alors que nous et les pharisiens, nous jeûnons, tes disciples ne jeûnent-ils pas ? » Jésus leur répondit : « Les invités de la noce pourraient-ils donc être en deuil pendant le temps où l'Époux est avec eux ? Mais des jours viendront où l'Époux leur sera enlevé ; alors ils jeûneront. Et personne ne pose une pièce d'étoffe neuve sur un vieux vêtement, car le morceau ajouté tire sur le vêtement, et la déchirure s'agrandit. Et on ne met pas du vin nouveau dans de vieilles outres ; autrement, les outres éclatent, le vin se répand, et les outres sont perdues. Mais on met le vin nouveau dans des outres neuves, et le tout se conserve. »
— *Acclamons la Parole de Dieu.*

PRIÈRE SUR LES OFFRANDES. Dans son amour pour les hommes, que ton Fils unique vienne à notre secours, Seigneur : puisque sa naissance n'a pas altéré mais a consacré la virginité de sa mère, qu'il nous délivre aujourd'hui de nos péchés et te rende agréable cette offrande. Lui qui règne avec toi.

Heureuse la Vierge Marie, qui a porté dans son sein le Fils du Père éternel.

PRIÈRE APRÈS LA COMMUNION. En communiant à la nourriture du ciel, nous implorons ta bonté, Seigneur : puisque nous avons la joie de faire mémoire de la Vierge Marie, rends-nous capables d'accueillir comme elle le mystère de notre rédemption. Par Jésus, le Christ, notre Seigneur.

MÉDITATION DU JOUR

Nouveauté

Les prophètes annonçaient clairement la nouvelle alliance de la liberté et le vin nouveau que l'on met dans les nouvelles outres, c'est-à-dire la foi au Christ.

Lisez avec attention l'Évangile qui nous a été donné par les Apôtres, lisez aussi avec attention les prophéties, et vous constaterez que toute l'œuvre, toute la doctrine et toute la passion de notre Seigneur y ont été prédites. « Mais alors, penserez-vous peut-être, qu'est-ce que le Seigneur a apporté de nouveau par sa venue ? — Eh bien, sachez qu'il a apporté toute nouveauté, en apportant sa propre personne annoncée par avance, car ce qui était annoncé par avance, c'était précisément que la nouveauté viendrait renouveler et revivifier l'homme.

D'ailleurs, il n'est personne d'entre les patriarches, les prophètes ou les anciens rois en qui se soit proprement réalisée quelqu'une de ces choses : tous prophétisaient la passion du Christ, mais eux-mêmes étaient loin d'endurer des souffrances semblables à celles qu'ils annonçaient par avance. Et les signes prédits au sujet de la passion du Seigneur n'ont eu lieu pour aucun autre. Car à la mort d'aucun ancien le soleil ne se coucha en plein midi, ni le voile du Temple ne se déchira, ni la terre ne trembla, ni les rochers ne se fendirent, ni les morts ne ressuscitèrent (cf. Mt 27, 45.51-52) ; nul d'entre eux ne ressuscita le troisième jour ni, tandis qu'il aurait été enlevé aux cieux, ne vit ceux-ci s'ouvrir pour lui ; au nom d'aucun autre ne crurent les nations ; nul d'entre eux, en mourant et en ressuscitant, n'ouvrit le Nouveau Testament de la liberté. ST IRÉNÉE DE LYON

Saint Irénée († v. 200), évêque de Lyon, Père de l'Église grecque, est considéré comme le premier des grands théologiens du christianisme.

Prière du soir

14e semaine du temps ordinaire

Que ma prière devant toi s'élève comme un encens,
et mes mains, comme l'offrande du soir.

Gloire au Père, et au Fils, et au Saint-Esprit !

HYMNE

Lumière pour l'homme aujourd'hui
Qui viens depuis que sur la terre
Il est un pauvre qui t'espère,
Atteins jusqu'à l'aveugle en moi :
Touche mes yeux afin qu'ils voient
De quel amour
Tu me poursuis.
Comment savoir d'où vient le jour
Si je ne reconnais ma nuit ?

Parole de Dieu dans ma chair
Qui dis le monde et son histoire

Afin que l'homme puisse croire,
Suscite une réponse en moi :
Ouvre ma bouche à cette voix
Qui retentit
Dans le désert.
Comment savoir quel mot tu dis
Si je ne tiens mon cœur ouvert ?

Semence éternelle en mon corps,
Vivante en moi plus que moi-même
Depuis le temps de mon baptême,
Féconde mes terrains nouveaux :
Germe dans l'ombre de mes os
Car je ne suis
Que cendre encore.
Comment savoir quelle est ta vie,
Si je n'accepte pas ma mort ?

Psaume 4 **Action de grâce du soir**

Accepter de faire taire les bruits du monde et s'ouvrir à la confiance sont deux voies sûres pour goûter la paix de Dieu.

Quand je crie, réponds-moi,
Dieu, ma justice !

Toi qui me libères dans la détresse,
pitié pour moi, écoute ma prière !

Fils des hommes,
jusqu'où irez-vous dans l'insulte à ma gloire, *
l'amour du néant et la course au mensonge ?

Sachez que le Seigneur a mis à part son fidèle,
le Seigneur entend quand je crie vers lui.

Mais vous, tremblez, ne péchez pas ;
réfléchissez dans le secret, faites silence.

Offrez les offrandes justes
et faites confiance au Seigneur.

Beaucoup demandent :
« Qui nous fera voir le bonheur ? » *
Sur nous, Seigneur, que s'illumine ton visage !

Tu mets dans mon cœur plus de joie
que toutes leurs vendanges et leurs moissons.

Dans la paix moi aussi, je me couche et je dors, *
car tu me donnes d'habiter, Seigneur,
seul, dans la confiance.

Gloire au Père, et au Fils, et au Saint-Esprit…

Dieu fidèle, tu as écouté la prière du Christ, tu l'as libéré de la détresse. Ne permets pas que nos cœurs se troublent, rends-les confiants, mets en eux ta joie ; et nous attendrons, dans le silence et la paix, le bonheur de voir ton visage.

Parole de Dieu

Apocalypse 22, 4-5

LES SERVITEURS DE DIEU verront sa face, et son nom sera sur leur front. La nuit aura disparu, ils n'auront plus besoin de la lumière d'une lampe ni de la lumière du soleil, parce que le Seigneur Dieu les illuminera ; ils régneront pour les siècles des siècles.

Ma lumière et mon salut, c'est le Seigneur !

CANTIQUE DE MARIE (Texte, couverture A)

INTERCESSION

À la veille du jour du Seigneur, supplions-le de regarder avec bonté ce que fut notre vie pendant la semaine :

℟ Accueille-nous, Seigneur, en ta bonté.

Créateur souverain, tu nous as confié le monde :
– pour tout progrès, merci ;
pour toute lâcheté, pardon.

Tu nous as donné des compagnons de travail :
– pour les secours donnés et reçus, merci ;
pour les malveillances et les jalousies, pardon.

Tu nous as donné des frères :
– pour les témoignages d'affection, merci ;
pour tout manque d'amour, pardon.

Tu nous as donné de rencontrer des inconnus :
– pour les amitiés qui se sont nouées, merci ;
pour nos indifférences, pardon.

Regarde avec bonté ceux qui sont morts
de mort brutale ou dans l'isolement :
– accueille-les dans le repos éternel. Intentions libres

Notre Père…

Car c'est à toi qu'appartiennent
le règne, la puissance et la gloire,
pour les siècles des siècles !

Nous te saluons, Vierge Marie,
servante du Seigneur.
Ta foi nous a donné
l'Enfant de la promesse,
la source de la vie.
Ève nouvelle,
montre-nous le Sauveur,
Jésus Christ, notre frère,
Sainte Mère de Dieu.

Demain, le 14e dimanche du temps ordinaire a la préséance sur la fête de saint Thomas.

SAINTS
D'HIER ET D'AUJOURD'HUI

Le martyrologe romain fait mémoire de la BIENHEUREUSE EUGÉNIE JOUBERT

Rendons grâce à Dieu pour ses saints qui nous enseignent le zèle de la charité.

Du haut de son éperon rocheux, Notre-Dame du Puy veille sur Yssingeaux où Eugénie voit le jour en 1876. Formée à la vie chrétienne tant dans sa famille que dans les diverses institutions qu'elle fréquente, elle répond à 19 ans à l'appel du Christ et rejoint une de ses sœurs aînées dans la congrégation de la Sainte-Famille-du-Sacré-Cœur, nouvellement fondée au Puy. Le charisme de cette congrégation est l'enseignement religieux, particulièrement auprès des plus pauvres. Eugénie ne se contente pas de faire le catéchisme, elle vit ce qu'elle enseigne. Les enfants ne s'y trompent pas, la foi n'est pas qu'une leçon à réciter, c'est une expérience de vie dont Eugénie est le témoin lumineux. On lui confie les plus turbulents, les moins intelligents, les moins sociables. Rien ne la décourage, elle sait en qui elle a mis sa confiance. Du Puy à Liège en passant par Saint-Denis et Aubervilliers, Eugénie trace son chemin en toute simplicité, semant l'Évangile avec bonheur et assiduité. Unie en tout au Christ son époux, elle meurt épuisée par la tuberculose en 1904. N'hésitons pas à la prier pour les catéchistes.

Bonne fête !
Martinien, Lidan et Eugénie

DIMANCHE 3 JUILLET

14e du temps ordinaire

Parole de Dieu pour un dimanche

Ambassadeurs et me… gers

Christelle Javary

LES AMBASSADEURS que le Seigneur Jésus e… vant
lui pour préparer sa venue sont avant to… s-
sagers de paix. *Paix à cette maison,* voilà …
diction typiquement biblique qui appelle l'un …
les plus précieux que Dieu fait aux hommes. …
magique pourtant dans cette invocation. La paix …
pas sans discernement et seul un véritable ami de la …
est digne de la recevoir. Elle ne s'impose pas non p…
car ce serait une forme de violence, donc une contradiction. De fait, aucune malédiction ne s'attache à ceux qui refusent d'écouter la prédication évangélique. Les apprentis missionnaires sont aussi invités à vivre un certain dénuement pour se laisser accueillir par les personnes qu'ils vont rencontrer. Ils leur donneront ainsi l'occasion d'exercer l'hospitalité, vertu capitale dans la culture juive (et plus largement, antique). Les disciples peuvent avoir confiance : on prendra soin d'eux, afin qu'ils puissent à leur tour prendre soin des pauvres et des malades qu'on leur présentera. Dans ce bel échange, chacun est appelé à donner et à recevoir. Ainsi les cœurs s'ouvrent à cette merveilleuse nouvelle : *Le règne de Dieu s'est approché de* nous. Ne pensons pas qu'il s'agit d'une histoire

ancienne. Nous aussi, disciples de l'an 2016, nous faisons l'expérience gracieuse de l'hospitalité. À la table eucharistique, c'est le Seigneur lui-même qui nous reçoit. Il se fait proche, il prend soin de nous en nous partageant son corps et son s

intentions dominicales

s sont à adapter en fonction de l'actualité et ée qui célèbre.

Ces

d*se détourne jamais de ses enfants dans le besoin,*
-le pour tous nos frères et sœurs.

our l'Église qui rejoint ses enfants pécheurs à travers les missionnaires de la miséricorde.

Pour les jeunes qui viennent de recevoir l'ordination sacerdotale et découvrent en profondeur ce que signifie « être envoyé ».

Pour les familles qui s'ouvrent à l'accueil des plus pauvres et découvrent la richesse du partage.

Pour ceux qui travaillent au bien-être des vacanciers.

Pour les peuples en guerre qui aspirent à la paix.

Pour notre communauté qui s'attache à vivre de la joie chrétienne pour en témoigner.

Dieu qui sauves tous les hommes et ne veux en perdre aucun, écoute notre prière et conduis tout homme à la joie du Royaume. Par Jésus, le Christ, notre Seigneur.

ils espèrent. Que nous puissions te bénir chaque jour, et sans fin !

Parole de Dieu

Ézékiel 36, 25-27

JE RÉPANDRAI sur vous une eau pure, et vous serez purifiés ; de toutes vos souillures, de toutes vos idoles, je vous purifierai.
Je vous donnerai un cœur nouveau, je mettrai en vous un esprit nouveau. J'ôterai de votre chair le cœur de pierre, je vous donnerai un cœur de chair.
Je mettrai en vous mon esprit, je ferai que vous marchiez selon mes lois, que vous gardiez mes préceptes et leur soyez fidèles.

Donne-nous, Seigneur, un cœur nouveau,
mets en nous, Seigneur, un esprit nouveau.

CANTIQUE DE ZACHARIE (Texte, couverture B)

LOUANGE ET INTERCESSION

Jésus, Fils du Dieu vivant,

℟ De grâce, écoute-nous.

Accorde à tous les peuples la justice et la paix.

Rassemble en ton Corps
ceux qui confessent ton nom.

Conduis tous les hommes à la lumière de l'Évangile.

Affermis-nous et garde-nous fidèles à ton service.

Élève nos désirs vers les biens éternels.

Sois bienfaisant pour nos bienfaiteurs.

Donne à chacun les fruits de la terre,
pour que nous puissions te rendre grâce. Intentions libres

Notre Père…

Dieu très bon, depuis les origines, tu ne cesses d'appeler les hommes à se rassembler et, par ton Fils, tu leur offres la paix. Accorde-nous d'accueillir cette bonne nouvelle dans la joie de l'Esprit Saint : qu'elle soit notre vie et celle de tout homme. À toi nos louanges, Dieu de paix, maintenant et pour les siècles des siècles.

La messe

14e dimanche du temps ordinaire

Nous rappelons ton amour, Seigneur, au milieu de ton temple ; sur toute la terre, ceux qui t'ont rencontré proclament ta louange : tu es toute justice.

Gloire à Dieu page 195

Prière. Dieu qui as relevé le monde par les abaissements de ton Fils, donne à tes fidèles une joie sainte : tu les as tirés de l'esclavage du péché ; fais-leur connaître le bonheur impérissable. Par Jésus Christ, ton Fils, notre Seigneur.

Lecture du livre du prophète Isaïe 66, 10-14c

Réjouissez-vous avec Jérusalem ! Exultez en elle, vous tous qui l'aimez ! Avec elle, soyez pleins d'allégresse, vous tous qui la pleuriez ! Alors, vous serez nourris de son lait, rassasiés de ses consolations ; alors, vous goûterez avec délices à l'abondance de sa gloire. Car le Seigneur le déclare : « Voici que je dirige vers elle la paix comme un fleuve et, comme un torrent qui déborde, la gloire des nations. » Vous serez nourris, portés sur la hanche ; vous serez choyés sur ses genoux. Comme un enfant que sa mère console, ainsi, je vous consolerai. Oui, dans Jérusalem, vous serez consolés. Vous verrez, votre cœur sera dans l'allégresse ; et vos

os revivront comme l'herbe reverdit. Le Seigneur fera connaître sa puissance à ses serviteurs.
— *Parole du Seigneur.*

PSAUME 65

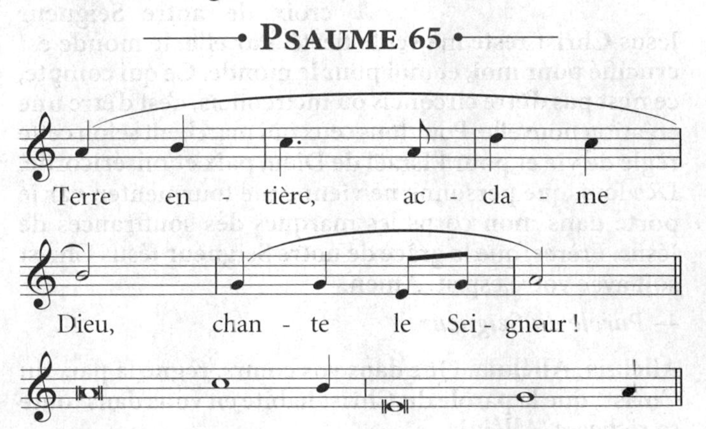

Acclamez Dieu, toute la terre ;
fêtez la gloire de son nom,
glorifiez-le en célébrant sa louange.
Dites à Dieu : « Que tes actions sont redoutables ! »

Toute la terre se prosterne devant toi,
elle chante pour toi, elle chante pour ton nom.
Venez et voyez les hauts faits de Dieu,
ses exploits redoutables pour les fils des hommes.

Il changea la mer en terre ferme :
ils passèrent le fleuve à pied sec.
De là, cette joie qu'il nous donne.
Il règne à jamais par sa puissance.

Venez, écoutez, vous tous qui craignez Dieu :
je vous dirai ce qu'il a fait pour mon âme.
Béni soit Dieu qui n'a pas écarté ma prière,
ni détourné de moi son amour !

Lecture de la lettre
de saint Paul apôtre aux Galates 6, 14-18

Frères, pour moi, que la croix de notre Seigneur Jésus Christ reste ma seule fierté. Par elle, le monde est crucifié pour moi, et moi pour le monde. Ce qui compte, ce n'est pas d'être circoncis ou incirconcis, c'est d'être une création nouvelle. Pour tous ceux qui marchent selon cette règle de vie et pour l'Israël de Dieu, paix et miséricorde. Dès lors, que personne ne vienne me tourmenter, car je porte dans mon corps les marques des souffrances de Jésus. Frères, que la grâce de notre Seigneur Jésus Christ soit avec votre esprit. Amen.

— *Parole du Seigneur.*

Alléluia. Alléluia. Que dans vos cœurs, règne la paix du Christ ; que la parole du Christ habite en vous dans toute sa richesse. Alléluia.

Évangile de Jésus Christ
selon saint Luc 10, 1-12.17-20

(Lecture brève : Lc 10, 1-9)

En ce temps-là, parmi les disciples, le Seigneur en désigna encore 72, et il les envoya deux par deux, en avant de lui, en toute ville et localité où lui-même allait se rendre. Il leur dit : « La moisson est abondante, mais les ouvriers sont peu nombreux. Priez donc le maître de la moisson d'envoyer des ouvriers pour sa moisson. Allez ! Voici que je vous envoie comme des agneaux au milieu des loups. Ne portez ni bourse, ni sac, ni sandales, et ne saluez personne en chemin. Mais dans toute maison où vous entrerez, dites d'abord : “Paix à cette maison.” S'il y a là un ami de la paix, votre paix ira reposer sur lui ; sinon, elle reviendra sur vous. Restez dans cette maison, mangeant et buvant ce que l'on vous sert ; car l'ouvrier mérite son salaire. Ne passez pas de maison en maison. Dans toute ville où vous entrerez et où vous serez accueillis, mangez ce qui vous est présenté. Guérissez les malades qui s'y trouvent et dites-leur : "Le règne de Dieu s'est approché de vous."

(Arrêt de la lecture brève)

Mais dans toute ville où vous entrerez et où vous ne serez pas accueillis, allez sur les places et dites : "Même la poussière de votre ville, collée à nos pieds, nous l'enlevons pour vous la laisser. Toutefois, sachez-le : le règne de Dieu s'est approché." Je vous le déclare : au dernier jour, Sodome sera mieux traitée que cette ville. »

Les 72 disciples revinrent tout joyeux, en disant : « Seigneur, même les démons nous sont soumis en ton nom. » Jésus leur dit : « Je regardais Satan tomber du ciel comme l'éclair. Voici que je vous ai donné le pouvoir d'écraser serpents et scorpions, et sur toute la puissance de l'Ennemi : absolument rien ne pourra vous nuire. Toutefois, ne vous réjouissez pas parce que les esprits vous sont soumis ; mais réjouissez-vous parce que vos noms se trouvent inscrits dans les cieux. »

— ***Acclamons la Parole de Dieu.***

CREDO ——— page 197

PRIÈRE SUR LES OFFRANDES. Puissions-nous être purifiés, Seigneur, par l'offrande qui t'est consacrée ; qu'elle nous conduise, jour après jour, au Royaume où nous vivrons avec toi. Par Jésus, le Christ, notre Seigneur.

PRÉFACE ——— page 200

Goûtez et voyez comme est bon le Seigneur, heureux qui trouve en lui son refuge.

Ou bien :

« Venez à moi, vous tous qui peinez, vous qui êtes accablés, dit le Seigneur, et moi, je referai vos forces. »

PRIÈRE APRÈS LA COMMUNION. Comblés d'un si grand bien, nous te supplions, Seigneur : fais que nous en retirions des fruits pour notre salut et que jamais nous ne cessions de chanter ta louange. Par Jésus, le Christ, notre Seigneur.

MÉDITATION DU JOUR

Comme des agneaux au milieu des loups

Pour saint Ambroise, les disciples envoyés par Jésus réalisent une double prophétie : celle de l'arche de Noé et celle de la fin des temps chez Isaïe.

Je vous envoie comme des agneaux au milieu des loups. Le Christ dit ceci aux soixante-dix disciples qu'il a désignés et envoyés deux à deux devant lui. Pourquoi les a-t-il envoyés deux à deux ? Parce que les animaux ont été introduits deux à deux dans l'arche (cf. Gn 7, 15-16).

En envoyant donc les disciples à sa moisson, qui avait bien été semée par le Verbe de Dieu, mais demandait à être travaillée, cultivée et soignée avec sollicitude par l'ouvrier, pour que les oiseaux du ciel ne pillent pas la semence répandue, il dit : *Je vous envoie comme des agneaux au milieu des loups.* Voilà des animaux ennemis, les uns dévorant les autres ; mais le bon Pasteur ne saurait redouter les loups pour son troupeau, alors ses disciples sont envoyés non pour être une proie, mais pour répandre la grâce ; car la sollicitude du bon Pasteur fait que les loups ne peuvent rien entreprendre contre les agneaux. Il envoie donc les agneaux parmi les loups, pour que se réalise cette parole : *Alors loups et agneaux seront ensemble au pâturage* (Is 65, 25).

ST AMBROISE DE MILAN

Saint Ambroise († 397), gouverneur de Milan, fut choisi comme évêque de la ville impériale en 374 alors qu'il était encore catéchumène. Orateur réputé, il a aussi écrit des hymnes pour la liturgie.

Prière du soir

HYMNE

Eglise de toujours,
Aux écoutes du monde,
Entends-tu bouillonner
Les forces de l'histoire ?
La terre est travaillée
D'une sourde violence,
Affamée d'unité,
En mal de délivrance.

Église de toujours,
Au service du monde,
Enracine la foi
Au creux de nos détresses.
Dégage de ses liens
Cet espoir qui tressaille,
Engagé sur la voie
D'angoisse et de promesse.

Église de toujours,
Évangile du monde,
Affranchis de la peur
La terre qui enfante.
Baptise dans l'Esprit
L'éclosion de son germe,
Coule en fleuve de paix,
Emporte notre histoire.

PSAUME 144 (II) — **Dieu juste et fidèle**

Le Père n'a pas abandonné Jésus à la mort. Aujourd'hui, il vient à notre secours et répond à nos prières. Reconnaissons son œuvre en nos vies et bénissons-le.

Le Seigneur est vrai en tout ce qu'il dit,
fidèle en tout ce qu'il fait. **tu es fidèle**

Le Seigneur soutient tous ceux qui tombent,
il redresse tous les accablés.

Les yeux sur toi, tous, ils espèrent :
tu leur donnes la nourriture au temps voulu ;
tu ouvres ta main :
tu rassasies avec bonté tout ce qui vit.

Le Seigneur est juste en toutes ses voies,
fidèle en tout ce qu’il fait.
Il est proche de ceux qui l’invoquent,
de tous ceux qui l’invoquent en vérité.

Il répond au désir de ceux qui le craignent ;
il écoute leur cri : il les sauve.
Le Seigneur gardera tous ceux qui l’aiment,
mais il détruira tous les impies.

Que ma bouche proclame les louanges
du Seigneur ! *
Son nom très saint, que toute chair le bénisse
toujours et à jamais !

Gloire au Père, et au Fils, et au Saint-Esprit…

Seigneur, aujourd’hui comme hier, prends pitié de tes frères : sois proche, ouvre ta main, soutiens ceux qui tombent, redresse les accablés, garde tes amis, réponds-nous. Que nous puissions te bénir chaque jour, et sans fin !

Parole de Dieu — Romains 8, 26

L’Esprit Saint vient au secours de notre faiblesse, car nous ne savons pas prier comme il faut. L’Esprit lui-même intercède pour nous par des gémissements inexprimables.

Viens, Esprit d’amour !
Viens, Esprit de lumière !

HYMNE DE LOUANGE (Texte, couverture C)

LOUANGE

Avec les témoins du Christ ressuscité sur qui nous appuyons notre foi, rendons grâce à Dieu le Père :

℟ Loué sois-tu, Seigneur de gloire !

Loué sois-tu pour Jésus de Nazareth,
le prophète puissant par la parole et par les actes :
il a été crucifié, il est à jamais vivant.

Pour le Messie que tu as envoyé :
en son nom, les boiteux marchent,
les aveugles voient, les sourds entendent.

Pour ton Fils
qui s'est fait obéissant jusqu'à mourir sur la croix :
il est exalté au-dessus de tout nom.

Pour le Christ ressuscité
qui s'est fait reconnaître au partage du pain :
il est au milieu des siens pour la suite des jours.

Pour le premier-né d'entre les morts :
il entraîne vers toi
tous ceux que la mort retenait captifs.

Intentions libres

Notre Père…

Car c'est à toi qu'appartiennent
le règne, la puissance et la gloire,
pour les siècles des siècles !

[LUNDI 4 JUILLET
Sainte Élisabeth de Portugal]

Prière du matin

Souviens-toi de ton amour,
souviens-toi de ton peuple, souviens-toi de moi…

Gloire au Père, et au Fils, et au Saint-Esprit !

Hymne

Un jour nouveau commence,
Un jour reçu de toi,
Père,
Nous l'avons remis d'avance
En tes mains tel qu'il sera.

Émerveillés ensemble,
Émerveillés de toi,
Père,
Nous n'avons pour seule offrande
Que l'accueil de ton amour.

Marqués du goût de vivre,
Du goût de vivre en toi,
Père,
Nous n'avons pas d'autres vivres
Que la faim du pain rompu.

Comment chanter ta grâce,
Comment chanter pour toi,
Père,
Si nos cœurs ne veulent battre
De l'espoir du Corps entier ?

Le jour nouveau se lève,
Le jour connu de toi,
Père,

Que ton Fils dans l'homme achève
La victoire de la croix !

Psaume 41 (i) **Soif de Dieu**

Le Seigneur ton Dieu t'a fait passer par la pauvreté, il t'a fait sentir la faim, et il t'a donné à manger la manne, pour que tu saches que l'homme ne vit pas seulement de pain, mais de tout ce qui vient de la bouche du Seigneur. Il t'a fait traverser ce désert, vaste et terrifiant, pays de la sécheresse et de la soif. C'est lui qui, pour toi, a fait jaillir l'eau de la roche la plus dure. Souviens-toi du Seigneur ton Dieu (Dt 8, 3… 18).

Comme un cerf altéré
cherche l'eau vive, *
ainsi mon âme te cherche,
toi, mon Dieu.

Mon âme a soif de Dieu,
le Dieu vivant ; *
quand pourrai-je m'avancer,
paraître face à Dieu ?

Je n'ai d'autre pain que mes larmes,
le jour, la nuit, *
moi qui chaque jour entends dire :
« Où est-il ton Dieu ? »

Je me souviens,
et mon âme déborde : *
en ce temps-là,
je franchissais les portails !

Je conduisais vers la maison de mon Dieu
la multitude en fête, *
parmi les cris de joie
et les actions de grâce.

Pourquoi te désoler, ô mon âme,
et gémir sur moi ? *

Espère en Dieu ! De nouveau je rendrai grâce :
il est mon Sauveur et mon Dieu !

Gloire au Père, et au Fils, et au Saint-Esprit…

Parole de Dieu **Jérémie 31, 33**

VOICI QUELLE SERA l'alliance que je conclurai avec la maison d'Israël quand ces jours-là seront passés – oracle du Seigneur. Je mettrai ma Loi au plus profond d'eux-mêmes ; je l'inscrirai sur leur cœur. Je serai leur Dieu, et ils seront mon peuple.

Donne-nous, Seigneur, un cœur nouveau,
mets en nous, Seigneur, un esprit nouveau.

CANTIQUE DE ZACHARIE (Texte, couverture B)

LOUANGE ET INTERCESSION

Supplions Dieu qui a créé l'homme à son image et lui a confié l'univers :

℟ Que notre vie te rende gloire !

Tu nous as donné ton souffle vivant.

Tu nous as donné de nommer toute chose.

Tu nous as donné un monde à transformer.

Tu nous as donné des frères à aimer. Intentions libres

Notre Père…

Dieu qui nous as fait parvenir au début de ce jour, sauve-nous aujourd'hui par ta puissance : que nos cœurs ne s'abandonnent pas au péché mais que, par nos pensées, nos paroles et nos actes, nous cherchions la justice du Royaume. Par Jésus Christ, ton Fils, notre Seigneur.

LA MESSE

Lundi de la 14e semaine du temps ordinaire

SAINTE ÉLISABETH DE PORTUGAL (XIIIE-XIVE S.) *Mémoire facultative*

● *ÉLISABETH D'ARAGON (1271-1336), épouse du roi Denis de Portugal, fut une épouse et une mère douloureuse. Bafouée par un mari jouisseur, elle perdit sa fille et son gendre, et elle vit son fils se révolter contre le roi. Au milieu de ses épreuves, elle priait, jeûnait, tentait de faire la paix. Devenue veuve, elle mourut sous l'habit du tiers ordre franciscain.* ●

À ceux qui l'ont servi dans leurs frères, le Seigneur dit : « Venez, les bénis de mon Père. J'étais malade et vous m'avez visité… Vraiment, je vous le dis, chaque fois que vous l'avez fait à l'un de ces petits qui sont mes frères, c'est à moi que vous l'avez fait. »

PRIÈRE. Seigneur, source de paix, ami de la charité, tu as donné à sainte Élisabeth de Portugal une grâce merveilleuse pour réconcilier les hommes désunis ; accorde-nous, par son intercession, de travailler au service de la paix et de pouvoir être appelés fils de Dieu. Par Jésus Christ, ton Fils, notre Seigneur.

Lecture du livre du prophète Osée 2, 16.17b-18.21-22

AINSI PARLE LE SEIGNEUR : Mon épouse infidèle, je vais la séduire, je vais l'entraîner jusqu'au désert, et je lui parlerai cœur à cœur. Là, elle me répondra comme au temps de sa jeunesse, au jour où elle est sortie du pays d'Égypte. En ce jour-là – oracle du Seigneur –, voici ce qui arrivera : Tu m'appelleras : « Mon époux » et non plus : « Mon Baal » (c'est-à-dire « mon maître »). Je ferai de toi mon épouse pour toujours, je ferai de toi mon épouse dans la justice et le droit, dans la fidélité et la tendresse ;

je ferai de toi mon épouse dans la loyauté, et tu connaîtras le Seigneur.
— *Parole du Seigneur.*

PSAUME 144

Le Seigneur est tendresse et pitié.

Chaque jour je te bénirai,
je louerai ton nom toujours et à jamais.
Il est grand, le Seigneur, hautement loué ;
à sa grandeur, il n'est pas de limite.

D'âge en âge, on vantera tes œuvres,
on proclamera tes exploits.
Je redirai le récit de tes merveilles,
ton éclat, ta gloire et ta splendeur.

On dira ta force redoutable ;
je raconterai ta grandeur.
On rappellera tes immenses bontés ;
tous acclameront ta justice.

Le Seigneur est tendresse et pitié,
lent à la colère et plein d'amour ;
la bonté du Seigneur est pour tous,
sa tendresse, pour toutes ses œuvres.

Alléluia. Alléluia. Notre Sauveur, le Christ Jésus, a détruit la mort ; il a fait resplendir la vie par l'Évangile. Alléluia.

Évangile de Jésus Christ selon saint Matthieu 9, 18-26

EN CE TEMPS-LÀ, tandis que Jésus parlait aux disciples de Jean le Baptiste, voilà qu'un notable s'approcha. Il se prosternait devant lui en disant : « Ma fille est morte à l'instant ; mais viens lui imposer la main, et elle vivra. » Jésus se leva et le suivit, ainsi que ses disciples.

Et voici qu'une femme souffrant d'hémorragies depuis douze ans s'approcha par derrière et toucha la frange de son vêtement. Car elle se disait en elle-même : « Si je parviens seulement à toucher son vêtement, je serai sauvée. » Jésus se retourna et, la voyant, lui dit : « Confiance, ma fille ! Ta foi t'a sauvée. » Et, à l'heure même, la femme fut sauvée.
Jésus, arrivé à la maison du notable, vit les joueurs de flûte et la foule qui s'agitait bruyamment. Il dit alors : « Retirez-vous. La jeune fille n'est pas morte : elle dort. » Mais on se moquait de lui. Quand la foule fut mise dehors, il entra, lui saisit la main, et la jeune fille se leva. Et la nouvelle se répandit dans toute la région.
— ***Acclamons la Parole de Dieu.***

PRIÈRE SUR LES OFFRANDES. Accueille, Seigneur, les présents de ton peuple ; et, tandis que nous rappelons l'amour infini de ton Fils, fais que nous sachions, à l'exemple de sainte Élisabeth de Portugal, t'aimer et aimer notre prochain d'un cœur plus généreux. Par Jésus, le Christ, notre Seigneur.

« Ce qui montrera à tous les hommes que vous êtes mes disciples, dit le Seigneur, c'est l'amour que vous aurez les uns pour les autres. »

PRIÈRE APRÈS LA COMMUNION. Toi qui nous as fortifiés par cette communion, Seigneur, aide-nous à suivre l'exemple de sainte Élisabeth de Portugal, dans l'amour qu'elle sut te témoigner, et la charité dont elle fit preuve envers ton peuple. Par Jésus, le Christ, notre Seigneur.

MÉDITATION DU JOUR

Des gestes de miséricorde

Parce que la sensibilité du Christ est la nôtre, il lui faut, comme à la nôtre, pour s'émouvoir en toute sa profondeur, la présence visible, le contact sensible de la souffrance. Où qu'il aille, Jésus guérit toutes les maladies qu'on lui présente, mais il ne guérit normalement que sur place, en présence du malade. Cette conduite ne vient pas de ce que son pouvoir est limité, qu'il dépend d'un contact physique. Il montre par une compassion évidemment spontanée et par une miséricorde inépuisable et toujours efficace, que Dieu n'a point créé la mort et le mal. Il vient instituer dans le monde une forme nouvelle d'existence, une humanité sauvée et réconciliée avec Dieu dans un monde encore en proie au mal et à la division. Il vit le premier cette condition nouvelle qui doit être celle des siens et dont la miséricorde est un pilier essentiel : du moment que le mal continue d'agir, la miséricorde doit continuer à s'exercer ; du moment que le mal est déjà vaincu, la miséricorde doit être capable toujours de triompher du mal, de se venger par le bien de tout le mal qu'elle doit subir.

JACQUES GUILLET, S.J.

Jacques Guillet († 2001), prêtre de la Compagnie de Jésus, enseigna l'Écriture sainte et collabora à plusieurs publications théologiques.

Prière du soir

Notre secours est le nom du Seigneur
qui a fait le ciel et la terre.

Gloire au Père, et au Fils, et au Saint-Esprit !

HYMNE

O toi qui es sans changement,
Seigneur du temps, ô Dieu fidèle,
Le jour décline, le soir vient :
Rassemble-nous tous en ta garde.

Accorde-nous la vie sans fin
Et la vieillesse sans ténèbres;
Fais que, le jour de ton retour,
Ta gloire enfin nous illumine.

Exauce-nous, ô Tout-Puissant,
Par Jésus Christ ton Fils unique
Qui règne avec le Saint-Esprit
Depuis toujours et dans les siècles.

PSAUME 30 (I) **Supplication confiante**

Le Seigneur est refuge, forteresse, roc, abri. En ses mains, nos vies n'ont rien à craindre. Il ouvre le passage vers la joie.

En toi, Seigneur, j'ai mon refuge;
garde-moi d'être humilié pour toujours.

Dans ta justice, libère-moi;
écoute, et viens me délivrer.
Sois le rocher qui m'abrite,
la maison fortifiée qui me sauve.

Ma forteresse et mon roc, c'est toi;
pour l'honneur de ton nom,
tu me guides et me conduis.
Tu m'arraches au filet qu'ils m'ont tendu;
oui, c'est toi mon abri.

En tes mains, je remets mon esprit;
tu me rachètes, Seigneur, Dieu de vérité.
Je hais les adorateurs de faux dieux,
et moi, je suis sûr du Seigneur.

Ton amour me fait danser de joie:
tu vois ma misère et tu sais ma détresse.
Tu ne m'as pas livré aux mains de l'ennemi;
devant moi, tu as ouvert un passage.

Gloire au Père, et au Fils, et au Saint-Esprit…

Parole de Dieu 1 Corinthiens 12, 12-13

LE CORPS ne fait qu'un, il a pourtant plusieurs membres ; et tous les membres, malgré leur nombre, ne forment qu'un seul corps. Il en est ainsi pour le Christ. C'est dans un unique Esprit, en effet, que nous tous, Juifs ou païens, esclaves ou hommes libres, nous avons été baptisés pour former un seul corps. Tous, nous avons été désaltérés par un unique Esprit.

Un seul Seigneur, une seule foi,
un seul baptême, un seul Dieu et Père !

CANTIQUE DE MARIE (Texte, couverture A)

INTERCESSION

Prions le Christ, qui appelle tous les hommes à la joie du salut :

℟ Sauveur du monde, attire à toi les hommes.

Seigneur, ta puissance est bonté ;
– nous sommes faibles : viens à notre secours.

Regarde ton Église dispersée dans le monde :
– qu'elle porte l'Évangile jusqu'aux terres lointaines.

Tu n'es pas loin de chacun de nous :
– laisse-toi toucher par ceux qui t'approchent
dans l'obscurité.

Tu as guéri l'aveugle de naissance :
– prends pitié de nos infirmités.

Accueille nos frères défunts dans la Cité sainte
– où Dieu sera tout en tous. Intentions libres

Notre Père… Car c'est à toi qu'appartiennent…

Saints
d'hier et d'aujourd'hui

Le martyrologe romain fait mémoire de saint André de Crète

Parmi les innombrables bienfaits de Dieu, réjouissons-nous pour l'exemple des saints.

André naît dans une famille chrétienne de Damas au VIIe siècle. À 15 ans, il devient moine à Jérusalem. Au bout de dix ans de vie monastique, il est envoyé à Constantinople pour représenter le patriarche auprès de l'empereur byzantin. Il s'agit de défendre les décisions du VIe concile œcuménique contre l'hérésie monothéliste (Constantinople III, 681). Vers 700, il est nommé évêque de Gortyne en Crète. Au cours d'un voyage à Constantinople, sentant sa fin prochaine, il s'embarque pour la Crète et meurt lors d'une escale sur l'île de Lesbos, un 4 juillet, sans doute en 740.

André est surtout connu pour son œuvre liturgique et la composition de nombreuses hymnes. C'est à lui que l'on doit le « Grand Canon », chanté durant le Carême dans les Églises de rite byzantin. Dans une homélie pour la fête de la Nativité de Marie, il écrivait : « Que toute la création chante et danse, qu'elle contribue de son mieux à la joie de ce jour. Que le ciel et la terre forment aujourd'hui une seule assemblée. »

Par son intercession, puissent les centaines de réfugiés, à l'entrée de la Grèce, trouver un peu de joie et de paix.

Bonne fête !
Élisabeth, Ysée, Éliane, Lisa,
Lysiane, Lily, Lyliane et Pier-Giorgio

[MARDI 5 JUILLET
Saint Antoine-Marie Zaccaria]

Prière du matin

Hymne

Gloire à Dieu, au plus haut des cieux,
Et paix sur la terre aux hommes qu'il aime.
Nous te louons, nous te bénissons,
nous t'adorons,
Nous te glorifions, nous te rendons grâce,
pour ton immense gloire,
Seigneur Dieu, Roi du ciel,
Dieu le Père tout-puissant.
Seigneur, Fils unique, Jésus Christ,
Seigneur Dieu, Agneau de Dieu,
le Fils du Père ;
Toi qui enlèves le péché du monde,
prends pitié de nous ;
Toi qui enlèves le péché du monde,
reçois notre prière ;
Toi qui es assis à la droite du Père,
prends pitié de nous.
Car toi seul es saint,
Toi seul es Seigneur,
Toi seul es le Très-Haut : Jésus Christ,
avec le Saint-Esprit
Dans la gloire de Dieu le Père. Amen.

Cantique d'Ézékias (Isaïe 38)

Beaucoup affrontent la souffrance et le désespoir. Prenons-les dans notre action de grâce en nous souvenant que le Christ nous a donné la vie par sa résurrection.

Je disais : Au milieu de mes jours,
je m'en vais ; *
j'ai ma place entre les morts
pour la fin de mes années.

Je disais : Je ne verrai pas le Seigneur
sur la terre des vivants, *
plus un visage d'homme
parmi les habitants du monde !

Ma demeure m'est enlevée, arrachée,
comme une tente de berger. *
Tel un tisserand, j'ai dévidé ma vie :
le fil est tranché.

Du jour à la nuit, tu m'achèves ;
j'ai crié jusqu'au matin. *
Comme un lion, il a broyé tous mes os.
Du jour à la nuit, tu m'achèves.

Comme l'hirondelle, je crie ;
je gémis comme la colombe. *
À regarder là-haut, mes yeux faiblissent :
Seigneur, je défaille ! Sois mon soutien !

Que lui dirai-je pour qu'il me réponde,
à lui qui agit ? *
J'irais, errant au long de mes années
avec mon amertume ?

Oui, tu me guériras, tu me feras vivre : *
mon amertume amère me conduit à la paix.
Et toi, tu t'es attaché à mon âme,
tu me tires du néant de l'abîme. *
Tu as jeté, loin derrière toi,
tous mes péchés.

La mort ne peut te rendre grâce,
ni le séjour des morts, te louer. *

Ils n'espèrent plus ta fidélité,
ceux qui descendent dans la fosse.

Le vivant, le vivant, lui, te rend grâce,
comme moi, aujourd'hui. *
Et le père à ses enfants
montrera ta fidélité.

Seigneur, viens me sauver ! +
Et nous jouerons sur nos cithares,
tous les jours de notre vie, *
auprès de la maison du Seigneur.

Gloire au Père, et au Fils, et au Saint-Esprit,
pour les siècles des siècles. Amen.

Parole de Dieu — 1 Corinthiens 12, 4-6

Les dons de la grâce sont variés, mais c'est le même Esprit. Les services sont variés, mais c'est le même Seigneur. Les activités sont variées, mais c'est le même Dieu qui agit en tout et en tous.

Un seul Seigneur, une seule foi,
un seul baptême, un seul Dieu et Père !

Cantique de Zacharie — (Texte, couverture B)

Louange et intercession

Par le Fils, et dans l'Esprit, adressons notre prière au Père qui nous aime :

℟ Fais-nous vivre de ton Esprit.

Au matin du monde,
ton Esprit sur les eaux éveillait la vie.
– Éveille-nous à ta louange, pour ton service.

À l'aube du salut,
ton Esprit en Marie formait le Messie.
– Forme-nous à l'obéissance, pour ton règne.

Au jour de la Pentecôte,
ton Esprit parlait par la bouche des Apôtres.
– Mets sur nos lèvres la parole qui sauve.

Au matin de ce jour,
l'Esprit travaille en nous.
– Qu'il habite nos prières et féconde nos efforts.

Intentions libres

Notre Père…

Dieu qui nous as créés à ton image, tu veux que nous soyons des vivants ; pour que la mort ne nous détruise pas, ton Fils est venu la vaincre en mourant. Accorde-nous de vivre avec lui. Qu'il nous accompagne au chemin qui débouchera sur ta gloire. Lui qui règne avec toi.

LA MESSE

Mardi de la 14e semaine du temps ordinaire

SAINT ANTOINE-MARIE ZACCARIA *Mémoire facultative*
(XVIe s.)

● *ANTOINE-MARIE ZACCARIA (1502-1539) était un prêtre de Crémone (Lombardie). Pour suivre le programme apostolique tracé par saint Paul, il groupa autour de lui à Milan des prêtres qui, sans être moines ni frères mendiants, vivaient selon une règle et étaient liés par des vœux. Comme ils desservaient l'église de Saint-Barnabé, on les appela plus tard les barnabites.* ●

« L'Esprit du Seigneur est sur moi, dit Jésus, parce que le Seigneur m'a consacré par l'onction. Il m'a envoyé porter la Bonne Nouvelle aux pauvres, apporter aux opprimés la libération. »

Prière. Accorde-nous, Seigneur, comme à l'Apôtre Paul, cette connaissance incomparable de Jésus Christ, qui permettait à saint Antoine-Marie Zaccaria d'annoncer à ton Église la Parole du salut. Par Jésus Christ, ton Fils, notre Seigneur.

Lecture du livre d'Osée 8, 4-7.11-13

Ainsi parle le Seigneur : Les fils d'Israël ont établi des rois sans me consulter, ils ont nommé des princes sans mon accord ; avec leur argent et leur or, ils se sont fabriqué des idoles. Ils seront anéantis. Je le rejette, ton veau, Samarie ! Ma colère s'est enflammée contre tes enfants. Refuseront-ils toujours de retrouver l'innocence ? Ce veau est l'œuvre d'Israël, un artisan l'a fabriqué, ce n'est pas un dieu ; ce veau de Samarie sera mis en pièces. Ils ont semé le vent, ils récolteront la tempête. L'épi ne donnera pas de grain ; s'il y avait du grain, il ne donnerait pas de farine ; et, s'il en donnait, elle serait dévorée par les étrangers. Éphraïm a multiplié les autels pour expier le péché ; et ces autels ne lui servent qu'à pécher. J'ai beau lui mettre par écrit tous les articles de ma loi, il n'y voit qu'une loi étrangère. Ils offrent des sacrifices pour me plaire et ils en mangent la viande, mais le Seigneur n'y prend pas de plaisir. Au contraire, il y trouve le rappel de toutes leurs fautes, il fait le compte de leurs péchés. Qu'ils retournent donc en Égypte !

— *Parole du Seigneur.*

Psaume 113b

Peuple de Dieu, mets ta foi dans le Seigneur.

Ou bien :

Alléluia !

Notre Dieu, il est au ciel ;
tout ce qu'il veut, il le fait.

Leurs idoles : or et argent,
ouvrages de mains humaines.

Elles ont une bouche et ne parlent pas,
des yeux et ne voient pas,
des oreilles et n'entendent pas,
des narines et ne sentent pas.

Leurs mains ne peuvent toucher,
leurs pieds ne peuvent marcher.
Qu'ils deviennent comme elles, tous ceux qui les font.
ceux qui mettent leur foi en elles.

Israël, mets ta foi dans le Seigneur :
le secours, le bouclier, c'est lui !
Famille d'Aaron, mets ta foi dans le Seigneur :
le secours, le bouclier, c'est lui !

Alléluia. Alléluia. Moi, je suis le bon pasteur, dit le Seigneur ; je connais mes brebis et mes brebis me connaissent. Alléluia.

Évangile de Jésus Christ
selon saint Matthieu 9, 32-38

EN CE TEMPS-LÀ, voici qu'on présenta à Jésus un possédé qui était sourd-muet. Lorsque le démon eut été expulsé, le sourd-muet se mit à parler. Les foules furent dans l'admiration, et elles disaient : « Jamais rien de pareil ne s'est vu en Israël ! » Mais les pharisiens disaient : « C'est par le chef des démons qu'il expulse les démons. »
Jésus parcourait toutes les villes et tous les villages, enseignant dans leurs synagogues, proclamant l'Évangile du Royaume et guérissant toute maladie et toute infirmité. Voyant les foules, Jésus fut saisi de compassion envers elles parce qu'elles étaient désemparées et abattues comme des brebis sans berger. Il dit alors à ses disciples : « La

moisson est abondante, mais les ouvriers sont peu nombreux. Priez donc le maître de la moisson d'envoyer des ouvriers pour sa moisson. »
— *Acclamons la Parole de Dieu.*

PRIÈRE SUR LES OFFRANDES. Seigneur souverain, nous te supplions humblement : puisque ces dons offerts en l'honneur des saints attestent ta puissance de gloire, qu'ils nous fassent bénéficier de ton salut. Par Jésus, le Christ, notre Seigneur.

« Je suis avec vous tous les jours, dit le Seigneur Jésus, jusqu'à la fin des temps. »

PRIÈRE APRÈS LA COMMUNION. Que cette communion à tes mystères, Seigneur, nous achemine vers les joies éternelles que saint Antoine-Marie Zaccaria put obtenir en te servant fidèlement. Par Jésus, le Christ, notre Seigneur.

MÉDITATION DU JOUR

Une autre moisson se lève

Le Christ était rempli d'ardeur pour son œuvre et il se disposait à envoyer des ouvriers. Quoi donc, a-t-il envoyé des moissonneurs sans envoyer de semeurs ? Où a-t-il envoyé les moissonneurs ? Là où d'autres déjà avaient travaillé (cf. Jn 4, 36-38). Car là où leur travail s'était dépensé, les semailles avaient été faites, et ce qui avait été semé désormais était mûr et réclamait la faux et le fléau. Où donc les moissonneurs devaient-ils être envoyés ? Là où déjà les prophètes avaient prêché, car ils étaient eux-mêmes les semeurs.

Qu'en est-il résulté ? De cette moisson quelques grains ont été retirés, ils ont ensemencé l'univers, et voici que se lève une autre moisson destinée à être recueillie à la fin des siècles. C'est de cette moisson qu'il est écrit : *Ceux qui sèment dans les larmes moissonneront dans la joie* (Ps 125, 5). Pour récolter cette moisson, ce ne seront pas les Apôtres, mais les anges qui seront envoyés.

ST AUGUSTIN D'HIPPONE

Saint Augustin († 430), converti, a été baptisé par saint Ambroise à Pâques 387. Évêque d'Hippone en 395, il est l'un des plus grands théologiens chrétiens.

Prière du soir

Dieu, viens à mon aide,
Seigneur, à notre secours.

Gloire au Père, et au Fils, et au Saint-Esprit,
au Dieu qui est, qui était, et qui vient,
pour les siècles des siècles. Amen. Alléluia.

HYMNE

Dieu qui seul es notre Père,
Tu nous as faits pour ta louange,
Heureux de vivre dans ta joie !
Toute chose sur la terre
Nous est donnée comme une grâce
Pour nous conduire auprès de toi.
Pour toi, nous sommes nés,
Pour toi, tout est créé !

℟ Nous t'adorons,
Nous t'acclamons,
Te glorifions :
Alléluia ! Alléluia !

Jésus Christ, Seigneur et Maître,
Sauveur du monde au rang d'esclave,
Nos hymnes lèvent sous ta croix !
Premier-né de tous tes frères,
Tu mets en nous ton chant de Pâques ;

Nous ne voulons pas d'autre Roi.
Ton sang nous a guéris,
Ton corps nous a nourris.

Esprit Saint qui fais l'Église
De tous pays, de toutes langues,
C'est toi qui chantes dans nos voix !
Bienveillant dès l'origine,
Bonheur de l'homme au long des âges,
Ton souffle attise en nous la foi.
Ton ombre est notre abri,
Ta force, notre appui.

PSAUME 13 **Inlassable bonté de Dieu**

Quand le monde s'égare loin de Dieu, quand nos amis se moquent de nous, tenons ferme dans la foi, l'espérance et la charité.

Dans son cœur le fou déclare :
« Pas de Dieu ! » *
Tout est corrompu, abominable,
pas un homme de bien !

Des cieux, le Seigneur se penche
vers les fils d'Adam *
pour voir s'il en est un de sensé,
un qui cherche Dieu.

Tous, ils sont dévoyés ;
tous ensemble, pervertis : *
pas un homme de bien,
pas même un seul !

N'ont-ils donc pas compris,
ces gens qui font le mal ? +
Quand ils mangent leur pain,
ils mangent mon peuple. *
Jamais ils n'invoquent le Seigneur.

Et voilà qu'ils se sont mis à trembler,
car Dieu accompagne les justes. *
Vous riez des projets du malheureux,
mais le Seigneur est son refuge.

Qui fera venir de Sion
la délivrance d'Israël ? +
Quand le Seigneur ramènera
les déportés de son peuple, *
quelle fête en Jacob, en Israël, quelle joie !

Gloire au Père, et au Fils, et au Saint-Esprit,
pour les siècles des siècles. Amen.

En dehors de toi, Dieu qui aimes les hommes, rien n'est vrai, rien n'est bon, et ceux qui disent : « Pas de Dieu » vont à leur perte. Délivre ton Église des insensés qui la dévorent, et que le peuple des sauvés t'invoque dans la joie.

Parole de Dieu — 1 Corinthiens 12, 24b.25-26

EN ORGANISANT le corps, Dieu a accordé plus d'honneur à ce qui en est dépourvu. Il a voulu ainsi qu'il n'y ait pas de division dans le corps, mais que les différents membres aient tous le souci les uns des autres. Si un seul membre souffre, tous les membres partagent sa souffrance ; si un membre est à l'honneur, tous partagent sa joie.

Un seul Seigneur, une seule foi,
un seul baptême, un seul Dieu et Père !

CANTIQUE DE MARIE — (Texte, couverture A)

INTERCESSION

Dans la confiance, prions le Christ qui fortifie son peuple et le conduit :

℟ Garde-nous sur tes chemins.

Ô Christ, Sagesse du Père,
donne-nous d'entendre ta parole
– et de la mettre en pratique.

Lumière des nations,
éclaire ceux qui les gouvernent :
– qu'ils soient attentifs au bien des peuples.

Dispensateur des dons de Dieu,
tu as nourri les foules ;
– que ta pitié nous porte à donner
ce que nous avons à ceux qui n'ont rien.

Médecin des âmes et des corps,
suscite en nous ta charité
– pour que nous visitions les malades, nos frères.

Gloire du Père, vie et résurrection de nos morts,
– reçois-les dans ton royaume.

Intentions libres

Notre Père…

Car c'est à toi qu'appartiennent
le règne, la puissance et la gloire,
pour les siècles des siècles !

SAINTS
D'HIER ET D'AUJOURD'HUI

Le martyrologe romain fait mémoire des SAINTES THÉRÈSE CHEN TINJIEH ET ROSE CHEN AIJIEH

Tu nous réjouis, Seigneur, par la mémoire des saints, et tu nous incites à progresser en les imitant.

Près du village de Huangeryin dans la province chinoise de Hebei, en 1900, nous rencontrons les saintes Thérèse Chen Tinjieh, 25 ans, et Rose Chen Aijieh, 22 ans. Durant la persécution de la secte des Boxers, pour conserver leur virginité et leur foi chrétienne, ces deux sœurs s'opposèrent courageusement à la cruauté sadique et barbare des persécuteurs. Elles moururent percées de coups de lances. Béatifiées par Pie XII le 17 avril 1955, elles furent canonisées par saint Jean-Paul II, le 1er octobre 2000, parmi les cent dix-neuf martyrs de Chine, grande famille unie par la foi au Christ qui prêche l'amour, la fraternité, la paix et la justice. Il nous est bon de nous réjouir de la catholicité de l'Église et des saints de cet Extrême-Orient si peu et si mal connu. Il existe encore, en notre temps, en Chine ou ailleurs, des vierges et des martyres. Qu'elles nous aident à tenir ferme notre foi et qu'elles prient avec nous pour ce grand pays qu'est la Chine !

Bonne fête !
Antoine-Marie, Antonia, Tony et Cyprille

[MERCREDI 6 JUILLET
Sainte Maria Goretti]

Prière du matin

Seigneur, ouvre mes lèvres,
et ma bouche publiera ta louange.

Gloire au Père, et au Fils, et au Saint-Esprit !

Hymne

Tel un brouillard qui se déchire
Et laisse émerger une cime,
Ce jour nous découvre, indicible,
Un autre jour, que l'on devine.

Tout rayonnant d'une promesse,
Déjà ce matin nous entraîne,
Figure de l'aube éternelle
Sur notre route quotidienne.

Vienne l'Esprit pour nous apprendre
À voir dans ce jour qui s'avance
L'espace où mûrit notre attente
Du jour de Dieu, notre espérance.

Psaume 118 (viii) **Faire ta volonté**

Apprenons, jour après jour, à garder les commandements du Seigneur. Ils nous apportent la certitude de l'amour de Dieu qui nous sauve.

Mon partage, Seigneur, je l'ai dit,
c'est d'observer tes paroles. **paroles**
De tout mon cœur, je quête ton regard :
pitié pour moi selon tes promesses. **promesses**
J'examine la voie que j'ai prise :
mes pas me ramènent à tes exigences. **exigences**

Je me hâte, et ne tarde pas,
 d'observer tes volontés. **volontés**
Les pièges de l'impie m'environnent,
 je n'oublie pas ta loi. **loi**
Au milieu de la nuit, je me lève et te rends grâce
 pour tes justes décisions. **décisions**
Je suis lié à tous ceux qui te craignent
 et qui observent tes préceptes. **préceptes**
Ton amour, Seigneur, emplit la terre ;
 apprends-moi tes commandements. **commandements**

Gloire au Père, et au Fils, et au Saint-Esprit,
pour les siècles des siècles. Amen.

Seigneur, garde-moi d'oublier que ta loi est une loi d'amour.

Parole de Dieu

Deutéronome 1, 16-17a

J'AI DONNÉ ces ordres à vos juges en ce temps-là : « Vous entendrez les causes de vos frères et vous trancherez selon la justice les litiges entre eux, ou entre ton frère et l'immigré qui réside chez lui. Lorsque vous jugerez, vous n'agirez pas avec partialité : vous écouterez aussi bien le petit que le grand ; vous n'aurez peur de personne, car le jugement appartient à Dieu. »

Tu es grand, Seigneur, éternellement !

CANTIQUE DE ZACHARIE

(Texte, couverture B)

LOUANGE ET INTERCESSION

Dans la paix de l'Esprit Saint, prions le Seigneur Dieu :

℟ Seigneur, nous te prions.

Pour que l'Église grandisse
et que les chrétiens demeurent dans l'unité,

Pour la famille de Dieu,
ici rassemblée au nom du Christ,

Pour le peuple chrétien et pour ses pasteurs,
le pape, les évêques et les prêtres,

Pour que le travail de ce jour nous rapproche de Dieu
et nous procure le pain quotidien,

Pour nos frères qui souffrent
dans leur âme ou dans leur corps,

Intentions libres

Notre Père…

Tu as voulu, Seigneur, que la puissance de l'Évangile travaille le monde à la manière d'un ferment ; veille sur tous ceux qui ont à répondre à leur vocation chrétienne au milieu des occupations de ce monde : qu'ils cherchent toujours l'Esprit du Christ, pour qu'en accomplissant leurs tâches d'hommes, ils travaillent à l'avènement de ton règne. Par Jésus Christ, ton Fils, notre Seigneur.

LA MESSE

Mercredi de la 14e semaine du temps ordinaire

SAINTE MARIA GORETTI (XXE S.) *Mémoire facultative*

● *MARIA GORETTI (1890-1902) appartenait à une famille très pauvre des marais Pontins, au sud de Rome. Elle avait juste 12 ans quand elle dut résister aux sollicitations d'un jeune voisin. Devant son refus, celui-ci, fou de passion, la frappa à coups de poinçon. Maria mourut le lendemain, après avoir pardonné à son meurtrier « pour l'amour de Jésus ».* ●

Vigilante et fidèle, sainte Maria Goretti a gardé sa lampe allumée pour sortir à la rencontre du Christ.

PRIÈRE. Seigneur, tu es la source de l'innocence, tu aimes la pureté, et tu as accordé la grâce du martyre à la jeune Maria Goretti ; donne-nous, par son intercession, le courage de garder tes commandements comme tu lui donnas la récompense pour avoir défendu sa virginité jusqu'à la mort. Par Jésus Christ, ton Fils, notre Seigneur.

Lecture du livre du prophète Osée 10, 1-3.7-8.12

ISRAËL ÉTAIT une vigne luxuriante, qui portait beaucoup de fruit. Mais plus ses fruits se multipliaient, plus Israël multipliait les autels ; plus sa terre devenait belle, plus il embellissait les stèles des faux dieux. Son cœur est partagé ; maintenant il va expier : le Seigneur renversera ses autels ; les stèles, il les détruira. Maintenant Israël va dire : « Nous sommes privés de roi, car nous n'avons pas craint le Seigneur. Et si nous avions un roi, que pourrait-il faire pour nous ? » Ils ont disparu, Samarie et son roi, comme de l'écume à la surface de l'eau. Les lieux sacrés seront détruits, ils sont le crime, le péché d'Israël ; épines et ronces recouvriront leurs autels. Alors on dira aux montagnes : « Cachez-nous ! » et aux collines : « Tombez sur nous ! » Faites des semailles de justice, récoltez une moisson de fidélité, défrichez vos terres en friche. Il est temps de chercher le Seigneur, jusqu'à ce qu'il vienne répandre sur vous une pluie de justice.

— *Parole du Seigneur.*

PSAUME 104

Recherchez sans trêve la face du Seigneur.

Ou bien :

Alléluia !

Chantez et jouez pour lui,
redites sans fin ses merveilles ;

principe constitutif non plus la descendance naturelle mais le fait d'« être avec » Jésus, que les Douze ont mission de transmettre.

BENOÎT XVI

Prière du soir

Gloire au Père ! Gloire au Fils !
Gloire à l'Esprit de Dieu !
Bienheureuse Trinité !

HYMNE

Chantons à Dieu ce chant nouveau,
Disons sa gloire immense.
À tout vivant, ce Dieu très-haut
Présente son alliance.
Un cœur ouvert : le Fils livré !
Un vent de joie : l'Esprit donné !
Rendons à Dieu sa grâce !

Honneur à toi, premier vivant !
À toi la gloire, ô Père !
Louange à toi dans tous les temps,
Seigneur de ciel et terre !
Ta voix murmure : « Viens au jour » ;
Ton cœur nous dit : « Je suis l'Amour » !
« Aimez-vous tous en frères. »

Jésus, au prix du sang versé,
Tu dis l'amour du Père !
Ô viens, Seigneur ressuscité,
Nous prendre en ta lumière.
Délivre-nous de tout péché ;
Enseigne-nous à tout donner.
Rénove enfin la terre.

Esprit de Dieu, vivant amour,
Refais nos vies nouvelles.
Engendre-nous, mets-nous au jour ;
Maintiens nos cœurs fidèles.
Réveille-nous de notre nuit ;
Ranime en nous le feu de vie,
Ô feu de joie nouvelle.

PSAUME 66 **Hymne de bénédiction**

Avec toute l'Église, avec tous les hommes, avec tout l'univers, rendons grâce à Dieu qui nous bénit. Exultons de joie pour le salut qu'il nous donne.

Que Dieu nous prenne en grâce et nous bénisse,
que son visage s'illumine pour nous ;
et ton chemin sera connu sur la terre,
ton salut, parmi toutes les nations.

Que les peuples, Dieu, te rendent grâce ;
qu'ils te rendent grâce tous ensemble !

Que les nations chantent leur joie,
car tu gouvernes le monde avec justice ;
tu gouvernes les peuples avec droiture,
sur la terre, tu conduis les nations.

Que les peuples, Dieu, te rendent grâce ;
qu'ils te rendent grâce tous ensemble !

La terre a donné son fruit ;
Dieu, notre Dieu, nous bénit.
Que Dieu nous bénisse,
et que la terre tout entière l'adore !

Rendons gloire au Père tout-puissant,
à son Fils, Jésus Christ, le Seigneur,
à l'Esprit qui habite en nos cœurs,
pour les siècles des siècles. Amen.

Parole de Dieu

1 Pierre 5, 5b-7

Vous tous, les uns envers les autres, prenez l'humilité comme tenue de service. En effet, Dieu *s'oppose aux orgueilleux, aux humbles il accorde sa grâce*. Abaissez-vous donc sous la main puissante de Dieu, pour qu'il vous élève en temps voulu. Déchargez-vous sur lui de tous vos soucis, puisqu'il prend soin de vous.

En toi, Seigneur, mon espérance !

Cantique de Marie

(Texte, couverture A)

Intercession

Dieu se révèle aux pauvres et aux petits. Prions-le dans la simplicité du cœur :

℟ En ta tendresse, écoute nos prières.

Que tous les peuples te reconnaissent vrai Dieu,
et Jésus Christ, le Sauveur que tu as envoyé.

Souviens-toi de ton Église : garde-la de tout mal ;
qu'elle grandisse en ton amour.

Souviens-toi de nos parents, de nos amis,
de nos bienfaiteurs.

Souviens-toi de ceux qui portent le poids du jour.

Dieu de miséricorde,
souviens-toi de ceux qui sont morts aujourd'hui :
qu'ils entrent dans ton royaume.

Intentions libres

Notre Père…

Car c'est à toi qu'appartiennent
le règne, la puissance et la gloire,
pour les siècles des siècles !

SAINTS
D'HIER ET D'AUJOURD'HUI

Le martyrologe romain fait mémoire de la BIENHEUREUSE NAZARIA MARCH MESA

C'est sur le bateau qui la conduit vers le Mexique avec sa famille que Nazaria (1889-1943) rencontre les Sœurs des vieillards abandonnés. La jeune Madrilène émigrée entre dans la congrégation à 19 ans. Devenue sœur Nazaria de Sainte-Thérèse, elle est bientôt envoyée en Bolivie où elle est mise face à la détresse de la société et de l'Église. Pour y remédier, elle fonde en 1925 les Sœurs de la croisade pontificale – Missionnaires croisées de l'Église – car il s'agit de partir en croisade pour promouvoir la place des femmes, combattre l'ignorance, rejoindre les pauvres là où ils sont et les amener à une vie meilleure. Nazaria ne recule devant rien, elle fonde le premier syndicat d'ouvrières d'Amérique latine, envoie ses sœurs dans les mines, les prisons, les casernes pour y apporter la lumière de l'Évangile, gère des « marmites » pour les pauvres, des ateliers pour les fillettes, des asiles pour les déshérités. C'est l'Argentine qui reçoit le dernier souffle de cette femme battante déterminée à servir le Christ en ses enfants abandonnés. Qu'elle nous apprenne à ne jamais baisser les bras devant les situations de pauvreté que nous rencontrons.

Bonne fête !

Maria, Mariette, Marisa, Suzel, Sue et Suzeline

[JEUDI 7 JUILLET]

Prière du matin

À toi, la gloire, Roi d'éternité !

Gloire au Père, et au Fils, et au Saint-Esprit !

Hymne

Un chant rassemble dans la nuit
Les voix dispersées :
L'Église a devancé l'aurore
Et fait monter vers le Seigneur
L'espoir du monde.

L'hymne de joie et de douleurs
Qui naît aujourd'hui
Rejoint la mystérieuse offrande
Où Jésus Christ veut, de sa croix,
Signer l'Alliance.

C'est dans le Fils que nous pouvons,
Marqués par l'Esprit,
Donner notre parole au Père,
Et c'est en lui que Dieu répond
Au cri des hommes.

Nous attendons face à l'Orient
Les signes du Jour :
Jésus doit revenir en gloire,
Et l'amour seul peut dans nos vies
Gagner sa Pâque.

Psaume 80 **Chant d'acclamation**

Le Seigneur veille sur chacun de nos pas. Il a pris sur lui nos fautes pour que nous marchions librement. Plus encore, il se fait pain pour nous nourrir de sa vie.

Criez de joie pour Dieu, notre force,
acclamez le Dieu de Jacob.

Jouez, musiques, frappez le tambourin,
la harpe et la cithare mélodieuse.
Sonnez du cor pour le mois nouveau,
quand revient le jour de notre fête.

C'est là, pour Israël, une règle,
une ordonnance du Dieu de Jacob ;
il en fit, pour Joseph, une loi
quand il marcha contre la terre d'Égypte.

J'entends des mots qui m'étaient inconnus : +
« J'ai ôté le poids qui chargeait ses épaules ;
ses mains ont déposé le fardeau.

« Quand tu criais sous l'oppression, je t'ai sauvé ; +
je répondais, caché dans l'orage,
je t'éprouvais près des eaux de Mériba.

« Écoute, je t'adjure, ô mon peuple ;
vas-tu m'écouter, Israël ?
Tu n'auras pas chez toi d'autres dieux,
tu ne serviras aucun dieu étranger.

« C'est moi, le Seigneur ton Dieu, +
qui t'ai fait monter de la terre d'Égypte !
Ouvre ta bouche, moi, je l'emplirai.

« Mais mon peuple n'a pas écouté ma voix,
Israël n'a pas voulu de moi.
Je l'ai livré à son cœur endurci :
qu'il aille et suive ses vues !

« Ah ! Si mon peuple m'écoutait,
Israël, s'il allait sur mes chemins !
Aussitôt j'humilierais ses ennemis,
contre ses oppresseurs je tournerais ma main.

« Mes adversaires s'abaisseraient devant lui ;
tel serait leur sort à jamais !
Je le nourrirais de la fleur du froment,
je le rassasierais avec le miel du rocher ! »

Gloire au Père, et au Fils, et au Saint-Esprit…

Parole de Dieu

Romains 14, 17-19

Le royaume de Dieu ne consiste pas en des questions de nourriture ou de boisson ; il est justice, paix et joie dans l'Esprit Saint. Celui qui sert le Christ de cette manière-là plaît à Dieu, et il est approuvé par les hommes. Recherchons donc ce qui contribue à la paix, et ce qui construit les relations mutuelles.

Seigneur, rassemble-nous dans la paix de ton amour !

Cantique de Zacharie

(Texte, couverture B)

Louange et intercession

Pour tous nos frères, prions le Maître de la vie :

Ceux qui s'éveillent,
– qu'ils s'éveillent à toi.

Ceux qui vont au travail,
– qu'ils travaillent pour toi.

Ceux qui restent dans leur maison,
– qu'ils y restent avec toi.

Ceux qui rentrent du travail,
– qu'ils se reposent auprès de toi.

Ceux qui sont malades ou désespérés,
– qu'ils se tournent vers toi.

Ceux qui vont passer la mort,
– qu'ils meurent en toi.

Intentions libres

Notre Père…

Nous te prions, Seigneur, toi qui es la vraie lumière et le créateur de la lumière : garde-nous attentifs à ta loi pour que nous vivions dans ta clarté. Par Jésus Christ, ton Fils, notre Seigneur.

LA MESSE

Jeudi de la 14e semaine du temps ordinaire

(En lien avec l'Évangile, on peut choisir les oraisons, entre filets, de la messe pour les malades ou les infirmes,* Missel romain, *n° III.37.)

Le Seigneur a porté nos souffrances, il s'est chargé de nos douleurs.

PRIÈRE. Dieu qui veux être la vie de tout homme, Dieu qui n'abandonnes aucun de tes enfants, accorde à nos frères malades la force de lutter pour guérir : qu'ils découvrent dans leur épreuve combien tu peux être proche d'eux, par des frères qui soutiennent leur courage, par l'espérance que tu leur donnes en Jésus Christ. Lui qui règne avec toi et le Saint-Esprit, maintenant et pour les siècles des siècles.

Lecture du livre du prophète Osée **11, 1-4.8c-9**

AINSI PARLE LE SEIGNEUR : Oui, j'ai aimé Israël dès son enfance, et, pour le faire sortir d'Égypte, j'ai appelé mon fils. Quand je l'ai appelé, il s'est éloigné pour sacrifier aux Baals et brûler des offrandes aux idoles. C'est moi qui lui apprenais à marcher, en le soutenant de mes bras, et il n'a pas compris que je venais à son secours. Je le guidais avec humanité, par des liens d'amour ; je le traitais comme un nourrisson qu'on soulève tout contre sa joue ; je me penchais vers lui pour le faire manger. Mais ils ont refusé de revenir à moi : vais-je les livrer au châtiment ? Non ! Mon cœur se retourne contre moi ; en même temps,

mes entrailles frémissent. Je n'agirai pas selon l'ardeur de ma colère, je ne détruirai plus Israël, car moi, je suis Dieu, et non pas homme : au milieu de vous je suis le Dieu saint, et je ne viens pas pour exterminer.
— *Parole du Seigneur.*

Psaume 79

Que ton visage s'éclaire
et nous serons sauvés !

Berger d'Israël, écoute,
resplendis au-dessus des Kéroubim !
Réveille ta vaillance
et viens nous sauver.

Du haut des cieux, regarde et vois :
visite cette vigne, protège-la,
celle qu'a plantée ta main puissante,
le rejeton qui te doit sa force.

Alléluia. Alléluia. Le règne de Dieu est tout proche. Convertissez-vous et croyez à l'Évangile. **Alléluia.**

Évangile de Jésus Christ
selon saint Matthieu 10, 7-15

En ce temps-là, Jésus disait à ses Apôtres : « Sur votre route, proclamez que le royaume des Cieux est tout proche. Guérissez les malades, ressuscitez les morts, purifiez les lépreux, expulsez les démons. Vous avez reçu gratuitement : donnez gratuitement. Ne vous procurez ni or, ni argent, ni monnaie de cuivre à mettre dans vos ceintures, ni sac pour la route, ni tunique de rechange, ni sandales, ni bâton. L'ouvrier, en effet, mérite sa nourriture. Dans chaque ville ou village où vous entrerez, informez-vous pour savoir qui est digne de vous accueillir, et restez là jusqu'à votre départ. En entrant dans la maison, saluez

ceux qui l'habitent. Si cette maison en est digne, que votre paix vienne sur elle. Si elle n'en est pas digne, que votre paix retourne vers vous. Si l'on ne vous accueille pas et si l'on n'écoute pas vos paroles, sortez de cette maison ou de cette ville, et secouez la poussière de vos pieds. Amen, je vous le dis : au jour du Jugement, le pays de Sodome et de Gomorrhe sera traité moins sévèrement que cette ville. »
— *Acclamons la Parole de Dieu.*

PRIÈRE SUR LES OFFRANDES. Accueille, Seigneur, l'offrande et la prière que nous te présentons pour les malades : en s'unissant au Christ immolé pour les hommes, qu'ils reçoivent de croire que tu les aimes en lui ; qu'ils soient aux yeux des bien portants les signes que l'Esprit travaille ce monde. Par Jésus, le Christ, notre Seigneur.

Ce qu'il reste à souffrir des épreuves du Christ, je l'accomplis dans ma propre chair pour son corps qui est l'Église.

PRIÈRE APRÈS LA COMMUNION. Dieu qui prends soin de nous en nous donnant le pain qui fait vivre, daigne prendre soin de nos malades : que cette eucharistie suscite parmi nous des frères qui les entourent de ta tendresse et les aident à guérir en soutenant leur patience. Par Jésus, le Christ, notre Seigneur.

MÉDITATION DU JOUR

Un Dieu père et mère

Observe les mystères de l'amour, et alors tu contempleras le sein du Père, que le Fils unique, Dieu lui-même, est le seul à avoir montré (cf. Jn 1, 18). C'est bien lui, le Dieu amour (cf. 1 Jn 4, 8), et c'est par l'amour pour nous qu'il s'est laissé prendre. Ce qui est inexprimable en lui est père ; ce qui a de la compassion pour nous est devenu mère. En aimant, le Père est devenu féminin, et le grand signe en est celui qu'il a engendré à partir de lui-même : le fruit enfanté par amour est amour.

S'il est descendu lui-même, s'il a revêtu l'humanité et accepté de subir les souffrances des hommes, c'était pour être mesuré à notre faiblesse par amour et nous mesurer en retour à sa propre puissance (cf. Mt 7, 2). Au moment de verser son sang et de s'offrir lui-même en rançon (cf. Mt 20, 28), il nous laisse une nouvelle alliance : *Je vous donne mon amour* (Jn 13, 34). Quel est cet amour ? Quelle est sa grandeur ? Pour chacun de nous, il a livré sa vie, aussi précieuse que l'univers ; en retour, il nous demande de donner la nôtre les uns pour les autres. *Clément d'Alexandrie*

Enseignant d'une école chrétienne d'Alexandrie, Clément († v. 215) est mort en Cappadoce à la suite de persécutions.

Prière du soir

Dieu, viens à mon aide,
Seigneur, à notre secours.

Gloire au Père, et au Fils, et au Saint-Esprit !

Hymne

℟ Joie et lumière
de la gloire éternelle du Père,
le Très-Haut, le Très-Saint,
ô Jésus Christ !

Oui, tu es digne d'être chanté
dans tous les temps par des voix sanctifiées,
Fils de Dieu qui donnes vie :
tout l'univers te rend gloire.

Parvenus à la fin du jour,
contemplant cette clarté dans le soir,
nous chantons le Père et le Fils
et le Saint-Esprit de Dieu.

CHANT DES BÉATITUDES

Jésus est venu nous annoncer la loi nouvelle des fils de Dieu. Elle est justice, paix, joie et amour fraternel.

℟ Dans ton royaume,
souviens-toi de nous, Seigneur,
souviens-toi de nous.

Heureux les pauvres en esprit :
car le royaume des Cieux est à eux !

Heureux les doux :
car ils posséderont la terre !

Heureux les affligés :
car ils seront consolés !

Heureux ceux qui ont faim et soif de la justice :
car ils seront rassasiés !

Heureux les miséricordieux :
car ils obtiendront miséricorde !

Heureux les cœurs purs :
car ils verront Dieu !

Heureux les pacifiques :
car ils seront appelés fils de Dieu !

Heureux ceux qui sont persécutés pour la justice :
car le royaume des Cieux est à eux !

Heureux êtes-vous quand on vous insulte
et quand on vous calomnie à cause de moi.
Réjouissez-vous ! Exultez !
Car votre récompense est grande dans les cieux.

Parole de Dieu — Galates 5, 22.25

VOICI LE FRUIT de l'Esprit :
amour, joie, paix, patience,

bonté, bienveillance, fidélité Puisque l'Esprit nous fait vivre, marchons sous la conduite de l'Esprit.

Viens, Esprit de Dieu ! Viens !

CANTIQUE DE MARIE **(Texte, couverture A)**

INTERCESSION

Prions le Christ, lumière des nations et joie de tous les vivants :

℟ La nuit, pour toi, n'est pas ténèbre.

Lumière de lumière et Verbe de Dieu,
tu es venu sauver les hommes :
– conduis les catéchumènes à la connaissance
de la vérité.

Tu veux nous délivrer de la puissance des ténèbres :
– chasse l'obscurité de nos cœurs.

Tu veux que l'intelligence de l'homme perce
les secrets de la nature :
– fais que la science serve la vie pour l'éclat
de ta gloire.

Tu veux que nous rendions la terre habitable à tous :
– que ta parole éclaire
ceux qui travaillent à ta justice.

Toi qui ouvres aux croyants
les portes que nul ne peut fermer :
– mène nos frères défunts
sur le chemin de la lumière. **Intentions libres**

Notre Père…

Car c'est à toi qu'appartiennent
le règne, la puissance et la gloire,
pour les siècles des siècles !

SAINTS
D'HIER ET D'AUJOURD'HUI

Le martyrologe romain fait mémoire du BIENHEUREUX PIERRE TO ROT

*Les saints attirent notre regard,
puissions-nous suivre leur exemple
par une vie de sainteté.*

Pierre To Rot, originaire de Papouasie, est le premier bienheureux de ce pays. Né en 1912, il meurt martyr en 1945 dans un camp de concentration japonais. Époux aimant de Paula et père de trois filles, il est aussi un catéchiste brillant et intuitif. Au cours de la Seconde Guerre mondiale, les missionnaires sont arrêtés. Il continue son travail de catéchiste, organisant la vie de l'Église par la prière commune. L'occupant japonais décide bientôt de réintroduire la polygamie pour s'assurer le soutien des chefs locaux. Parce qu'il s'oppose ouvertement à cette pratique, Pierre est arrêté et succombe à une injection létale. Il a 33 ans. Lors de sa béatification le 17 janvier 1995, Jean-Paul II disait : « Comme citoyen, vous devriez ressentir le besoin de travailler à améliorer votre pays, et à assurer à la société un développement dans l'honnêteté et la justice, l'harmonie et la solidarité. Comme disciples du Christ guidés par la vérité de l'Évangile et l'enseignement de l'Église, vous devez construire sur le roc de la foi et faire votre devoir avec amour. »
Champion de la vie familiale, Pierre To Rot puisse-t-il aider les familles de tous pays !

Bonne fête !
Maël, Maëlys, Maëlis, Maé, Odon, Iphigénie, Raoul et Ralf

[VENDREDI 8 JUILLET]

Prière du matin

Béni sois-tu, Seigneur,
Dieu de tendresse et d'amour !

Gloire au Père, et au Fils, et au Saint-Esprit,
au Dieu qui est, qui était, et qui vient,
pour les siècles des siècles. Amen. Alléluia.

HYMNE

Le Fils bien-aimé,
L'Agneau sans péché,
Prend nos chemins :
Saurons-nous suivre le sien ?

Sa gloire humiliée,
Son cœur transpercé
Montrent la voie :
Saurons-nous prendre sa croix ?

Tandis qu'il passait,
La crainte en secret
Nous a saisis :
Saurons-nous perdre nos vies ?

Oh ! Viens dans nos cœurs,
Esprit du Seigneur,
Don sans retour,
Pour qu'en nous règne l'amour !

PSAUME 147 **Dieu, l'univers te célèbre**

Bénissons le Père qui a comblé l'Église de ses bénédictions pour qu'elle porte au monde sa parole de vie.

Glorifie le Seigneur, Jérusalem !
Célèbre ton Dieu, ô Sion !

Il a consolidé les barres de tes portes,
dans tes murs il a béni tes enfants ;
il fait régner la paix à tes frontières,
et d'un pain de froment te rassasie.

Il envoie sa parole sur la terre :
rapide, son verbe la parcourt.
Il étale une toison de neige,
il sème une poussière de givre.

Il jette à poignées des glaçons ;
devant ce froid, qui pourrait tenir ?
Il envoie sa parole : survient le dégel ;
il répand son souffle : les eaux coulent.

Il révèle sa parole à Jacob,
ses volontés et ses lois à Israël.
Pas un peuple qu'il ait ainsi traité ;
nul autre n'a connu ses volontés.

Gloire au Père, et au Fils, et au Saint-Esprit…

Parole de Dieu **2 Corinthiens 3, 16-18**

QUAND ON SE CONVERTIT au Seigneur, le voile est enlevé. Or, le Seigneur, c'est l'Esprit, et là où l'Esprit du Seigneur est présent, là est la liberté. Et nous tous qui n'avons pas de voile sur le visage, nous reflétons la gloire du Seigneur, et nous sommes transformés en son image avec une gloire de plus en plus grande, par l'action du Seigneur qui est Esprit.

Viens, Esprit de lumière !

CANTIQUE DE ZACHARIE (Texte, couverture B)

Louange et intercession

Seigneur Jésus, nous étions dans les ténèbres :
– tu ouvres nos yeux à la lumière.

℟ Pour cette merveille : Alléluia !

Seigneur Jésus, nous avions blasphémé ton nom :
– tu as pardonné notre faute.

Seigneur Jésus, nous étions séparés de toi :
– tu nous rétablis dans ton alliance.

Seigneur Jésus, nous vivions désunis :
– tu nous rassembles dans ton Corps.

Seigneur Jésus, nous étions morts :
– par ta mort, tu nous rends la vie. **Intentions libres**

Notre Père…

Seigneur, tu nous fais maintenant la grâce de ta louange. Accorde-nous de pouvoir te chanter avec tous les saints, éternellement. Par Jésus Christ, ton Fils, notre Seigneur.

La messe

Vendredi de la 14e semaine du temps ordinaire

(En lien avec l'Évangile, on peut choisir les oraisons, entre filets, de la messe pour l'évangélisation des peuples, Missel romain, *n° I.16.)*

Proclamez aux nations le salut de Dieu et ses merveilles à tous les peuples : il est grand le Seigneur, grande est sa gloire.

Prière. Dieu qui as envoyé la vraie lumière dans ce monde en lui donnant ton propre Fils, ne cesse pas de communiquer aux hommes ton Esprit, porteur des semences de vérité. Qu'il les répande au cœur de chacun pour y susciter la foi ; que tous, renaissant d'un même baptême, forment un seul peuple dans le Christ. Lui qui règne avec toi pour les siècles des siècles.

Lecture du livre du prophète Osée 14, 2-10

AINSI PARLE LE SEIGNEUR : Reviens, Israël, au Seigneur ton Dieu ; car tu t'es effondré par suite de tes fautes. Revenez au Seigneur en lui présentant ces paroles : « Enlève toutes les fautes, et accepte ce qui est bon. Au lieu de taureaux, nous t'offrons en sacrifice les paroles de nos lèvres. Puisque les Assyriens ne peuvent pas nous sauver, nous ne monterons plus sur des chevaux, et nous ne dirons plus à l'ouvrage de nos mains : "Tu es notre Dieu", car de toi seul l'orphelin reçoit de la tendresse. »
Voici la réponse du Seigneur : Je les guérirai de leur infidélité, je les aimerai d'un amour gratuit, car ma colère s'est détournée d'Israël. Je serai pour Israël comme la rosée, il fleurira comme le lis, il étendra ses racines comme les arbres du Liban. Ses jeunes pousses vont grandir, sa parure sera comme celle de l'olivier, son parfum, comme celui de la forêt du Liban. Ils reviendront s'asseoir à son ombre, ils feront revivre le froment, ils fleuriront comme la vigne, ils seront renommés comme le vin du Liban. Éphraïm ! Peux-tu me confondre avec les idoles ? C'est moi qui te réponds et qui te regarde. Je suis comme le cyprès toujours vert, c'est moi qui te donne ton fruit.
Qui donc est assez sage pour comprendre ces choses, assez pénétrant pour les saisir ? Oui, les chemins du Seigneur sont droits : les justes y avancent, mais les pécheurs y trébuchent.
— *Parole du Seigneur.*

PSAUME 50

Ma bouche annoncera ta louange, Seigneur.

Pitié pour moi, mon Dieu, dans ton amour,
selon ta grande miséricorde, efface mon péché.
Lave-moi tout entier de ma faute,
purifie-moi de mon offense.

Mais tu veux au fond de moi la vérité ;
dans le secret, tu m'apprends la sagesse.
Purifie-moi avec l'hysope, et je serai pur ;
lave-moi et je serai blanc, plus que la neige.

Crée en moi un cœur pur, ô mon Dieu,
renouvelle et raffermis au fond de moi mon esprit.
Ne me chasse pas loin de ta face,
ne me reprends pas ton esprit saint.

Rends-moi la joie d'être sauvé ;
que l'esprit généreux me soutienne.
Seigneur, ouvre mes lèvres,
et ma bouche annoncera ta louange.

Alléluia. Alléluia. Quand il viendra, lui, l'Esprit de vérité, il vous conduira dans la vérité tout entière et il vous fera souvenir de tout ce que je vous ai dit. **Alléluia.**

Évangile de Jésus Christ selon saint Matthieu 10, 16-23

EN CE TEMPS-LÀ, Jésus disait à ses Apôtres : « Voici que moi, je vous envoie comme des brebis au milieu des loups. Soyez donc prudents comme les serpents, et candides comme les colombes. Méfiez-vous des hommes : ils vous livreront aux tribunaux et vous flagelleront dans leurs synagogues. Vous serez conduits devant des gouverneurs et des rois à cause de moi : il y aura là un témoignage pour eux et pour les païens. Quand on vous livrera, ne vous inquiétez pas de savoir ce que vous direz ni comment vous le direz : ce que vous aurez à dire vous sera donné à cette heure-là. Car ce n'est pas vous qui parlerez, c'est l'Esprit de votre Père qui parlera en vous. Le frère livrera son frère à la mort, et le père, son enfant ; les enfants se dresseront contre leurs parents et les feront mettre à mort. Vous serez détestés de tous à cause de mon nom ;

mais celui qui aura persévéré jusqu'à la fin, celui-là sera sauvé. Quand on vous persécutera dans une ville, fuyez dans une autre. Amen, je vous le dis : vous n'aurez pas fini de passer dans toutes les villes d'Israël quand le Fils de l'homme viendra. »

— *Acclamons la Parole de Dieu.*

PRIÈRE SUR LES OFFRANDES. Comme tu as accepté, pour sauver le monde, la passion de ton Fils qui t'a glorifié, accepte, Seigneur, cette même offrande que te présente ton Église en prière. Par Jésus, le Christ, notre Seigneur.

« Allez dans le monde entier, dit le Seigneur ; proclamez la Bonne Nouvelle à toute la création. »

PRIÈRE APRÈS LA COMMUNION. Nous recevons de toi, Seigneur, les vivres que nous aurons dans ton royaume, et nous te prions pour les hommes qui ne te connaissent pas : que ce sacrement du salut éternel, en nourrissant la foi de ton Église, attire à la vérité toujours plus de croyants. Par Jésus, le Christ.

MÉDITATION DU JOUR

Un nouveau départ

Dieu nous donne sans cesse de quoi repartir. Il ne considère que l'aujourd'hui, il nous rend notre chance, il a mauvaise mémoire. « Il oublie nos péchés et ne tient pas rancune », dit l'Écriture, ou plutôt il les transforme en tremplin ! Pour Dieu, rien n'est jamais raté, perdu définitivement. Il y a de l'irréversible dans notre *vie, mais* rien d'irréparable, du moins sur le plan spirituel. Dieu, dont les miséricordes se renouvellent tous les matins, nous recrée à neuf, dès que nous revenons vers lui. Chaque instant de notre vie est toujours nouveau, il nous replace incessamment au début de notre être, en nous reliant à l'acte créateur dont cet être, incessamment, découle, ayant le droit de dire comme le psalmiste : maintenant je commence. Nous sommes sans cesse au matin de la création. C'est que Dieu est le Dieu des commencements et Jésus, sorti vainqueur de l'abîme de sa mort, marque dans l'histoire un commencement nouveau, une seconde et définitive aurore. Mais dire que notre Dieu est le Dieu des commencements, c'est dire aussi qu'il est celui des arrachements. Dieu crée en « faisant sortir » : c'est la libération de l'Égypte, l'Exode, l'arrachement de l'oiseau au filet du chasseur (cf. Ps 123). Toute naissance est arrachement au sein maternel. *DOM MARIE-GÉRARD DUBOIS*

Dom Marie-Gérard Dubois a été prieur de l'abbaye trappiste du Mont-des-Cats et abbé de la Grande Trappe de 1976 à 2001. Il a aussi présidé durant trente ans la Commission francophone cistercienne de liturgie (C.F.C.).

Prière du soir

Seigneur, entends ma prière,
et que mon cri parvienne jusqu'à toi !

Gloire au Père, et au Fils, et au Saint-Esprit,
au Dieu qui est, qui était, et qui vient,
pour les siècles des siècles. Amen. Alléluia.

HYMNE

Le Fils de Dieu, les bras ouverts,
A tout saisi dans son offrande,
L'effort de l'homme et son travail,
Le poids perdu de la souffrance.

L'élan puissant de son amour
Attire à lui la terre entière,
Il fait entrer dans son repos
Le monde en marche vers le Père.

Renouvelée par Jésus Christ,
Principe et fin de toute chose,
La création devient en lui
Première étape du Royaume.

Psaume 120 **Dieu garde les siens**

Certains regardent le ciel comme une immensité vide. Le psalmiste sait que Dieu est un gardien fidèle qui veille sur notre vie, maintenant et à jamais.

Je lève les yeux vers les montagnes :
d'où le secours me viendra-t-il ?
Le secours me viendra du Seigneur
qui a fait le ciel et la terre.

Qu'il empêche ton pied de glisser,
qu'il ne dorme pas, ton gardien.
Non, il ne dort pas, ne sommeille pas,
le gardien d'Israël.

Le Seigneur, ton gardien, le Seigneur, ton ombrage,
se tient près de toi.
Le soleil, pendant le jour, ne pourra te frapper,
ni la lune, durant la nuit.

Le Seigneur te gardera de tout mal,
il gardera ta vie.
Le Seigneur te gardera, au départ et au retour,
maintenant, à jamais.

Rendons gloire au Père tout-puissant,
à son Fils, Jésus Christ, le Seigneur,
à l'Esprit qui habite en nos cœurs,
pour les siècles des siècles. Amen.

Dieu qui as fait le ciel et la terre, viens au secours de ton Église en marche : tiens-toi à ses côtés, empêche-la de tomber, sois son gardien tout au long de sa route vers toi.

Parole de Dieu 2 Corinthiens 4, 10-11

Toujours nous portons, dans notre corps, la mort de Jésus, afin que la vie de Jésus, elle aussi, soit manifestée dans notre corps. En effet, nous, les vivants, nous sommes continuellement livrés à la mort à cause de Jésus, afin que la vie de Jésus, elle aussi, soit manifestée dans notre condition charnelle vouée à la mort.

Gloire et louange à toi,
Seigneur Jésus !

Cantique de Marie (Texte, couverture A)

Intercession

Regardons celui que nous avons transpercé et confessons notre foi :

℟ Vraiment, tu es le Fils de Dieu !

Béni sois-tu, Sauveur du genre humain,
pour ta Passion glorieuse :
– ton sang nous a rachetés.

De ton côté ouvert d'où jaillit l'eau vive,
– répands l'Esprit sur tous les hommes.

Tu envoies au monde des témoins de ta résurrection :
– qu'ils proclament ta croix victorieuse.

Christ en agonie jusqu'à la fin du monde,
– n'oublie pas les membres souffrants de ton Corps.

Toi qui es sorti vivant du tombeau,
– éveille ceux qui sont endormis dans la mort.

Intentions libres

Notre Père… Car c'est à toi qu'appartiennent…

SAINTS
D'HIER ET D'AUJOURD'HUI

Le martyrologe romain fait mémoire de SAINT THIBAUD DE MARLY

Louons notre Dieu, qui nous donne sa joie lorsque nous célébrons la mémoire des saints.

Fils de Bouchard Ier de Marly et de Mathilde de Châteaufort, Thibaud naît à la fin du XIIe siècle au château de Marly, dans une famille très chrétienne. Proche de la famille royale et fils aîné, il est orienté vers le métier des armes. C'est à l'abbé des Vaux-de-Cernay qu'il confie en premier son désir de vie religieuse. Les mises en garde de l'abbé des Vaux ne l'empêchent pas d'accepter la sévérité de la vie cistercienne qu'il embrasse en 1226. Devenu abbé en 1235, il accomplit de multiples tâches. Premier levé, dernier couché, il s'adonne aux charges les plus humbles. L'évêque de Paris, Guillaume d'Auvergne, confie à cet homme intègre la direction spirituelle des moniales de Port-Royal. Il meurt le 27 juillet 1247, mais c'est le 8 juillet, suivant sa canonisation en 1270, que ses reliques sont portées dans l'église de l'abbaye, qui sera détruite à la Révolution.
Que son exemple soutienne ceux qui exercent des responsabilités pour qu'ils les vivent comme un humble service de leurs frères.

Bonne fête !
Priscille, Killian, Kelly et Edgar

[**SAMEDI 9 JUILLET**
Saint Augustin Zhao Rong et ses compagnons]

Prière du matin

Béni soit au nom du Seigneur
celui qui vient sauver son peuple !

Gloire au Père, et au Fils, et au Saint-Esprit,
au Dieu qui est, qui était, et qui vient,
pour les siècles des siècles. Amen. Alléluia.

HYMNE

Dieu mon allégresse, viens par ta jeunesse
Réveiller ma vie :
Mes années se passent à rêver d'espaces
Où rien ne périt.
Vois l'eau vive qui s'enfuit,
Le désert et l'aventure,
Si tu ne m'assures.

Dieu mon espérance, viens par ta puissance
Rafraîchir ma vie :
Mon orgueil redoute de laisser ta route
Traverser ma nuit.
Vois le temps qui m'a détruit,
La victoire des ténèbres,
Si tu ne m'éclaires.

Dieu notre impatience, viens par ton silence
Apaiser nos vies :
Nous courons la terre en criant misère
Sans joie, sans répit.
Sois un chant pour notre cri,
Compagnon qui nous devances,
Dieu notre impatience.

PSAUME 60 — De la plainte à la louange

Nous sommes en quête du bonheur qui nous semble lointain, alors la plainte monte dans notre prière. La foi en la résurrection nous apprend à en faire une louange.

Dieu, entends ma plainte,
   exauce ma prière ; *
des terres lointaines je t'appelle
   quand le cœur me manque.

Jusqu'au rocher trop loin de moi
   tu me conduiras, *
car tu es pour moi un refuge,
   un bastion, face à l'ennemi.

Je veux être chez toi pour toujours,
me réfugier à l'abri de tes ailes.

Oui, mon Dieu, tu exauces mon vœu,
tu fais largesse à ceux qui craignent ton nom.

Accorde au roi des jours et des jours :
que ses années deviennent des siècles !

Qu'il trône à jamais devant la face de Dieu !
Assigne à sa garde Amour et Vérité.

Alors, je chanterai sans cesse ton nom,
j'accomplirai mon vœu jour après jour.

Gloire au Père, et au Fils, et au Saint-Esprit…

Parole de Dieu — Romains 12, 14-16a

BÉNISSEZ CEUX qui vous persécutent ; souhaitez-leur du bien, et non pas du mal. Soyez joyeux avec ceux qui sont dans la joie, pleurez avec ceux qui pleurent. Soyez bien d'accord les uns avec les autres ; n'ayez pas le goût des grandeurs, mais laissez-vous attirer par ce qui est humble.

Seigneur, foyer d'amour, fais-nous brûler de charité.

Cantique de Zacharie (Texte, couverture B)

Intercession

Pour qu'il fasse de nous des artisans de paix, prions le Seigneur :

**Quand domine la haine,
que nous annoncions l'amour.**

**Quand blesse l'offense,
que nous offrions le pardon.**

**Quand sévit la discorde,
que nous bâtissions la paix.**

**Quand s'installe l'erreur,
que nous proclamions la vérité.**

**Quand paralyse le doute,
que nous réveillions la foi.**

**Quand pèse la détresse,
que nous ranimions l'espérance.**

**Quand s'épaississent les ténèbres,
que nous apportions la lumière.**

**Quand règne la tristesse,
que nous libérions la joie.**

Intentions libres

Notre Père…

Écoute-nous, Seigneur, et accorde-nous la paix profonde que nous te demandons ; ainsi, en te cherchant tous les jours de notre vie, et soutenus par la prière de la Vierge Marie, nous parviendrons sans encombre jusqu'à toi. Par Jésus Christ, ton Fils, notre Seigneur et notre Dieu, qui règne avec toi et le Saint-Esprit, maintenant et pour les siècles des siècles.

LA MESSE

Samedi de la 14e semaine du temps ordinaire

SAINT AUGUSTIN ZHAO RONG (XIXE S.) ET SES COMPAGNONS — *Mémoire facultative*

● *ALORS QU'IL ÉTAIT SOLDAT, Augustin (1746-1815) se trouva être témoin d'une nouvelle persécution de chrétiens en Chine. Bouleversé par leur témoignage, il se fit baptiser à 30 ans et, cinq ans plus tard, il fut ordonné prêtre. Persécuté à son tour, il mourut en 1815.*
Augustin est le premier prêtre chinois mort en martyr, c'est la raison qui le fit nommer en tête de la liste des cent vingt martyrs de Chine canonisés par saint Jean-Paul II, le 1er octobre 2000. ●

Ils se réjouissent dans les cieux, les saints qui ont suivi les traces du Christ ; et parce qu'ils ont répandu leur sang pour son amour, ils sont dans l'allégresse avec lui pour l'éternité.

PRIÈRE. Seigneur Dieu, tu as fortifié ton Église de façon admirable par la confession de foi des martyrs de Chine, saint Augustin et ses compagnons ; accorde à ton peuple, fidèle à sa mission, d'être de plus en plus libre pour témoigner de la vérité à la face du monde. Par Jésus Christ, ton Fils, notre Seigneur.

● *C'EST DANS LA SECONDE MOITIÉ du VIIIe siècle avant notre ère qu'Isaïe exerça son ministère prophétique, dans le royaume de Juda. Il vécut dans l'entourage royal et ses oracles ont une portée politique très caractérisée. Parmi ceux-ci, les prophéties sur l'Emmanuel ont une très grande importance, en raison de leur sens messianique et de leur influence sur la révélation chrétienne. En plus des oracles d'Isaïe, conservés en majorité dans les chapitres 1 à 39, le livre contient des oracles d'un prophète contemporain de l'Exil (chap. 40-55) et même d'autres oracles de l'époque après l'Exil (chap. 56-66). Ces ajouts au recueil contenant les oracles du grand prophète montrent l'importance qu'on attribuait au livre qui conservait ses paroles.* ●

Lecture du livre du prophète Isaïe 6, 1-8

L'ANNÉE DE LA MORT du roi Ozias, je vis le Seigneur qui siégeait sur un trône très élevé ; les pans de son manteau remplissaient le Temple. Des séraphins se tenaient au-dessus de lui. Ils avaient chacun six ailes : deux pour se couvrir le visage, deux pour se couvrir les pieds, et deux pour voler. Ils se criaient l'un à l'autre : « Saint ! Saint ! Saint, le Seigneur de l'univers ! Toute la terre est remplie de sa gloire. » Les pivots des portes se mirent à trembler à la voix de celui qui criait, et le Temple se remplissait de fumée. Je dis alors : « Malheur à moi ! je suis perdu, car je suis un homme aux lèvres impures, j'habite au milieu d'un peuple aux lèvres impures : et mes yeux ont vu le Roi, le Seigneur de l'univers ! » L'un des séraphins vola vers moi, tenant un charbon brûlant qu'il avait pris avec des pinces sur l'autel. Il l'approcha de ma bouche et dit : « Ceci a touché tes lèvres, et maintenant ta faute est enlevée, ton péché est pardonné. » J'entendis alors la voix du Seigneur qui disait : « Qui enverrai-je ? qui sera notre messager ? » Et j'ai répondu : « Me voici : envoie-moi ! »

— *Parole du Seigneur.*

• Psaume 92 •

Le Seigneur est roi ; il s'est vêtu de magnificence.

Le Seigneur est roi ;
il s'est vêtu de magnificence,
le Seigneur a revêtu sa force.

Et la terre tient bon, inébranlable ;
dès l'origine ton trône tient bon,
depuis toujours, tu es.

Tes volontés sont vraiment immuables :
la sainteté emplit ta maison,
Seigneur, pour la suite des temps.

Alléluia. Alléluia. Si l'on vous insulte pour le nom du Christ, heureux êtes-vous : l'Esprit de Dieu repose sur vous. Alléluia.

Évangile de Jésus Christ selon saint Matthieu 10, 24-33

EN CE TEMPS-LÀ, Jésus disait à ses Apôtres : « Le disciple n'est pas au-dessus de son maître, ni le serviteur au-dessus de son seigneur. Il suffit que le disciple soit comme son maître, et le serviteur, comme son seigneur. Si les gens ont traité de Béelzéboul le maître de maison, ce sera bien pire pour ceux de sa maison. Ne craignez donc pas ces gens-là ; rien n'est voilé qui ne sera dévoilé, rien n'est caché qui ne sera connu. Ce que je vous dis dans les ténèbres, dites-le en pleine lumière ; ce que vous entendez au creux de l'oreille, proclamez-le sur les toits. Ne craignez pas ceux qui tuent le corps sans pouvoir tuer l'âme ; craignez plutôt celui qui peut faire périr dans la géhenne l'âme aussi bien que le corps. Deux moineaux ne sont-ils pas vendus pour un sou ? Or, pas un seul ne tombe à terre sans que votre Père le veuille. Quant à vous, même les cheveux de votre tête sont tous comptés. Soyez donc sans crainte : vous valez bien plus qu'une multitude de moineaux. Quiconque se déclarera pour moi devant les hommes, moi aussi je me déclarerai pour lui devant mon Père qui est aux cieux. Mais celui qui me reniera devant les hommes, moi aussi je le renierai devant mon Père qui est aux cieux. »

— ***Acclamons la Parole de Dieu.***

PRIÈRE SUR LES OFFRANDES. Accepte, Seigneur, l'offrande que nous te présentons en faisant mémoire de tes saints martyrs ; et nous qui sommes tes serviteurs, rends-nous inébranlables dans la confession de ton nom. Par Jésus, le Christ, notre Seigneur.

À ceux qui ont tenu bon avec lui dans les épreuves, le Seigneur déclare : « Je dispose pour vous du Royaume : vous mangerez et boirez à ma table dans mon royaume. »

PRIÈRE APRÈS LA COMMUNION. Tu as fait briller en tes martyrs, Seigneur, la splendeur du mystère de la croix ; maintenant que nous sommes fortifiés par ce sacrifice, accorde-nous de rester toujours unis au Christ, et de travailler dans l'Église au salut de tous les hommes. Par Jésus, le Christ, notre Seigneur.

MÉDITATION DU JOUR

Ce que je vous dis, dites-le

Dieu existait avant toute chose, seul, et à lui seul monde, espace et univers. Seul, parce qu'il n'y avait rien d'autre en dehors de lui. Et pourtant, même alors, il n'était pas seul, il avait avec lui celle qu'il avait en lui-même, c'est-à-dire la Raison. Car Dieu est rationnel et la Raison s'identifiait à lui auparavant et ainsi, tout vient de lui. Cette Raison est son intelligence. C'est elle que les Grecs appellent *Logos,* mot qui est ce que nous disons par « Parole » – et c'est pourquoi il est d'usage chez nous de traduire simplement : *Au début la Parole était auprès de Dieu* (Jn 1, 1). Bien que Dieu n'eût pas encore envoyé sa Parole, il l'avait avec et dans la Raison même à l'intérieur de lui-même, pensant et disposant silencieusement en lui-même ce qu'il allait dire bientôt par la Parole.

Pour que tu le comprennes plus aisément, reconnais en toi-même, en tant que fait à l'image et à la ressemblance de Dieu (cf. Gn 1, 26), que tu as toi aussi en toi-même la raison, toi qui es un animal rationnel, c'est-à-dire non seulement fait par un artisan rationnel, mais aussi animé de sa propre substance. Vois, lorsque tu t'entretiens silencieusement avec toi-même par la raison, c'est la même chose qui se passe en toi : la raison vient à toi avec la parole à chaque mouvement de ta pensée. Ainsi, il y a d'une certaine façon en toi une seconde parole, à travers laquelle tu parles quand tu penses et à travers laquelle tu penses quand tu parles.

TERTULLIEN

(Traduction inédite de Guillaume Bady pour MAGNIFICAT)

Tertullien († v. 220) fut, en Afrique du Nord, le premier grand théologien de langue latine.

Prière du soir

15e semaine du temps ordinaire

Que ma prière devant toi s'élève comme un encens,
et mes mains, comme l'offrande du soir.

Gloire au Père, et au Fils, et au Saint-Esprit !

TROPAIRE

O Dieu vivant, tu fis le jour
Par la clarté de ta lumière.
Dans le déclin de ce jour-ci,
Nous appelons encor ta gloire.

Le soir approche et le soleil
Reconnaît l'heure où il se couche.
Plongeant le monde dans la nuit,
Il suit la loi qui est la sienne.

Mais toi, Seigneur et Dieu très-haut,
Entends la voix de ta famille.
Elle a porté le poids du jour,
Que les ténèbres ne l'accablent.

Tandis que veille en nous l'Esprit,
Tous les faux jours du siècle passent.

Fais qu'en ta grâce nous gardions
Le cœur ouvert à ta lumière.

PSAUME 112 **Hymne au Dieu très aimant**

Avec les humbles et les petits qui savent rendre grâce au Seigneur, louons son nom de gloire et entonnons l'action de grâce.

Louez, serviteurs du Seigneur,
louez le nom du Seigneur !
Béni soit le nom du Seigneur,
maintenant et pour les siècles des siècles !
Du levant au couchant du soleil,
loué soit le nom du Seigneur !

Le Seigneur domine tous les peuples,
sa gloire domine les cieux.
Qui est semblable au Seigneur notre Dieu ?
Lui, il siège là-haut.
Mais il abaisse son regard
vers le ciel et vers la terre.

De la poussière il relève le faible,
il retire le pauvre de la cendre
pour qu'il siège parmi les princes,
parmi les princes de son peuple.
Il installe en sa maison la femme stérile,
heureuse mère au milieu de ses fils.

Gloire au Père, et au Fils, et au Saint-Esprit,
pour les siècles des siècles. Amen.

Parole de Dieu **1 Jean 4, 20-21**

SI QUELQU'UN DIT : « J'aime Dieu », alors qu'il a de la haine contre son frère, c'est un menteur. En effet, celui qui n'aime pas son frère, qu'il voit, est incapable d'aimer Dieu, qu'il ne voit pas. Et voici le commandement que nous tenons de lui : celui qui aime Dieu, qu'il aime aussi son frère.

Pas de plus grand amour
que de donner sa vie !

CANTIQUE DE MARIE (Texte, couverture A)

INTERCESSION

Nous souvenant que le Christ eut pitié des foules, nous le prions :

℟ Seigneur, montre-nous ton amour !

Nous tenons de ta bonté la joie de ce jour,
– qu'elle te revienne en action de grâce.

Toi, lumière et salut des nations,
– sois la force des témoins que tu as envoyés.

Toi qui entends le cri du malheureux,
– garde-nous d'être sourds aux appels de détresse.

Médecin des âmes et des corps,
– visite-nous et guéris-nous.

Souviens-toi des morts tombés dans l'oubli :
– que leur nom soit inscrit au Livre de vie.

Intentions libres

Notre Père… Car c'est à toi qu'appartiennent…

Sous l'abri de ta miséricorde,
nous nous réfugions, Sainte Mère de Dieu.
Ne méprise pas nos prières
quand nous sommes dans l'épreuve,
mais de tous les dangers
délivre-nous toujours,
Vierge glorieuse, Vierge bienheureuse.

Saints
d'hier et d'aujourd'hui

Le martyrologe romain fait mémoire
du bienheureux Fidèle Chojnacki

Que la prière des saints nous aide à progresser sur le chemin de la vie éternelle.

Jérôme Spurinska naît le jour de la Toussaint 1907, à Łódź. La foi est une donnée fondamentale de la vie de sa famille qui fréquente assidûment la paroisse. Après un temps de recul, Jérôme revient à la pratique religieuse grâce à un oncle prêtre. C'est alors qu'il s'engage dans l'Action catholique et participe à un programme social de lutte contre l'alcoolisme, lui-même ayant succombé un temps à cette addiction. Il fréquente désormais la paroisse des capucins de Varsovie où sa douceur et son esprit pacifique sont remarqués. C'est ainsi qu'en 1933, il prend l'habit sous le nom de frère Fidèle. Il est encore étudiant en théologie lorsque la guerre éclate. Il est arrêté à Lublin le 25 janvier 1940. Transféré au camp de travail de Sachsenhausen, puis quelques mois plus tard à Dachau, il y meurt d'épuisement le 9 juillet 1942, après avoir dit à ses compagnons : « Loué soit Jésus Christ, au revoir au ciel ! » Il fait partie des cent quatre martyrs polonais canonisés par Jean-Paul II à Varsovie, en juin 1999.
Avec lui, nous pouvons prier pour la Pologne et, en cette Année de la miséricorde, lui demander d'intercéder pour tous les tortionnaires.

Bonne fête !

Augustin, Amandine, Irma, Hermeline et Hermine

Parole de Dieu pour un dimanche

La loi, chemin de vie

Christelle Javary

CETTE LOI QUE JE TE PRESCRIS aujourd'hui n'est pas au-dessus de tes forces ni hors de ton atteinte, affirme le Seigneur à son peuple. Contrairement à ce que le tentateur souffle parfois à notre cœur, la loi divine n'est pas un piège pour nous prendre en défaut. Elle est simple et accessible. Dans l'Évangile de ce dimanche, lorsque Jésus est interrogé sur ce qu'il convient de faire, il répond systématiquement à une question par une autre question pour montrer à son interlocuteur qu'il porte en lui la réponse ! La discussion s'ouvre par l'expression d'un beau et noble désir : *avoir en héritage la vie éternelle*. La loi est le chemin qui y conduit, et l'homme qui s'adresse à Jésus la connaît sous sa forme essentielle : le double commandement de l'amour de Dieu et de l'amour du prochain. Il a bien retenu son catéchisme… *Et qui est mon prochain ?* Jésus raconte alors une histoire puis demande à son interlocuteur de juger par lui-même qui s'est montré le prochain du voyageur tombé aux mains des bandits. La réponse, jugée judicieuse, revient à ceci : mon prochain, c'est celui dont je m'approche. La loi n'est pas difficile ; ce qui nous est souvent difficile, c'est de l'appliquer ! Comme le prêtre et le lévite, nous préférons parfois détourner le regard de ceux qui souffrent et nous murer dans l'indifférence. Le Samaritain – considéré pourtant comme un hérétique – se laisse guider par la compassion qui jaillit de son cœur. Il agit, il prend soin, il sauve. Écoutons Jésus nous dire : *Toi aussi, fais de même.* ■

Les intentions dominicales

Ces intentions sont à adapter en fonction de l'actualité et de l'assemblée qui célèbre.

Comme le Samaritain, arrêtons-nous pour prendre en charge les détresses des hommes d'aujourd'hui.

Prions pour l'Église qui apporte la consolation à ceux qui souffrent en leur corps ou en leur âme.

Prions pour les évêques, les prêtres et les diacres qui se nourrissent de la parole de Dieu pour la transmettre à tous.

Prions pour les exégètes qui approfondissent la Parole avec toujours plus d'intelligence spirituelle.

Prions pour les jeunes qui découvrent la parole de Dieu et la laisse les interroger.

Prions pour nous-mêmes pour que la charité nous fasse toujours choisir le bien de l'autre avant notre confort.

Père très bon, vois notre désir d'aimer comme tu aimes et daigne répondre à notre prière. Par Jésus, le Christ, notre Seigneur.

DIMANCHE 10 JUILLET

15e du temps ordinaire

Prière du matin

Venez, crions de joie pour Dieu, notre Sauveur.

Louez le Seigneur, tous les peuples; Ps 116
fêtez-le, tous les pays!

Son amour envers nous s'est montré le plus fort;
éternelle est la fidélité du Seigneur!

Gloire au Père, et au Fils, et au Saint-Esprit,
pour les siècles des siècles. Amen.

HYMNE

Le Sauveur de tous les hommes
vient changer notre eau en vin,
Nos ténèbres en vraie lumière
et nos pleurs en cris de joie.
Il manifeste sa gloire,
pour que nous croyions en lui.
Bienheureux les familiers
du mystère de l'Agneau!

Il vient partager nos fêtes,
lui qui donne la vraie joie,
Il est l'invité des noces
à la table des pécheurs.
À la table du Royaume,
c'est ceux-là qu'il recevra.
Bienheureux les purifiés
par la grâce de l'Agneau!

À ces noces de la terre
il a changé l'eau en vin,

Mais le vin nouveau qu'il donne,
c'est le sang versé pour vous,
Et l'Esprit rend témoignage :
« Celui-ci est Fils de Dieu. »
Bienheureux ceux qui ont vu
la lumière de l'Agneau !

PSAUME 92 **Le roi du monde**

Soyons dans la joie, le Seigneur est notre roi, aujourd'hui et dans la suite des temps. Il nous tient dans sa main et nous conduit jusqu'en sa gloire.

Le Seigneur est roi ;
il s'est vêtu de magnificence,
le Seigneur a revêtu sa force.

Et la terre tient bon, inébranlable ;
dès l'origine ton trône tient bon,
depuis toujours, tu es.

Les flots s'élèvent, Seigneur,
les flots élèvent leur voix,
les flots élèvent leur fracas.

Plus que la voix des eaux profondes,
des vagues superbes de la mer,
superbe est le Seigneur dans les hauteurs.

Tes volontés sont vraiment immuables :
la sainteté emplit ta maison,
Seigneur, pour la suite des temps.

Gloire au Père, et au Fils, et au Saint-Esprit,
pour les siècles des siècles. Amen.

Parole de Dieu **Romains 8, 15-16**

VOUS N'AVEZ PAS REÇU un esprit qui fait de vous des esclaves et vous ramène à la peur ; mais vous avez reçu un Esprit qui fait de vous des fils ; et c'est en lui que nous crions « *Abba !* », c'est-à-dire : Père ! C'est donc l'Esprit Saint lui-même qui atteste à notre esprit que nous sommes enfants de Dieu.

Ô Seigneur, envoie ton Esprit,
qui renouvelle la face de la terre.

CANTIQUE DE ZACHARIE (Texte, couverture B)

LOUANGE ET INTERCESSION

Dans l'action de grâce, prions le Christ, le Fils du Dieu vivant :

℟ Alléluia !

Seigneur Jésus, lumière de lumière,
éclaire-nous en ce jour qui commence.

Toi qui viens à notre rencontre,
sois de toutes nos rencontres aujourd'hui.

Toi qui nous accueilles quand nous te recevons,
rends-nous accueillants à tous ceux qui te cherchent.

Toi qui t'es fait nourriture et breuvage,
maintiens en nous l'énergie de l'eucharistie.

Seigneur Jésus, lumière sur la vie
et sur la mort des hommes,
éclaire à travers nous ceux qui sont heureux
et ceux qui souffrent.

Intentions libres

Notre Père…

Béni sois-tu, Dieu notre Père, pour ta parole qui nous guide avec sagesse ! Qu'elle nous fasse connaître ta volonté, qu'elle nous donne la force de t'aimer de tout notre cœur et d'aimer notre prochain comme nous-mêmes, par Jésus Christ, ton Fils et notre Sauveur, qui nous donne dans l'esprit de parvenir jusqu'à toi, Père des siècles des siècles.

LA MESSE

15e dimanche du temps ordinaire

Je veux paraître devant toi, Seigneur, et me rassasier de ta présence.

GLOIRE À DIEU ——— page 195

PRIÈRE. Dieu qui montres aux égarés la lumière de ta vérité pour qu'ils puissent reprendre le bon chemin, donne à tous ceux qui se déclarent chrétiens de rejeter ce qui est indigne de ce nom, et de rechercher ce qui lui fait honneur. Par Jésus Christ, ton Fils, notre Seigneur.

Lecture du livre du Deutéronome 30, 10-14

MOÏSE DISAIT au peuple : « Écoute la voix du Seigneur ton Dieu, en observant ses commandements et ses décrets inscrits dans ce livre de la Loi, et reviens au Seigneur ton Dieu de tout ton cœur et de toute ton âme. Car cette loi que je te prescris aujourd'hui n'est pas au-dessus de tes forces ni hors de ton atteinte. Elle n'est pas dans les cieux, pour que tu dises : "Qui montera aux cieux nous la chercher ? Qui nous la fera entendre, afin que nous la mettions en pratique ?" Elle n'est pas au-delà des mers, pour que tu dises : "Qui se rendra au-delà des mers nous la chercher ? Qui nous la fera entendre, afin que nous la mettions en pratique ?" Elle est tout près de toi, cette Parole, elle est dans ta bouche et dans ton cœur, afin que tu la mettes en pratique. »

— *Parole du Seigneur.*

PSAUME 68

**Moi, je te prie, Seigneur :
c'est l'heure de ta grâce ;
dans ton grand amour, Dieu, réponds-moi,
par ta vérité sauve-moi.**

**Réponds-moi, Seigneur,
car il est bon, ton amour ;
dans ta grande tendresse,
regarde-moi.**

**Et moi, humilié, meurtri,
que ton salut, Dieu, me redresse.
Et je louerai le nom de Dieu par un cantique,
je vais le magnifier, lui rendre grâce.**

**Les pauvres l'ont vu, ils sont en fête :
« Vie et joie, à vous qui cherchez Dieu ! »
Car le Seigneur écoute les humbles,
il n'oublie pas les siens emprisonnés.**

**Car Dieu viendra sauver Sion
et rebâtir les villes de Juda :
patrimoine pour les descendants de ses serviteurs,
demeure pour ceux qui aiment son nom.**

Ou bien :

PSAUME 18B

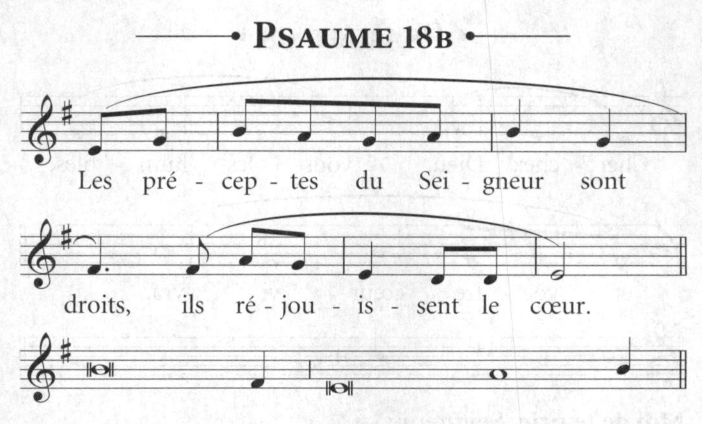

**La loi du Seigneur est parfaite,
qui redonne vie ;
la charte du Seigneur est sûre,
qui rend sages les simples.**

**Les préceptes du Seigneur sont droits,
ils réjouissent le cœur ;
le commandement du Seigneur est limpide,
il clarifie le regard.**

**La crainte qu'il inspire est pure,
elle est là pour toujours ;
les décisions du Seigneur sont justes
et vraiment équitables :**

**plus désirables que l'or,
qu'une masse d'or fin,
plus savoureuses que le miel
qui coule des rayons.**

**Lecture de la lettre
de saint Paul apôtre aux Colossiens** **1, 15-20**

LE CHRIST JÉSUS est l'image du Dieu invisible, le premier-né,

avant toute créature : en lui, tout fut créé, dans le ciel et sur la terre. Les êtres visibles et invisibles, Puissances, Principautés, Souverainetés, Dominations, tout est créé par lui et pour lui. Il est avant toute chose, et tout subsiste en lui.
Il est aussi la tête du corps, la tête de l'Église : c'est lui le commencement, le premier-né d'entre les morts, afin qu'il ait en tout la primauté. Car Dieu a jugé bon qu'habite en lui toute plénitude et que tout, par le Christ, lui soit enfin réconcilié, faisant la paix par le sang de sa Croix, la paix pour tous les êtres sur la terre et dans le ciel.
— Parole du Seigneur.

Alléluia. Alléluia. Tes paroles, Seigneur, sont esprit et elles sont vie. Tu as les paroles de la vie éternelle. Alléluia.

Évangile de Jésus Christ selon saint Luc 10, 25-37

En ce temps-là, voici qu'un docteur de la Loi se leva et mit Jésus à l'épreuve en disant : « Maître, que dois-je faire pour avoir en héritage la vie éternelle ? » Jésus lui demanda : « Dans la Loi, qu'y a-t-il d'écrit ? Et comment lis-tu ? » L'autre répondit : « *Tu aimeras le Seigneur ton Dieu de tout ton cœur, de toute ton âme, de toute ta force et de toute ton intelligence, et ton prochain comme toi-même.* » Jésus lui dit : « Tu as répondu correctement. Fais ainsi et tu vivras. » Mais lui, voulant se justifier, dit à Jésus : « Et qui est mon prochain ? » Jésus reprit la parole : « Un homme descendait de Jérusalem à Jéricho, et il tomba sur des bandits ; ceux-ci, après l'avoir dépouillé et roué de coups, s'en allèrent, le laissant à moitié mort. Par hasard, un prêtre descendait par ce chemin ; il le vit et passa de l'autre côté. De même un lévite arriva à cet endroit ; il le vit et passa de l'autre côté. Mais un Samaritain, qui était en route, arriva près de lui ; il le vit et fut saisi de compassion. Il s'approcha, et pansa ses blessures en y versant

de l'huile et du vin ; puis il le chargea sur sa propre monture, le conduisit dans une auberge et prit soin de lui. Le lendemain, il sortit deux pièces d'argent, et les donna à l'aubergiste, en lui disant : “Prends soin de lui ; tout ce que tu auras dépensé en plus, je te le rendrai quand je repasserai.” Lequel des trois, à ton avis, a été le prochain de l'homme tombé aux mains des bandits ? » Le docteur de la Loi répondit : « Celui qui a fait preuve de pitié envers lui. » Jésus lui dit : « Va, et toi aussi, fais de même. »
— *Acclamons la Parole de Dieu.*

Credo page 197

Prière sur les offrandes. Regarde, Seigneur, les dons de ton Église en prière : accorde à tes fidèles qui vont les recevoir la grâce d'une sainteté plus grande. Par Jésus, le Christ.

Préface page 200

Heureux ceux qui approchent de ton autel, Seigneur ; heureux les habitants de ta maison : ils peuvent toujours te louer, mon Roi, mon Dieu !

Ou bien :

« Celui qui mange ma chair et boit mon sang, dit le Seigneur, demeure en moi, et moi en lui. »

Prière après la communion. Nourris de ton eucharistie, nous te supplions, Seigneur ; chaque fois que nous célébrons ce mystère, fais grandir en nous ton œuvre de salut. Par Jésus, le Christ, notre Seigneur.

MÉDITATION DU JOUR

Et qui est mon prochain ?

Au début, c'est l'homme à moitié mort qui est le prochain ; à la fin, c'est le Samaritain. L'homme à moitié mort répond à la demande du docteur *(Qui est mon prochain ?)*, le Samaritain à celle de Jésus : *Lequel des trois, à ton avis, a été le prochain de l'homme tombé aux mains des bandits ?* Le docteur de la Loi n'a pas conscience de se mettre en cause. Avec cette vérité désarmante, il reconnaît que le prochain n'est plus l'homme à moitié mort mais celui qui a eu de la compassion pour lui. Il est conduit à donner la réponse qu'il ne voulait pas : le prochain est le Samaritain, même s'il se garde bien de le nommer ainsi.

Jésus lui dévoile combien la parabole éclaire la vie. Il l'invite à entrer dans la logique de la parabole, comme un lecteur dans le récit : agir comme le Samaritain, se faire le prochain de l'autre. Tant que le prochain se portait sur l'autre, il restait sans issue. C'est lorsque la question est inversée qu'il est possible de résoudre l'interrogation. La parabole transforme la manière commune de penser le prochain à partir de soi-même : le prochain peut être alors défini non pas en raison de son origine religieuse, culturelle, ou sociale, mais en raison de la compassion pour autrui.

CONSEIL PONTIFICAL
POUR LA PROMOTION DE LA NOUVELLE ÉVANGÉLISATION

Prière du soir

HYMNE

Nous t'adorons, Seigneur,
Ô Père tout-puissant,
Tu donnes vie à notre terre,
Nous t'adorons, Seigneur ! Nous t'adorons !

Honneur à toi, Jésus !
Ô Verbe du Seigneur,
Qui viens changer le cœur des hommes,
Honneur à toi, Jésus ! Honneur à toi !

Gloire à l'Esprit de Dieu !
Au souffle créateur
Qui vient pour transformer la terre,
Gloire à l'Esprit de Dieu ! Gloire à l'Esprit !

Louange au Dieu vivant !
Au Père par le Fils
En l'Esprit Saint qui nous rend frères,
Louange au Dieu vivant ! Louange à Dieu !

PSAUME 22 **Dieu, pasteur de son peuple**

Tout est grâce et bonheur auprès du Père. Tout est paix à la suite du Christ. Tout est joie quand l'Esprit chante en nous.

Le Seigneur est mon berger :
je ne manque de rien. *
Sur des prés d'herbe fraîche,
il me fait reposer.

Il me mène vers les eaux tranquilles
et me fait revivre ; *
il me conduit par le juste chemin
pour l'honneur de son nom.

Si je traverse les ravins de la mort,
je ne crains aucun mal, *
car tu es avec moi :
ton bâton me guide et me rassure.

Tu prépares la table pour moi
devant mes ennemis ; *
tu répands le parfum sur ma tête,
ma coupe est débordante.

Grâce et bonheur m'accompagnent
tous les jours de ma vie ; *
j'habiterai la maison du Seigneur
pour la durée de mes jours.

Gloire au Père, et au Fils, et au Saint-Esprit,
pour les siècles des siècles. Amen.

Parole de Dieu

Romains 8, 22-23

NOUS LE SAVONS BIEN, la création tout entière gémit, elle passe par les douleurs d'un enfantement qui dure encore. Et elle n'est pas seule. Nous aussi, en nous-mêmes, nous gémissons ; nous avons commencé à recevoir l'Esprit Saint, mais nous attendons notre adoption et la rédemption de notre corps.

Viens, Esprit de sainteté !
Viens, Esprit de lumière !

HYMNE DE LOUANGE

(Texte, couverture C)

INTERCESSION

Gloire au Christ, qui nous a donné son Esprit :

℟ Ô Christ ressuscité, exauce-nous !

Renouvelle ton Église
dans la grâce de l'Esprit Saint :
qu'il la purifie, la fortifie
et lui donne de grandir en toi.

À ceux qui annoncent ta parole
et dispensent tes sacrements,
accorde de trouver leur joie dans ce ministère.

À ceux qui remplissent
une charge politique ou sociale,
inspire de se dévouer au service du bien commun.

Révèle à ceux qui peinent dans l'existence
la tendresse et la force de l'Esprit Saint. **Intentions libres**

Notre Père… Car c'est à toi qu'appartiennent…

LUNDI 11 JUILLET
Saint Benoît

Prière du matin

Dieu saint, toute sainteté vient de toi.

Gloire au Père, et au Fils, et au Saint-Esprit,
au Dieu qui est, qui était, et qui vient,
pour les siècles des siècles. Amen. Alléluia.

HYMNE

Pour Benoît qui choisit la sagesse,
Pour Benoît qui te cherche sans cesse,
Béni sois-tu, Seigneur !
Pour l'amour embrassant la patience,
Le désert où le cœur fait silence,
Béni sois-tu, ô notre Père,
Une eau vive murmure ton nom !

Pour Benoît que tu mets à l'épreuve,
Sa victoire où l'Esprit est à l'œuvre,
Béni sois-tu, Seigneur !
Pour le faible exaltant ta puissance,
Le pécheur qui te garde confiance,
Béni sois-tu, ô notre Père,
Dans la nuit tu combats avec nous !

PSAUME 91 Le juste grandira dans la joie

Saint Benoît a grandi dans la maison de Dieu et s'est mis à son écoute. Avec lui, rendons grâce pour la grandeur de la sagesse divine.

Qu'il est bon de rendre grâce au Seigneur,
de chanter pour ton nom, Dieu Très-Haut,
d'annoncer dès le matin ton amour,

ta fidélité, au long des nuits,
sur la lyre à dix cordes et sur la harpe,
sur un murmure de cithare.

Tes œuvres me comblent de joie ;
devant l'ouvrage de tes mains, je m'écrie :
« Que tes œuvres sont grandes, Seigneur !
Combien sont profondes tes pensées ! »

L'homme borné ne le sait pas,
l'insensé ne peut le comprendre :
les impies croissent comme l'herbe, *
ils fleurissent, ceux qui font le mal,
mais pour disparaître à tout jamais.

Toi, qui habites là-haut,
tu es pour toujours le Seigneur.
Vois tes ennemis, Seigneur,
vois tes ennemis qui périssent, *
et la déroute de ceux qui font le mal.

Tu me donnes la fougue du taureau,
tu me baignes d'huile nouvelle ;
j'ai vu, j'ai repéré mes espions,
j'entends ceux qui viennent m'attaquer.

Le juste grandira comme un palmier,
il poussera comme un cèdre du Liban ;
planté dans les parvis du Seigneur,
il grandira dans la maison de notre Dieu.

Vieillissant, il fructifie encore,
il garde sa sève et sa verdeur
pour annoncer : « Le Seigneur est droit !
Pas de ruse en Dieu, mon rocher ! »

Gloire au Père, et au Fils, et au Saint-Esprit,
pour les siècles des siècles. Amen.

Parole de Dieu

Proverbes 4, 10-13

ECOUTE, mon fils, accueille mes paroles, les années de ta vie en seront augmentées. Je te conduis par un chemin de sagesse, je te fais cheminer par des sentiers de droiture. Nulle entrave à ta marche : si tu cours, tu ne trébucheras pas. Tiens-toi à la discipline, ne te relâche pas, veille sur elle : elle est ta vie.

Ta parole, Seigneur, est vérité !

CANTIQUE DE ZACHARIE

(Texte, couverture B)

LOUANGE ET INTERCESSION

Bénissons le Christ, le saint de Dieu ! Suivons-le dans la justice et la sainteté tout au long de nos jours :

℟ Toi, le seul Saint ! Toi, le seul Seigneur !

Tu as connu l'épreuve comme nous,
et tu n'as pas péché,
– prends pitié de nous, Seigneur Jésus.

Tu nous appelles à un parfait amour de charité,
– sanctifie-nous, Seigneur Jésus.

Tu veux que nous soyons le sel de la terre
et la lumière du monde,
– illumine-nous, Seigneur Jésus.

Tu es venu pour servir, non pour être servi,
– change nos cœurs, Seigneur Jésus.

Toi, splendeur de la gloire du Père
et parfaite expression de son être,
– montre-nous ton visage, Seigneur Jésus.

Intentions libres

Notre Père…

Dieu qui as fait de saint Benoît un maître spirituel pour ceux qui apprennent à te servir, permets, nous t'en prions, que, sans rien préférer à ton amour, nous avancions d'un cœur libre sur les chemins de tes commandements. Par Jésus Christ, ton Fils, notre Seigneur.

LA MESSE

Fête de saint Benoît, patron de l'Europe (VIe s.)

● *BENOÎT VEUT DIRE BÉNI (Benedictus). Aussi l'antienne qui ouvre la messe s'applique-t-elle bien à lui, tandis que celle de la communion évoque le fondement de toute vie consacrée, les Béatitudes. Les trois oraisons, qui s'inspirent de la règle monastique, rappellent l'enseignement du « maître spirituel » qu'est saint Benoît : il a voulu fonder une école où l'on apprenne à « servir le Seigneur », en « ne préférant rien à l'amour de Dieu » et en marchant « d'un cœur libre sur le chemin de ses commandements » (p. d'ouverture) ; il a fait de la concorde fraternelle et de la paix l'âme de toute vie de communauté (p. sur les offrandes), insistant par-dessus tout sur le service de Dieu dans la prière* (opus Dei) *et la disponibilité envers les frères, en qui on doit toujours « découvrir le Christ » (p. après la communion).*
En dehors de la règle, qui fournit ainsi sa trame à la liturgie du jour, retenons quelques points assurés de la biographie de saint Benoît. Il naquit à Nursie (Norcia), en Ombrie, vers 480. Après avoir étudié à Rome, voulant rompre avec le monde, il se retira dans une grotte à Subiaco. Mais, devant l'hostilité de certains moines d'alentour, il gagna la Campanie et s'établit au mont Cassin, d'où devaient rayonner sa sainteté et se répandre sa règle. Il y mourut le 21 mars 547. Dès le VIIIe siècle, on célébrait sa mémoire le

11 juillet. C'est le jour qui a été retenu au calendrier romain pour fêter le père des moines d'Occident, qui est aussi le patron de l'Europe (1964). ●

Il est béni, celui qui met sa confiance dans le Seigneur, celui dont le Seigneur est l'espérance.

Gloire à Dieu page 195

Prière page précédente

Lecture du livre des Proverbes 2, 1-9

Mon fils, accueille mes paroles, conserve précieusement mes préceptes, l'oreille attentive à la sagesse, le cœur incliné vers la raison. Oui, si tu fais appel à l'intelligence, si tu invoques la raison, si tu la recherches comme l'argent, si tu creuses comme un chercheur de trésor, alors tu comprendras la crainte du Seigneur, tu découvriras la connaissance de Dieu. Car c'est le Seigneur qui donne la sagesse ; connaissance et raison sortent de sa bouche. Il réserve aux hommes droits la réussite : pour qui marche dans l'intégrité, il est un bouclier, gardien des sentiers du droit, veillant sur le chemin de ses fidèles. Alors tu comprendras la justice, le jugement, la droiture, seuls sentiers qui mènent au bonheur.

— *Parole du Seigneur.*

Psaume 33

Je bénirai le Seigneur en tout temps.

Ou bien :

Goûtez et voyez comme est bon le Seigneur.

**Je bénirai le Seigneur en tout temps,
sa louange sans cesse à mes lèvres.
Je me glorifierai dans le Seigneur :
que les pauvres m'entendent et soient en fête !**

Magnifiez avec moi le Seigneur,
exaltons tous ensemble son nom.
Je cherche le Seigneur, il me répond :
de toutes mes frayeurs, il me délivre.

Qui regarde vers lui resplendira,
sans ombre ni trouble au visage.
Un pauvre crie ; le Seigneur entend :
il le sauve de toutes ses angoisses.

L'ange du Seigneur campe alentour
pour libérer ceux qui le craignent.
Goûtez et voyez : le Seigneur est bon !
Heureux qui trouve en lui son refuge !

Saints du Seigneur, adorez-le :
rien ne manque à ceux qui le craignent.
Des riches ont tout perdu, ils ont faim ;
qui cherche le Seigneur ne manquera d'aucun bien.

Alléluia. Alléluia. Heureux les pauvres de cœur, car le royaume des Cieux est à eux ! Alléluia.

Évangile de Jésus Christ selon saint Matthieu 19, 27-29

En ce temps-là, Pierre prit la parole et dit à Jésus : « Voici que nous avons tout quitté pour te suivre : quelle sera donc notre part ? » Jésus leur déclara : « Amen, je vous le dis : lors du renouvellement du monde, lorsque le Fils de l'homme siégera sur son trône de gloire, vous qui m'avez suivi, vous siégerez vous aussi sur douze trônes pour juger les douze tribus d'Israël. Et celui qui aura quitté, à cause de mon nom, des maisons, des frères, des sœurs, un père, une mère, des enfants, ou une terre, recevra le centuple, et il aura en héritage la vie éternelle. »
— ***Acclamons la Parole de Dieu.***

PRIÈRE SUR LES OFFRANDES. Seigneur, regarde avec bienveillance les offrandes que nous te présentons en la fête de saint Benoît : fais qu'à son exemple, en ne cherchant que toi, nous trouvions à ton service les dons de l'unité et de la paix. Par Jésus, le Christ, notre Seigneur.

PRÉFACE. Vraiment, il est juste et bon de te rendre gloire, de t'offrir notre action de grâce, toujours et en tout lieu, à toi, Père très saint, Dieu éternel et tout-puissant. Car tu es glorifié dans l'assemblée des saints : lorsque tu couronnes leurs mérites, tu couronnes tes propres dons. Dans leur vie, tu nous procures un modèle, dans la communion avec eux, une famille, et dans leur intercession, un appui, afin que, soutenus par cette foule immense de témoins, nous courions jusqu'au bout l'épreuve qui nous est proposée et recevions avec eux l'impérissable couronne de gloire, par le Christ, notre Seigneur. C'est par lui que les anges célèbrent ta grandeur, que les esprits bienheureux adorent ta gloire, que s'inclinent devant toi les puissances d'en haut et tressaillent d'une même allégresse les innombrables créatures des cieux. À leur hymne de louange, laisse-nous joindre nos voix pour chanter et proclamer : Saint !...

Heureux les pauvres de cœur : le royaume des Cieux est à eux !
Heureux les artisans de paix : ils seront appelés fils de Dieu !

PRIÈRE APRÈS LA COMMUNION. Maintenant que nous avons reçu le gage de la vie éternelle, nous te prions humblement, Seigneur ; puissions-nous suivre les enseignements de saint Benoît : être fidèles à te servir dans la prière, et avoir pour nos frères une grande charité. Par Jésus, le Christ, notre Seigneur.

MÉDITATION DU JOUR

Parler peu, prier beaucoup !

« Nous ne serons pas exaucés pour la multitude des paroles », dit la règle. Il ne faut pas confondre la longue oraison avec la multitude des paroles que saint Benoît n'approuve pas ici. Car on peut parler beaucoup à Dieu, et prier peu ; et on peut lui parler peu et prier beaucoup.

Saint Augustin nous explique la différence qu'il y a entre ces deux choses : ce n'est pas prier avec de longs discours que de prier longtemps, comme quelques-uns l'ont pensé, car il y a de la différence entre un long discours et une longue affection, puisque nous lisons que même notre Seigneur a passé les nuits entières en oraison, et qu'il priait longtemps. Que notre oraison ait peu de paroles et qu'elle ait beaucoup de prières ! Je veux dire qu'il faut qu'elle soit accompagnée de persévérance et de ferveur ; car parler beaucoup en priant, c'est demander une chose nécessaire avec des paroles superflues. Prier beaucoup, c'est presser longtemps celui que nous prions, avec une longue et forte affection ; car ordinairement, cette grande affaire se négocie mieux avec les gémissements qu'avec les discours, on y réussit mieux avec les larmes qu'avec les paroles.

DOM JOSEPH MÈGE

Antoine-Joseph Mège († 1691) fut le plus célèbre commentateur de la règle de saint Benoît au XVIIe siècle, dans la tendance spirituelle de la congrégation bénédictine de Saint-Maur à laquelle il appartenait.

Prière du soir

Dieu, viens à mon aide,
Seigneur, à notre secours.

Gloire au Père, et au Fils, et au Saint-Esprit,
au Dieu qui est, qui était, et qui vient,
pour les siècles des siècles. Amen. Alléluia.

HYMNE

Pour Benoît que ta paix environne,
La douceur habitée par la force,
Béni sois-tu, Seigneur :
Pour la voix qui redit ton message,

Le service où rayonne ta grâce,
Béni sois-tu, ô notre Père,
L'Évangile prend corps dans tes saints !

Pour Benoît que ta gloire fascine,
Son regard qui discerne tes signes,
Béni sois-tu, Seigneur !
Pour le pain partagé avec l'hôte,
Jésus Christ honoré dans le pauvre,
Béni sois-tu, ô notre Père,
Notre cœur est en fête pour toi !

Pour Benoît qui rassemble des frères,
Et leurs vies façonnées de prière,
Béni sois-tu, Seigneur !
Pour l'appel à chanter ta louange,
À chanter en présence des anges,
Béni sois-tu, ô notre Père,
Toi qui viens habiter notre chant !

PSAUME 14 **En marche vers Dieu**

Le Seigneur est notre maître, écouter et suivre ces commandements comme Benoît l'a fait et enseigné assurent la paix de l'âme et la joie intérieure.

Seigneur, qui séjournera sous ta tente ?
Qui habitera ta sainte montagne ?

Celui qui se conduit parfaitement, +
qui agit avec justice
et dit la vérité selon son cœur.

Il met un frein à sa langue, +
ne fait pas de tort à son frère
et n'outrage pas son prochain.

À ses yeux, le réprouvé est méprisable
mais il honore les fidèles du Seigneur.

S'il a juré à ses dépens,
il ne reprend pas sa parole.

Il prête son argent sans intérêt, +
n'accepte rien qui nuise à l'innocent.
Qui fait ainsi demeure inébranlable.

Gloire au Père, et au Fils, et au Saint-Esprit,
pour les siècles des siècles. Amen.

Seigneur Jésus, tu as séjourné parmi nous, fidèle à ce que tu enseignais, et tu es monté près du Père. Fais-nous garder tes commandements, pour que nous habitions un jour, avec ceux qui auront aimé comme toi, là où tu demeures éternellement.

Parole de Dieu Romains 8, 28-30

NOUS LE SAVONS, quand les hommes aiment Dieu, lui-même fait tout contribuer à leur bien, puisqu'ils sont appelés selon le dessein de son amour. Ceux que, d'avance, il connaissait, il les a aussi destinés d'avance à être configurés à l'image de son Fils, pour que ce Fils soit le premier-né d'une multitude de frères. Ceux qu'il avait destinés d'avance, il les a aussi appelés ; ceux qu'il a appelés, il en a fait des justes ; et ceux qu'il a rendus justes, il leur a donné sa gloire.

Je médite sur ta parole, Seigneur,
elle est la lumière de ma vie !

CANTIQUE DE MARIE (Texte, couverture A)

LOUANGE ET INTERCESSION

Bénissons notre Dieu : dès avant la création du monde, il nous a choisis pour être saints et immaculés en sa présence, dans l'amour.

℟ Béni sois-tu, Dieu fidèle !

Pour ceux que tu as conduits au désert
et dont tu as été le seul partage,

Pour Benoît, que tu as sanctifié
et que tu as donné comme guide
à une multitude de disciples,

Pour tous ceux et celles qui ont milité
sous sa règle, et qui, en te cherchant,
ont répandu ta paix,

Pour tous les moines et moniales
que tu appelles à devenir, dans ton Église,
signes de ta présence et louange à ta gloire,

Pour tous les peuples d'Europe
à la recherche de la paix,
sous le patronage de saint Benoît,

À tous les hommes qui ont quitté cette terre,
accorde la joie de chanter ta miséricorde,

Intentions libres

Notre Père…

Car c'est à toi qu'appartiennent
le règne, la puissance et la gloire,
pour les siècles des siècles !

[MARDI 12 JUILLET]

Prière du matin

Le Seigneur est roi,
venez, adorons-le.

Gloire au Père, et au Fils, et au Saint-Esprit,
au Dieu qui est, qui était, et qui vient,
pour les siècles des siècles. Amen. Alléluia.

Hymne

Prenons la main que Dieu nous tend.
Voici le temps où Dieu fait grâce à notre terre.
Jésus est mort un jour du temps.
Voici le temps de rendre grâce à notre Père.
L'unique Esprit bénit ce temps.
Prenons le temps de vivre en grâce avec nos frères.

Prenons les mots que dit l'Amour.
Voici le temps où Dieu fait grâce à notre terre.
Jésus est mort, le Livre est lu.
Voici le temps de rendre grâce à notre Père.
Un même Esprit nous parle au cœur.
Prenons le temps de vivre en grâce avec nos frères.

Psaume 39 (ii) **Dieu, viens à mon aide**

Quelle joie d'annoncer l'œuvre de Dieu ! Quel débordement de joie dans le cœur des pauvres que Dieu a libérés ! Le Seigneur vient à notre secours, toujours.

J'annonce la justice
dans la grande assemblée ; *
vois, je ne retiens pas mes lèvres,
Seigneur, tu le sais.

Je n'ai pas enfoui ta justice au fond de mon cœur, +
je n'ai pas caché ta fidélité, ton salut ; *
j'ai dit ton amour et ta vérité
à la grande assemblée.

Toi, Seigneur,
ne retiens pas loin de moi ta tendresse ; *
que ton amour et ta vérité
sans cesse me gardent !

Les malheurs m'ont assailli : *
leur nombre m'échappe !

Mes péchés m'ont accablé :
ils m'enlèvent la vue ! *
Plus nombreux que les cheveux de ma tête,
ils me font perdre cœur.

Daigne, Seigneur, me délivrer ;
Seigneur, viens vite à mon secours ! *

Mais tu seras l'allégresse et la joie
de tous ceux qui te cherchent ; *
toujours ils rediront : « Le Seigneur est grand ! »
ceux qui aiment ton salut.

Je suis pauvre et malheureux,
mais le Seigneur pense à moi. *
Tu es mon secours, mon libérateur :
mon Dieu, ne tarde pas !

Gloire au Père, et au Fils, et au Saint-Esprit,
pour les siècles des siècles. Amen.

Dieu des pauvres et des malheureux, tu as tiré Jésus du gouffre de la mort et tu as mis en sa bouche le chant pascal qui retentit dans l'assemblée des croyants. Donne-nous d'aimer comme lui ta loi ; fais pour nous ce que tu as fait pour lui, et nous annoncerons ton amour et ta vérité.

Parole de Dieu **Deutéronome 15, 7-8**

SE TROUVE-T-IL chez toi un malheureux parmi tes frères, dans l'une des villes de ton pays que le Seigneur ton Dieu te donne ? Tu n'endurciras pas ton cœur, tu ne fermeras pas la main à ton frère malheureux, mais tu lui ouvriras tout grand la main et lui prêteras largement de quoi suffire à ses besoins.

Il délivrera le pauvre qui appelle.

CANTIQUE DE ZACHARIE (Texte, couverture B)

LOUANGE ET INTERCESSION

Au matin de ce nouveau jour, prions le Christ Seigneur :

℟ Exauce-nous, Seigneur.

Jésus Christ, Premier-né avant toute créature,
– éveille nos sens à la beauté de ton œuvre.

Jésus Christ, Lumière qui se lève sur le monde,
– découvre à notre esprit tes volontés.

Jésus Christ, Fils bien-aimé du Père,
– inspire-nous l'amour filial et fraternel.

Jésus Christ, Source jaillissante de vie,
– féconde le travail de ce jour.

Jésus Christ, Ami des pauvres et des petits,
– rends-nous attentifs à leur appel.

Intentions libres

Notre Père…

Dieu qui ne cesses de créer l'univers, tu as voulu associer l'homme à ton ouvrage ; regarde le travail que nous avons à faire ; qu'il nous permette de gagner notre vie, qu'il soit utile à ceux dont nous avons la charge et serve à l'avènement de ton royaume. Par Jésus Christ, ton Fils, notre Seigneur.

La messe

Mardi de la 15e semaine du temps ordinaire

(En ce jour, on peut choisir les oraisons, entre filets, de la messe pour demander le pardon des péchés,* Missel romain, *n° IV.44.)

Seigneur, tu aimes tout ce qui existe, et tu n'as de répulsion pour aucune de tes œuvres ; tu fermes les yeux sur les péchés des hommes, tu les invites à la pénitence, et tu leur pardonnes, car tu es le Seigneur notre Dieu.

Prière. Écoute, Seigneur, la prière de tes enfants, écoute-les quand ils se reconnaissent pécheurs : sois indulgent pour nous, accorde-nous le pardon de nos fautes et la grâce de ta paix. Par Jésus Christ, ton Fils, notre Seigneur.

Lecture du livre du prophète Isaïe **7, 1-9**

Au temps d'Acaz, roi de Juda, Recine, roi d'Aram, et Pékah, fils de Remalyahou, roi d'Israël, montèrent contre Jérusalem pour l'attaquer, mais ils ne purent lui donner l'assaut. On informa la maison de David que les Araméens avaient pris position en Éphraïm. Alors le cœur du roi et le cœur de son peuple furent secoués comme les arbres de la forêt sont secoués par le vent. Le Seigneur dit alors à Isaïe : « Avec ton fils Shear-Yashoub (c'est-à-dire : "Un-reste-reviendra"), va trouver Acaz, au bout du canal du réservoir supérieur, sur la route du Champ-du-Foulon. Tu lui diras : "Garde ton calme, ne crains pas, ne va pas perdre cœur devant ces deux bouts de tisons fumants, à cause de la colère brûlante du roi d'Aram et du roi d'Israël. Oui, Aram a décidé ta perte, en accord avec Éphraïm et son roi. Ils se sont dit : Marchons contre le royaume de

Juda, pour l'intimider, et nous le forcerons à se rendre ; alors, nous lui imposerons comme roi le fils de Tabéel. Ainsi parle le Seigneur Dieu : Cela ne durera pas, ne sera pas, que la capitale d'Aram soit Damas, et Recine, le chef de Damas, que la capitale d'Éphraïm soit Samarie, et le fils de Remalyahou, chef de Samarie. – Dans soixante-cinq ans, Éphraïm, écrasé, cessera d'être un peuple. Mais vous, si vous ne croyez pas, vous ne pourrez pas tenir." »

— *Parole du Seigneur.*

Psaume 47

Jérusalem, ville de Dieu,
Dieu l'affermira pour toujours !

Il est grand, le Seigneur, hautement loué,
dans la ville de notre Dieu,
sa sainte montagne, altière et belle,
joie de toute la terre.

La montagne de Sion, c'est le pôle du monde,
la cité du grand roi ;
Dieu se révèle, en ses palais,
vraie citadelle.

Voici que des rois s'étaient ligués,
ils avançaient tous ensemble ;
ils ont vu, et soudain stupéfaits,
pris de panique, ils ont fui.

Et voilà qu'un tremblement les saisit :
douleurs de femme qui accouche ;
un vent qui souffle du désert
a brisé les vaisseaux de Tarsis.

Alléluia. Alléluia. Aujourd'hui, ne fermez pas votre cœur, mais écoutez la voix du Seigneur. Alléluia.

Évangile de Jésus Christ selon saint Matthieu 11, 20-24

EN CE TEMPS-LÀ, Jésus se mit à faire des reproches aux villes où avaient eu lieu la plupart de ses miracles, parce qu'elles ne s'étaient pas converties : « Malheureuse es-tu, Corazine ! Malheureuse es-tu, Bethsaïde ! Car, si les miracles qui ont eu lieu chez vous avaient eu lieu à Tyr et à Sidon, ces villes, autrefois, se seraient converties, sous le sac et la cendre. Aussi, je vous le déclare : au jour du Jugement, Tyr et Sidon seront traitées moins sévèrement que vous. Et toi, Capharnaüm, seras-tu donc élevée jusqu'au ciel ? Non, tu descendras jusqu'au séjour des morts ! Car, si les miracles qui ont eu lieu chez toi avaient eu lieu à Sodome, cette ville serait encore là aujourd'hui. Aussi, je vous le déclare : au jour du Jugement, le pays de Sodome sera traité moins sévèrement que toi. »
— *Acclamons la Parole de Dieu.*

PRIÈRE SUR LES OFFRANDES. Tandis que nous t'offrons, Seigneur, le sacrifice de louange et de paix, daigne nous délier de nos fautes et diriger toi-même nos cœurs incertains. Par Jésus.

On se réjouit chez les anges de Dieu pour un seul pécheur qui se convertit.

PRIÈRE APRÈS LA COMMUNION. Après avoir reçu dans l'eucharistie le pardon de nos offenses, nous te supplions, Dieu de miséricorde : que ta grâce nous aide à éviter désormais le péché et à te servir d'un cœur sans partage. Par Jésus, le Christ.

MÉDITATION DU JOUR

Confiance en la miséricorde

Pour pusillanime, méfiante et craintive que soit l'âme, elle ne peut demeurer longtemps en cet état si une bonne fois elle peut avoir le regard ouvert aux fondements de la confiance que nous avons en Dieu. Que la méfiance naisse de notre infirmité propre ou de la multitude de nos péchés, tout cela ne saurait empêcher la forte et pleine confiance de notre âme, et ne paraît rien devant l'étendue des biens dont nous sommes instruits par la foi. Le premier est la vue de la miséricorde de Dieu qui absorbe tout péché, comme une fournaise ardente un brin de paille, ou comme le vaste océan absorbe un grain de sable. La miséricorde de Dieu est infinie, elle est immense, et nos péchés devant elle ne sont rien qu'un atome. En sa miséricorde, Dieu met sa grande gloire à engloutir plus de péchés et à en absorber davantage, si bien que la multitude de nos péchés nous sert de confiance sur le fondement de la gloire de Dieu, tant il est jaloux et prend tous les moyens possibles de se la procurer. Notre misère immense est ainsi l'occasion de faire paraître et d'exalter la grandeur infinie de sa miséricorde.

JEAN-JACQUES OLIER, P.S.S.

Jean-Jacques Olier († 1657), dit aussi « Monsieur Olier », était un prêtre du diocèse de Paris. Il a créé le premier séminaire français, à la suite du concile de Trente, et a fondé la compagnie des prêtres de Saint-Sulpice.

Prière du soir

Dieu, viens à mon aide,
Seigneur, à notre secours.

Gloire au Père, et au Fils, et au Saint-Esprit,
au Dieu qui est, qui était, et qui vient,
pour les siècles des siècles. Amen. Alléluia.

HYMNE

Prenons la paix qui vient de Dieu.
Voici le temps où Dieu fait grâce à notre terre.

Jésus est mort pour notre vie.
Voici le temps de rendre grâce à notre Père.
Son règne est là ! Le feu a pris.
Prenons le temps de vivre en grâce avec nos frères.

Prenons le pain qui donne tout.
Voici le temps où Dieu fait grâce à notre terre.
Jésus est mort, Jésus nous vient.
Voici le temps de rendre grâce à notre Père.
Soyons du corps où tout se tient.
Prenons le temps de vivre en grâce avec nos frères.

PSAUME 130 **Espérance et repos en Dieu**

« C'est la confiance et rien que la confiance qui doit nous conduire à l'Amour… » Comme Thérèse de l'Enfant-Jésus, prenons le chemin qui conduit au Père.

Seigneur, je n'ai pas le cœur fier
ni le regard ambitieux ; *
je ne poursuis ni grands desseins,
ni merveilles qui me dépassent.

Non, mais je tiens mon âme
égale et silencieuse ; *
mon âme est en moi comme un enfant,
comme un petit enfant contre sa mère.

Attends le Seigneur, Israël, *
maintenant et à jamais.

Gloire au Père, et au Fils, et au Saint-Esprit,
pour les siècles des siècles. Amen.

Merci, Seigneur, pour les choses familières, le pain, le vent, la terre et l'eau, pour la parole et le silence, pour la paix qui vient de toi, et pour les hommes simples ; merci d'être proche en Jésus ton Enfant.

Parole de Dieu Romains 6, 22-23

MAINTENANT que vous avez été libérés du péché et que vous êtes devenus les esclaves de Dieu, vous récoltez ce qui mène à la sainteté, et cela aboutit à la vie éternelle. Car le salaire du péché, c'est la mort ; mais le don gratuit de Dieu, c'est la vie éternelle dans le Christ Jésus notre Seigneur.

Gloire et louange à toi, Seigneur Jésus !

CANTIQUE DE MARIE **(Texte, couverture A)**

INTERCESSION

Bénissons le Seigneur du ciel et de la terre, qui révèle aux petits les merveilles de son amour :

℟ **Tu es l'espérance des hommes.**

Par Jésus Christ, tu es venu jusqu'à nous ;
– qu'il nous conduise à toi, son Père et notre Père.

Le pouvoir des puissants est dans ta main ;
– dirige ceux qui nous gouvernent.

Chacune des créatures est un reflet de ta splendeur ;
– inspire ceux qui cherchent des images de ta gloire.

Tu ne veux pas que nous soyons tentés
au-delà de nos forces ;
– fais que nous tenions dans les épreuves.

Tu as promis de ressusciter les hommes
au dernier Jour ;
– souviens-toi de ceux qui sont morts aujourd'hui.

Intentions libres

Notre Père… Car c'est à toi qu'appartiennent…

SAINTS
D'HIER ET D'AUJOURD'HUI

Le martyrologe romain fait mémoire du BIENHEUREUX DAVID GUNSTON

Que la joie nous habite
lorsque nous faisons mémoire des saints
qui ont suivi l'Agneau de Dieu.

Chevalier de l'ordre souverain militaire et hospitalier de Saint-Jean-de-Jérusalem, de Rhodes et de Malte, le bienheureux David Gunston (Gonson ou Gunson) est mort martyr en 1541. David entre dans l'Ordre de Malte en 1533 pour répondre au double appel propre à l'Ordre, comme hospitalier pour secourir et protéger les pèlerins, aider les infirmes, les malades et les pauvres, et comme militaire pour protéger l'Europe contre les Turcs. Quelques mois après l'entrée de Gunston dans l'Ordre de Malte, Henri VIII se proclame chef suprême de l'Église d'Angleterre et déclare la guerre tant aux catholiques attachés au pape qu'aux protestants. L'Ordre est épargné, mais Malte est loin de Londres et David Gunston est envoyé aux nouvelles. Entre temps, l'Ordre est officiellement dissous et ses membres recherchés pour trahison. À peine arrivé en Angleterre, David est arrêté le 8 octobre 1540. Le 12 juillet suivant, il est conduit au gibet de Southwark. Jusqu'au bout, il a refusé de reconnaître un quelconque pouvoir spirituel à Henri VIII. Pie XI l'a béatifié en 1929.
Avec lui, prions pour que nos politiques respectent la liberté religieuse de tous les croyants.

Bonne fête !
Olivier, Matthias, Louis et Zélie

[MERCREDI 13 JUILLET]

Saint Henri

Prière du matin

Adorons le Seigneur,
c'est lui qui nous a faits.
Gloire au Père, et au Fils, et au Saint-Esprit,
au Dieu qui est, qui était, et qui vient,
pour les siècles des siècles. Amen. Alléluia.

HYMNE

Dans notre cœur la vigilance,
Lampe allumée par le Seigneur,
Se renouvelle dans sa flamme
Au chant commun de notre joie.

Que veille en nous l'action de grâce,
Comme la fleur de l'amandier,
Qui la première au loin regarde
L'été venir et sa moisson.

Que notre amour et sa louange
Soient les deux ailes du matin
Qui se déploient dans la prière
Et nous emportent loin de nous.

Voici l'Époux qui nous appelle,
Courons aux noces de l'Agneau.
Mais que la route paraît longue :
Quand poindras-tu, dernier matin ?

PSAUME 97 **Dieu vainqueur, à toi notre louange**

Jésus, le vainqueur de tout mal, nous apprend le chant de la joie éternelle. Devant tous les peuples, chantons, chantons sans fin les merveilles de Dieu.

Chantez au Seigneur un chant nouveau,
car il a fait des merveilles ;
par son bras très saint, par sa main puissante,
il s'est assuré la victoire.

Le Seigneur a fait connaître sa victoire
et révélé sa justice aux nations ;
il s'est rappelé sa fidélité, son amour,
en faveur de la maison d'Israël ;
la terre tout entière a vu
la victoire de notre Dieu.

Acclamez le Seigneur, terre entière,
sonnez, chantez, jouez ;
jouez pour le Seigneur sur la cithare,
sur la cithare et tous les instruments ;
au son de la trompette et du cor,
acclamez votre roi, le Seigneur !

Que résonnent la mer et sa richesse,
le monde et tous ses habitants ;
que les fleuves battent des mains,
que les montagnes chantent leur joie,
à la face du Seigneur, car il vient
pour gouverner la terre, *
pour gouverner le monde avec justice
et les peuples avec droiture !

Gloire au Père, et au Fils, et au Saint-Esprit,
pour les siècles des siècles. Amen.

Parole de Dieu — 1 Corinthiens 13, 8-9.13

L'AMOUR NE PASSERA JAMAIS. Les prophéties seront dépassées, le don des langues cessera, la connaissance actuelle sera dépassée. En effet, notre connaissance est partielle, nos prophéties sont partielles. Ce qui demeure aujourd'hui, c'est la foi, l'espérance et la charité ; mais la plus grande des trois, c'est la charité.

Que ton amour, Seigneur, soit sur nous !

CANTIQUE DE ZACHARIE (Texte, couverture B)

LOUANGE ET INTERCESSION

Bénissons le Christ qui aime l'Église et s'est livré pour elle :

℟ Regarde ton peuple, Seigneur.

Béni sois-tu, Pasteur de ton Église,
pour la vie que tu lui donnes :
– que cette grâce soit notre joie.

Béni sois-tu, Gardien du troupeau :
– garde tes disciples dans la fidélité à ton nom.

Béni sois-tu, Chef du peuple choisi :
– entraîne-le dans l'amour de ta loi.

Béni sois-tu, Pain de la vie :
– rends-nous forts pour accomplir l'œuvre du Père.

Intentions libres

Notre Père…

Seigneur, répands ta lumière dans nos esprits, pour que nous soyons toujours fidèles à te servir, puisque c'est toi qui nous as créés dans ta sagesse et qui nous diriges avec amour. Par Jésus Christ, ton Fils, notre Seigneur.

LA MESSE

Mercredi de la 15e semaine du temps ordinaire

SAINT HENRI (Xe-XIe s.) *Mémoire facultative*

● *NÉ EN 973, couronné empereur d'Occident à Rome en 1014, Henri II mourut en 1024 et fut inhumé dans la cathédrale de Bamberg, qu'il avait fondée. Avec son épouse, Cunégonde, Henri vécut d'une vie quasi monastique. Sans négliger ses charges temporelles, il travailla activement à la réforme de l'Église en Germanie et en Italie.* ●

Ton œuvre tout entière te rend grâce, Seigneur, tes fidèles te bénissent : ils diront la gloire de ton règne, ils parleront de ta puissance.

PRIÈRE. Seigneur, tu as comblé saint Henri de ta grâce pour qu'il sache gouverner son empire, et tu l'as élevé à la gloire du ciel ; accorde-nous par son intercession, au milieu des changements de ce monde, de tendre vers toi dans la simplicité du cœur. Par Jésus Christ, ton Fils, notre Seigneur.

Lecture du livre du prophète Isaïe 10, 5-7.13-16

AINSI PARLE LE SEIGNEUR : Malheureux ! Assour, l'instrument de ma colère, le bâton de mon courroux. Je l'envoie contre une nation impie, je lui donne mission contre un peuple qui excite ma fureur, pour le mettre au pillage et emporter le butin, pour le piétiner comme la boue des chemins. Mais Assour ne l'entend pas ainsi, ce n'est pas du tout ce qu'il pense : ce qu'il veut, c'est détruire, exterminer quantité de nations. Car le roi d'Assour a dit : « C'est par la vigueur de ma main que j'ai agi, et par ma sagesse, car j'ai l'intelligence. J'ai déplacé les frontières des peuples, j'ai pillé leurs réserves ; fort entre les forts, j'ai détrôné des puissants. J'ai mis la main sur les richesses des peuples, comme sur un nid. Comme on ramasse des œufs abandonnés, j'ai ramassé toute la terre, et il n'y a pas eu un battement d'aile, pas un bec ouvert, pas un cri. » Mais le ciseau se glorifie-t-il aux dépens de celui qui s'en sert pour tailler ? La scie va-t-elle s'enfler d'orgueil aux dépens de celui qui la tient ? Comme si le bâton faisait mouvoir la main qui le brandit, comme si c'était le bois qui brandissait l'homme ! C'est pourquoi le Seigneur Dieu de l'univers fera dépérir les soldats bien nourris du roi d'Assour, et au lieu de sa gloire s'allumera un brasier, le brasier d'un incendie.

— *Parole du Seigneur.*

PSAUME 93

Le Seigneur ne délaisse pas son peuple.

C'est ton peuple, Seigneur, qu'ils piétinent,
et ton domaine qu'ils écrasent ;
ils massacrent la veuve et l'étranger,
ils assassinent l'orphelin.

Ils disent : « Le Seigneur ne voit pas,
le Dieu de Jacob ne sait pas ! »
Sachez-le, esprits vraiment stupides ;
insensés, comprendrez-vous un jour ?

Lui qui forma l'oreille, il n'entendrait pas ?
Il a façonné l'œil, et il ne verrait pas ?
Il a puni des peuples et ne châtierait plus,
lui qui donne aux hommes la connaissance ?

Le Seigneur ne délaisse pas son peuple,
il n'abandonne pas son domaine :
on jugera de nouveau selon la justice ;
tous les hommes droits applaudiront.

Alléluia. Alléluia. Tu es béni, Père, Seigneur du ciel et de la terre, tu as révélé aux tout-petits les mystères du Royaume ! Alléluia.

Évangile de Jésus Christ
selon saint Matthieu 11, 25-27

EN CE TEMPS-LÀ, Jésus prit la parole et dit : « Père, Seigneur du ciel et de la terre, je proclame ta louange :

ce que tu as caché aux sages et aux savants, tu l'as révélé aux tout-petits. Oui, Père, tu l'as voulu ainsi dans ta bienveillance. Tout m'a été remis par mon Père ; personne ne connaît le Fils, sinon le Père, et personne ne connaît le Père, sinon le Fils, et celui à qui le Fils veut le révéler. »

— *Acclamons la Parole de Dieu.*

PRIÈRE SUR LES OFFRANDES. Sois favorable à nos prières, Seigneur, et, pour nous rendre dignes de servir en ta présence, permets que l'intercession de saint Henri nous garde. Par Jésus.

Au banquet du Seigneur, les justes sont en fête ; en sa présence, ils débordent d'allégresse.

PRIÈRE APRÈS LA COMMUNION. Dieu éternel, Père tout-puissant, toi qui es la source de toute consolation et de toute paix, accorde à ta famille, assemblée pour louer ton nom en cette fête de saint Henri, de recueillir dans sa communion à ton Fils le gage de l'éternelle rédemption. Par Jésus, le Christ, notre Seigneur.

MÉDITATION DU JOUR

Mystère du Christ en Marie

« Nul n'a vu le Père, nous dit saint Jean, si ce n'est le Fils et ceux auxquels il a plu au Fils de le révéler. » Il me semble que l'on peut dire aussi : Nul n'a pénétré le mystère du Christ en sa profondeur, si ce n'est la Vierge. Jean et Madeleine ont lu bien loin dans ce mystère, saint Paul parle souvent de « l'intelligence qui lui en a été donnée » et pourtant, comme tous les saints restent dans l'ombre quand on regarde aux clartés de la Vierge !

Elle, c'est l'inénarrable, c'est le « secret qu'elle gardait et repassait en son cœur » et que nulle langue n'a pu révéler, nulle plume n'a pu traduire ! Cette Mère de grâce va former mon âme afin que sa petite enfant soit une image vivante, « saisissante », de son premier-né, le Fils de l'Éternel, celui-là qui fut la parfaite louange de la gloire de son Père.

BSE ÉLISABETH DE LA TRINITÉ

Carmélite à Dijon, la bienheureuse Élisabeth de la Trinité († 1906) développa une doctrine centrée sur l'habitation de Dieu dans la personne humaine. Elle fut béatifiée en 1984.

Prière du soir

POÈME **(Attribué à Grégoire de Nazianze)**

O toi, l'au-delà de tout,
n'est-ce pas là
tout ce qu'on peut chanter de toi ?
Quelle hymne te dira, quel langage ?
Aucun mot ne t'exprime.
À quoi l'esprit s'attachera-t-il ?
Tu dépasses toute intelligence.
Seul, tu es indicible,
car tout ce qui se dit est sorti de toi.
Seul, tu es inconnaissable,
car tout ce qui se pense est sorti de toi.
Tous les êtres,
ceux qui parlent et ceux qui sont muets,
te proclament.
Tous les êtres,
ceux qui pensent
et ceux qui n'ont point de pensée,
te rendent hommage.
Le désir universel,
l'universel gémissement tend vers toi.
Tout ce qui est te prie,
et vers toi tout être qui pense ton univers
fait monter un hymne de silence.
Tout ce qui demeure demeure par toi ;
par toi subsiste l'universel mouvement.

De tous les êtres tu es la fin ;
tu es tout être, et tu n'en es aucun.
Tu n'es pas un seul être,
tu n'es pas leur ensemble.
Tu as tous les noms, et comment te nommerai-je,
toi le seul qu'on ne peut nommer ?
Quel esprit céleste pourra pénétrer les nuées
qui couvrent le ciel même ?
Prends pitié,
Ô toi, l'au-delà de tout,
n'est-ce pas tout ce qu'on peut chanter de toi ?

Psaume 102 — Hymne à la miséricorde

C'est l'œuvre de toute une vie de contempler la tendresse du Seigneur, notre Dieu. C'est la joie de chaque jour de découvrir l'étendue de son amour et de son pardon.

Bénis le Seigneur, ô mon âme,
bénis son nom très saint, tout mon être !
Bénis le Seigneur, ô mon âme,
n'oublie aucun de ses bienfaits !

Car il pardonne toutes tes offenses
et te guérit de toute maladie ;
il réclame ta vie à la tombe
et te couronne d'amour et de tendresse ;
il comble de biens tes vieux jours ;
tu renouvelles, comme l'aigle, ta jeunesse.

Le Seigneur fait œuvre de justice,
il défend le droit des opprimés.
Il révèle ses desseins à Moïse,
aux enfants d'Israël ses hauts faits.

Le Seigneur est tendresse et pitié,
lent à la colère et plein d'amour ;
il n'est pas pour toujours en procès,

ne maintient pas sans fin ses reproches ;
il n'agit pas envers nous selon nos fautes,
ne nous rend pas selon nos offenses.

Comme le ciel domine la terre,
fort est son amour pour qui le craint ;
aussi loin qu'est l'orient de l'occident,
il met loin de nous nos péchés ;
comme la tendresse du père pour ses fils,
la tendresse du Seigneur pour qui le craint !

Il sait de quoi nous sommes pétris,
il se souvient que nous sommes poussière.
L'homme ! ses jours sont comme l'herbe ;
comme la fleur des champs, il fleurit :
dès que souffle le vent, il n'est plus,
même la place où il était l'ignore.

Mais l'amour du Seigneur, sur ceux qui le craignent,
est de toujours à toujours, *
et sa justice pour les enfants de leurs enfants,
pour ceux qui gardent son alliance
et se souviennent d'accomplir ses volontés.
Le Seigneur a son trône dans les cieux :
sa royauté s'étend sur l'univers.

Messagers du Seigneur, bénissez-le,
invincibles porteurs de ses ordres, *
attentifs au son de sa parole !
Bénissez-le, armées du Seigneur,
serviteurs qui exécutez ses désirs !
Toutes les œuvres du Seigneur, bénissez-le,
sur toute l'étendue de son empire !

Bénis le Seigneur, ô mon âme !

Gloire au Père, et au Fils, et au Saint-Esprit,
pour les siècles des siècles. Amen.

Parole de Dieu **Colossiens 3, 14-15**

PAR-DESSUS TOUT CELA, ayez l'amour, qui est le lien le plus parfait. Et que, dans vos cœurs, règne la paix du Christ à laquelle vous avez été appelés, vous qui formez un seul corps. Vivez dans l'action de grâce.

Dieu est amour, Dieu est lumière, Dieu, notre Père !

CANTIQUE DE MARIE **(Texte, couverture A)**

INTERCESSION

En proclamant Jésus « Seigneur », adressons-lui nos demandes :

Ô Christ,
tu nous appelles à combattre pour ton règne,
– arme-nous de patience et de douceur,

℟ Par la force de ton Esprit.

Tu envoies les disciples préparer la route devant toi ;
– donne-leur d'annoncer l'Évangile avec assurance,

Toi qui inspires à tant d'hommes et de femmes
de te consacrer leur vie,
– accorde-leur de te suivre jusqu'au bout,

Maître et Seigneur,
tu as lavé les pieds de tes disciples ;
– révèle-toi en ceux qui servent leurs frères,

Fils du Dieu vivant, nous confions à ta miséricorde
ceux que nous pleurons,
– toi qui as fait sortir Lazare de son tombeau,

Intentions libres

Notre Père… Car c'est à toi qu'appartiennent…

Saints
D'HIER ET D'AUJOURD'HUI

Le martyrologe romain fait mémoire de saint Esdras

Rendons grâce à Dieu
en célébrant la victoire des saints
et, avec eux, chantons ses louanges.

Avec ce saint de la première Alliance, nous sommes en communion avec nos frères juifs et avec les chrétiens des différentes confessions. En 538 avant notre ère, Cyrus, roi de Perse, autorise les Juifs exilés depuis cinquante ans à regagner Jérusalem pour y reconstruire le Temple. L'opposition des Samaritains entrave ce projet pendant des décennies, jusqu'à ce qu'en 458, le roi Artaxerxès, qui accordait à Esdras tout ce qu'il demandait, l'envoie à Jérusalem pour remettre de l'ordre en imposant à la communauté la loi de Moïse comme loi d'État. Scribe, Esdras a recueilli les traditions de la révélation faite au peuple juif et les met en forme pour maintenir l'unité de la tradition juive. Il est surtout connu pour avoir rassemblé le peuple d'Israël et, dans une liturgie somptueuse, avoir proclamé la Loi. Le prêtre Esdras, raconte Néhémie, *apporta la Loi en présence de l'assemblée, composée des hommes, des femmes, et de tous les enfants en âge de comprendre. Tout le peuple écoutait la lecture de la Loi* (Ne 8, 2-3). Cet acte marque la naissance du nouvel Israël.
Puissions-nous, à la suite d'Esdras, étudier, méditer et accomplir la parole de Dieu !

Bonne fête !
Henri, Enrique, Harry, Silas,
Clélie, Chloé, Mildred et Thuriau

[JEUDI 14 JUILLET]

Saint Camille de Lellis

Prière du matin

Allez vers le Seigneur
parmi les chants d'allégresse.

Hymne

Dieu très-haut qui fais merveille,
Béni soit ton nom !
Dieu vivant qui fais largesse,
Béni soit ton nom !
Comme au ciel t'adorent les anges,
Et sans fin te chantent louange,
Nous aussi prions sur la terre :
Béni soit ton nom !

Dieu vainqueur de nos ténèbres,
Béni soit ton nom !
Dieu penché sur nos faiblesses,
Béni soit ton nom !
Ton amour est notre espérance,
Ta bonté nous rend l'innocence,
De toi seul nous vient la lumière :
Béni soit ton nom !

Dieu très saint qui nous libères,
Béni soit ton nom !
Dieu fidèle en tes promesses,
Béni soit ton nom !
Ton Église adore en silence
Et proclame la délivrance,
De nos cœurs monte une prière :
Béni soit ton nom !

CANTIQUE D'ISAÏE (40)

Admirons les voies du Seigneur, qui nous dépassent. Reconnaissons le berger qui nous mène au repos dans son royaume.

Voici votre Dieu !
Voici le Seigneur Dieu !

Il vient avec puissance ;
son bras lui soumet tout.
Avec lui, le fruit de son travail ;
et devant lui, son ouvrage.

Comme un berger, il fait paître son troupeau :
son bras le rassemble.
Il porte ses agneaux sur son cœur,
il mène au repos les brebis.

Qui a mesuré dans sa main les eaux des mers,
jaugé de ses doigts les cieux,
évalué en boisseaux la poussière de la terre,
pesé les montagnes à la balance
 et les collines sur un crochet ?

Qui a jaugé l'esprit du Seigneur ?
Quel conseiller peut l'instruire ?

A-t-il pris conseil de quelqu'un pour discerner, +
pour apprendre les chemins du jugement, *
pour acquérir le savoir
 et s'instruire des voies de la sagesse ?

Voici les nations,
 comme la goutte au bord d'un seau, *
le grain de sable sur un plateau de balance !
Voici les îles, *
comme une poussière qu'il soulève !

Le Liban ne pourrait suffire au feu,
ni ses animaux, suffire à l'holocauste.

Toutes les nations, devant lui, sont comme rien,
vide et néant pour lui.

Gloire au Père, et au Fils, et au Saint-Esprit,
pour les siècles des siècles. Amen.

Parole de Dieu — 2 Corinthiens 4, 13-15

L’ÉCRITURE DIT : *J’ai cru, c’est pourquoi j’ai parlé.* Et nous aussi, qui avons le même esprit de foi, nous croyons, et c’est pourquoi nous parlons. Car, nous le savons, celui qui a ressuscité le Seigneur Jésus nous ressuscitera, nous aussi, avec Jésus, et il nous placera près de lui avec vous. Et tout cela, c’est pour vous, afin que la grâce, plus largement répandue dans un plus grand nombre, fasse abonder l’action de grâce pour la gloire de Dieu.

Nous te rendons grâce, ô notre Dieu !

CANTIQUE DE ZACHARIE — (Texte, couverture B)

LOUANGE ET INTERCESSION

Avec nos actions de grâce, présentons à Dieu nos demandes :

℟ Écoute-nous, Dieu très bon.

Béni sois-tu, Seigneur,
qui as mis en nous le souffle de la vie :
– donne-nous de revivre par ton Esprit.

À l’aube de ce jour,
suscite en nous le désir de te servir :
– que nos travaux et nos joies te glorifient.

Devant les pièges de l’argent et de l’orgueil,
– dessille nos yeux et guide nos pas.

Rends-nous sensibles aux besoins de nos frères :
– que notre charité se fasse inventive.

Intentions libres

Notre Père…

Nous t'en prions, Dieu de miséricorde, sur les hommes qui n'ont pas reçu ta lumière, fais lever ton soleil, Jésus, le Christ, notre Seigneur. Lui qui règne avec toi et le Saint-Esprit, maintenant et pour les siècles des siècles. Amen.

Que Dieu dans sa toute-puissance éloigne de nous le mal et nous tienne en sa bénédiction. Amen.

LA MESSE

Jeudi de la 15e semaine du temps ordinaire

SAINT CAMILLE DE LELLIS *Mémoire facultative*
(XVIe-XVIIe S.)

● *CAMILLE DE LELLIS (1550-1614) mena d'abord une vie dissolue, qui le conduisit à l'hôpital des Incurables de Rome. Bouleversé à la vue des malades laissés à l'abandon, il se fit infirmier. Des compagnons se groupèrent sous sa direction. Ce furent les « Serviteurs des malades ». Ordonné prêtre, Camille devait passer sa vie parmi les membres souffrants du Christ.* ●

À ceux qui l'ont servi dans leurs frères, le Seigneur dit : « Venez les bénis de mon Père. J'étais malade et vous m'avez visité… Vraiment, je vous le dis, chaque fois que vous l'avez fait à l'un de ces petits qui sont mes frères, c'est à moi que vous l'avez fait. »

PRIÈRE. Tu as donné, Seigneur, à saint Camille la grâce d'une étonnante charité envers les malades ; répands encore en nous ton esprit d'amour, et, quand nous t'aurons servi dans nos frères, nous pourrons, à l'heure de quitter ce monde, nous en aller vers toi en toute paix. Par Jésus Christ, ton Fils, notre Seigneur.

Lecture du livre du prophète Isaïe 26, 7-9.12.16-19

Il est droit, le chemin du juste ; toi qui es droit, tu aplanis le sentier du juste. Oui, sur le chemin de tes jugements, Seigneur, nous t'espérons. Dire ton nom, faire mémoire de toi, c'est le désir de l'âme. Mon âme, la nuit, te désire, et mon esprit, au fond de moi, te guette dès l'aurore. Quand s'exercent tes jugements sur la terre, les habitants du monde apprennent la justice.
Seigneur, tu nous assures la paix : dans toutes nos œuvres, toi-même agis pour nous. Seigneur, dans la détresse on a recours à toi ; quand tu envoies un châtiment, on s'efforce de le conjurer. Nous étions devant toi, Seigneur, comme la femme enceinte sur le point d'enfanter, qui se tord et crie dans les douleurs. Nous avons conçu, nous avons été dans les douleurs, mais nous n'avons enfanté que du vent : nous n'apportons pas le salut à la terre, nul habitant du monde ne vient à la vie.
Tes morts revivront, leurs cadavres se lèveront. Ils se réveilleront, crieront de joie, ceux qui demeurent dans la poussière, car ta rosée, Seigneur, est rosée de lumière, et le pays des ombres redonnera la vie.
— *Parole du Seigneur.*

Psaume 101

Du ciel, le Seigneur regarde la terre.

Toi, Seigneur, tu es là pour toujours ;
d'âge en âge on fera mémoire de toi.
Toi, tu montreras ta tendresse pour Sion ;
il est temps de la prendre en pitié : l'heure est venue.
Tes serviteurs ont pitié de ses ruines,
ils aiment jusqu'à sa poussière.

Les nations craindront le nom du Seigneur,
et tous les rois de la terre, sa gloire :

quand le Seigneur rebâtira Sion,
quand il apparaîtra dans sa gloire,
il se tournera vers la prière du spolié,
il n'aura pas méprisé sa prière.

Que cela soit écrit pour l'âge à venir,
et le peuple à nouveau créé chantera son Dieu :
« Des hauteurs, son sanctuaire,
le Seigneur s'est penché ;
du ciel, il regarde la terre
pour entendre la plainte des captifs
et libérer ceux qui devaient mourir. »

Alléluia. Alléluia. Venez à moi, vous tous qui peinez sous le poids du fardeau, dit le Seigneur, et moi, je vous procurerai le repos. **Alléluia.**

Évangile de Jésus Christ selon saint Matthieu 11, 28-30

EN CE TEMPS-LÀ, Jésus prit la parole et dit : « Venez à moi, vous tous qui peinez sous le poids du fardeau, et moi, je vous procurerai le repos. Prenez sur vous mon joug, devenez mes disciples, car je suis doux et humble de cœur, et vous trouverez le repos pour votre âme. Oui, mon joug est facile à porter, et mon fardeau, léger. »
— *Acclamons la Parole de Dieu.*

PRIÈRE SUR LES OFFRANDES. Accueille, Seigneur, les présents de ton peuple ; et, tandis que nous rappelons l'amour infini de ton Fils, fais que nous sachions, à l'exemple de saint Camille de Lellis, t'aimer et aimer notre prochain d'un cœur plus généreux. Par Jésus, le Christ, notre Seigneur.

« Il n'y a pas de plus grand amour que de donner sa vie pour ses amis », dit le Seigneur.

PRIÈRE APRÈS LA COMMUNION. Nourris et comblés de ce sacrement du salut, nous implorons ta bonté, Seigneur : permets qu'en pratiquant la charité, à l'exemple de saint Camille de Lellis, nous ayons part à sa gloire. Par Jésus, le Christ, notre Seigneur.

MÉDITATION DU JOUR

La douceur de la charité

— Tu m'as séduit, Seigneur, et j'ai été séduit ; tu as été le plus fort, et tu l'as emporté. J'ai entendu ta voix me dire : *Venez à moi, vous tous qui portez la peine et le fardeau, et moi, je referai vos forces.* Je suis venu à toi ; j'ai cru ce que tu m'as dit ; en quoi as-tu refait mes forces ? Je ne connaissais pas la peine ; mais maintenant j'ai trouvé la peine, et dans la peine je défaille presque. Je ne connaissais pas le fardeau ; mais maintenant je tombe de fatigue sous le fardeau.

Et tu as dit : *Mon joug est doux et mon fardeau est léger.* Où est-elle, cette douceur ? Où est-elle, cette légèreté ?

— Je ne t'ai pas séduit, fils, mais doucement jusqu'ici conduit. Tu murmures que je n'ai pas refait tes forces. Si je ne les avais pas refaites, tu serais maintenant en pleine défaite. Tu gémis sous mon joug ; tu te lasses sous mon fardeau. La douceur de mon joug et la légèreté de mon fardeau viennent de la charité. Si tu avais la charité, tu sentirais cette douceur ; si ta chair t'aimait, elle ne peinerait pas ; et si elle peinait, la charité la soulagerait. Mon fardeau et mon joug, tu ne pourras seul les porter ; si en les portant, tu as la charité pour compagne, aussitôt tu admireras leur douceur.

BX GUILLAUME DE SAINT-THIERRY

Le bienheureux Guillaume († 1148) fut abbé de Saint-Thierry, près de Reims, puis moine cistercien à Signy.

Prière du soir

Venez tous au Seigneur :
adorons notre Maître !

HYMNE

Heureux ceux que Dieu a choisis
Pour être au monde qui gémit
Comme en douleurs de sa naissance !
La création tend vers le jour
Où l'on dira du Dieu d'amour :
Il fait mûrir toute souffrance
En fruits de paix, en liberté,
Pour que son Nom soit sanctifié.

℟ Dieu fort à qui tout appartient,
Le monde et tout ce qu'il contient,
Donne à ce temps de rendre grâce.

Heureux ceux que Dieu a placés
Dans une terre à travailler
En y tenant une espérance !
L'œuvre de Dieu n'est pas finie :
Au long des jours, au long des nuits,
Il fait lever dans le silence
L'Arbre aux oiseaux, l'Homme Jésus,
Pour que son Règne soit connu.

Heureux ceux que Dieu fait briller
Aux yeux des foules sans berger,
Pour les gagner à sa confiance !
Dans l'univers plus fraternel,
Ils sont le feu, ils sont le sel,
Dieu les rappelle à son Alliance :
Ses volontés sont accomplies
Quand tout devient eucharistie !

Psaume 87 **Plainte dans un péril grave**

Dans le jardin de l'agonie, Jésus a pu dire : « Ma compagne, c'est la ténèbre. » Quand la détresse nous brise, unissons notre voix à celle du Christ qui a été exaucé en tout.

**Seigneur, mon Dieu et mon salut,
dans cette nuit où je crie en ta présence,
que ma prière parvienne jusqu'à toi,
ouvre l'oreille à ma plainte.**

**Car mon âme est rassasiée de malheur,
ma vie est au bord de l'abîme ;
on me voit déjà descendre à la fosse,
je suis comme un homme fini.**

**Ma place est parmi les morts,
avec ceux que l'on a tués, enterrés,
ceux dont tu n'as plus souvenir,
qui sont exclus, et loin de ta main.**

**Tu m'as mis au plus profond de la fosse,
en des lieux engloutis, ténébreux ;
le poids de ta colère m'écrase,
tu déverses tes flots contre moi.**

**Tu éloignes de moi mes amis,
tu m'as rendu abominable pour eux ;
enfermé, je n'ai pas d'issue :
à force de souffrir, mes yeux s'éteignent.**

**Je t'appelle, Seigneur, tout le jour,
je tends les mains vers toi :
fais-tu des miracles pour les morts ?
leur ombre se dresse-t-elle pour t'acclamer ?**

**Qui parlera de ton amour dans la tombe,
de ta fidélité au royaume de la mort ?
Connaît-on dans les ténèbres tes miracles,
et ta justice, au pays de l'oubli ?**

Moi, je crie vers toi, Seigneur ;
dès le matin, ma prière te cherche :
pourquoi me rejeter, Seigneur,
pourquoi me cacher ta face ?

Malheureux, frappé à mort depuis l'enfance,
je n'en peux plus d'endurer tes fléaux ;
sur moi, ont déferlé tes orages :
tes effrois m'ont réduit au silence.

Ils me cernent comme l'eau tout le jour,
ensemble ils se referment sur moi.
Tu éloignes de moi amis et familiers ;
ma compagne, c'est la ténèbre.

Gloire au Père, et au Fils, et au Saint-Esprit,
pour les siècles des siècles. Amen.

Seigneur, unique salut des malheureux, dans le cri de ceux qu'on abandonne, entends Jésus qui t'interroge. Dans les corps qui n'inspirent que dégoût, vois le corps de ton Fils en croix. Dans l'effroi de ceux qui sont sur leurs fins, reconnais l'agonie de ton Bien-Aimé. Ne feras-tu pas pour les hommes qui te cherchent ce que tu as fait pour lui ?

Parole de Dieu — 2 Corinthiens 4, 16-18

NOUS NE PERDONS PAS COURAGE, et même si en nous l'homme extérieur va vers sa ruine, l'homme intérieur se renouvelle de jour en jour. Car notre détresse du moment présent est légère par rapport au poids vraiment incomparable de gloire éternelle qu'elle produit pour nous. Et notre regard ne s'attache pas à ce qui se voit, mais à ce qui ne se voit pas ; ce qui se voit est provisoire, mais ce qui ne se voit pas est éternel.

Jésus, tu as les paroles de la vie éternelle !

CANTIQUE DE MARIE (Texte, couverture A)

INTERCESSION

Prions avec foi celui qui intercède pour nous auprès de son Père :

℟ Souviens-toi, Seigneur, de ton amour.

Seigneur Jésus, tu nous as dit de prier en tout temps :
– donne à ton Église de persévérer dans la prière.

Nous te prions pour le pape :
– que sa foi ne défaille pas
et qu'il encourage ses frères.

Nous te prions pour les pécheurs :
– qu'ils connaissent la joie du pardon.

Nous te prions pour ceux qui sont loin de leur pays :
– qu'ils trouvent une terre et des amis.

Nous te prions pour ceux qui sont partis :
– qu'ils marchent sur la terre des vivants.

Intentions libres

Notre Père…

Car c'est à toi qu'appartiennent
le règne, la puissance et la gloire,
pour les siècles des siècles !

Saints
D'HIER ET D'AUJOURD'HUI

Le martyrologe romain fait mémoire de saint François Solano

Chaque jour, nous célébrons l'anniversaire des saints; que leur exemple nous encourage et nous fortifie.

Originaire de Cordoue, François Solano (1549-1610) entre chez les franciscains de Séville à 20 ans. Brillant théologien, il n'est pas écouté lorsqu'il demande à partir en mission. Il est nommé maître des novices à qui il enseigne la patience et l'obéissance. En 1589, il peut enfin assouvir sa vocation missionnaire. Débarqué sur la côte est de l'Amérique de Sud, après un improbable voyage, il sillonne pendant cinq ans la cordillère des Andes et arrive à Lima où, refusant toute responsabilité, il se met au service des autochtones. Armé de son crucifix et de sa guitare, il prêche la nouveauté chrétienne tant aux populations locales dont il apprend rapidement les diverses langues qu'aux colons espagnols pas toujours très fidèles à l'Évangile. Pauvre parmi les pauvres qu'il sert, François se fait charité pour tout homme qu'il soigne, conseille, réconforte, conduit à la réconciliation, et aime par-dessus tout comme le Christ lui-même. Il meurt à Lima vénéré de tous.
Réjouissons-nous pour le don fait à l'Église universelle de la sainteté de François Solano et demandons au Seigneur de soutenir dans la foi et l'espérance le peuple péruvien.

Bonne fête !
Camille, Camilla, Cameron, Angeline, Mikaël et Toscane

La miséricorde pour notre joie !

Père Ludovic Frère

Depuis décembre dernier, nous voyons un peu partout dans nos églises et sur des affiches le logo de la miséricorde, conçu par le père Marko Ivan Rupnik. Ce dessin est d'une grande richesse symbolique, mais on pourrait lui reprocher une chose : ni le Christ ni le blessé qu'il porte sur ses épaules n'ont le sourire. La miséricorde n'est-elle pourtant pas un échange de joie ?

De la joie dans le ciel !

Les grandes paraboles de l'Évangile selon saint Luc, au chapitre 15, nous parlent toutes les trois d'une joie : celle du père au retour du fils, du berger en ramenant sa brebis égarée et de la femme ayant retrouvé sa pièce. C'est la joie de Dieu qui nous est révélée ici : le Seigneur se réjouit de nous chercher et de nous retrouver, de nous pardonner et de nous redonner vie.

Entrer dans la joie de la miséricorde

Cet élan de joie nous interroge alors. Dans la parabole du fils prodigue, l'aîné refuse d'entrer dans la joie de son père. On peut même dire que la confrontation à cette joie l'enferme davantage encore dans son refus de participer à la fête. Il préfère rester centré sur ses mérites et sa fidélité au lieu de partager la fête du retour de son frère. Il se prive alors de la joie qui déborde du cœur de son père.

Le célèbre tableau de Rembrandt, *Le Retour du fils prodigue*, représente ainsi un frère aîné au visage sans joie. N'est-ce pas ce que nous risquons, quand nous nous bloquons dans des postures de gens vexés et jaloux parce que Dieu fait miséricorde à ceux qui, selon nos critères, ne le mériteraient pas ?

Réjouir le cœur de Dieu !

Entrer dans la joie de la miséricorde, c'est certainement aussi vivre le sacrement du pardon comme une occasion privilégiée pour réjouir le cœur de Dieu. Donc, ne pas tant nous attarder sur nos réticences fort légitimes à révéler au prêtre la part la plus obscure de nous-mêmes, que sur l'opportunité déposée dans nos faibles mains de pouvoir faire exulter le Seigneur et le ciel entier, car *il y aura de la joie dans le ciel pour un seul pécheur qui se convertit* (Lc 15, 7). C'est aussi chercher toutes les occasions de pardonner et de demander pardon aux autres, pour que la joie divine circule de cœur à cœur.

Devenir la joie de Dieu !

Le bienheureux Paul VI, dans un vibrant appel, confesse la bonté de Dieu en disant qu'il est « si l'on peut dire ainsi, "heureux" le jour où nous nous retournons et disons : "Seigneur, dans ta bonté, pardonne-moi." Voici donc notre repentir : devenir la joie de Dieu[1]. » En cette Année sainte, acceptons-nous de devenir la joie de Dieu ?

Le Seigneur nous y invite, il nous en supplie, et comme il le promet par la bouche d'Isaïe : *Je vais recréer Jérusalem, pour qu'elle soit exultation, et que son peuple devienne joie. J'exulterai en Jérusalem, je trouverai ma joie dans mon peuple* (Is 65, 18-19). ■

*Le père **Ludovic Frère** est vicaire général du diocèse de Gap et Embrun, et recteur du sanctuaire Notre-Dame du Laus.*

---

1. Pape Paul VI, *Homélie*, 23 juin 1968.

LITURGIE DE LA MESSE

- **Au nom du Père, et du Fils, et du Saint-Esprit.**
- **Amen.**

Salutation mutuelle

- **La grâce de Jésus notre Seigneur,**
  l'amour de Dieu le Père,
  et la communion de l'Esprit Saint,
  soient toujours avec vous.
- **Et avec votre esprit.**

Préparation pénitentielle

Préparons-nous à la célébration de l'eucharistie
en reconnaissant que nous sommes pécheurs.

1 ---

- **Je confesse à Dieu tout-puissant,**
  je reconnais devant mes frères que j'ai péché
  en pensée, en parole, par action et par omission ;
  oui, j'ai vraiment péché.

  (On se frappe la poitrine :)

  C'est pourquoi je supplie la Vierge Marie,
  les anges et tous les saints,
  et vous aussi, mes frères,
  de prier pour moi le Seigneur notre Dieu.

2 ---

(Ou bien on peut dire le dialogue suivant :)

- Seigneur, accorde-nous ton pardon.
- **Nous avons péché contre toi.**
- Montre-nous ta miséricorde.
- **Et nous serons sauvés.**

3 ---

(Ou encore la litanie suivante ou une autre semblable :)

- Seigneur Jésus, envoyé par le Père
  pour guérir et sauver les hommes,
  prends pitié de nous.
- **Prends pitié de nous.**

- Ô Christ, venu dans le monde
  appeler tous les pécheurs,
  prends pitié de nous.
- **Prends pitié de nous.**

- Seigneur, élevé dans la gloire du Père
  où tu intercèdes pour nous,
  prends pitié de nous.
- **Prends pitié de nous.**

- Que Dieu tout-puissant nous fasse miséricorde;
  qu'il nous pardonne nos péchés
  et nous conduise à la vie éternelle.
- **Amen.**

Prière de supplication

■ Seigneur, prends pitié.	Kyrie, eleison.
■ **Seigneur, prends pitié.**	**Kyrie, eleison.**
■ Ô Christ, prends pitié.	Christe, eleison.
■ **Ô Christ, prends pitié.**	**Christe, eleison.**
■ Seigneur, prends pitié.	Kyrie, eleison.
■ **Seigneur, prends pitié.**	**Kyrie, eleison.**

Chant de louange

Gloire à Dieu, au plus haut des cieux,
Et paix sur la terre aux hommes qu'il aime.
Nous te louons, nous te bénissons, nous t'adorons,
Nous te glorifions, nous te rendons grâce,
pour ton immense gloire,
Seigneur Dieu, Roi du ciel, Dieu le Père tout-puissant.
Seigneur, Fils unique, Jésus Christ,
Seigneur Dieu, Agneau de Dieu, le Fils du Père;
Toi qui enlèves le péché du monde,
prends pitié de nous;
Toi qui enlèves le péché du monde,
reçois notre prière;
Toi qui es assis à la droite du Père,
prends pitié de nous.

Car toi seul es saint, toi seul es Seigneur,
Toi seul es le Très-Haut : Jésus Christ,
avec le Saint-Esprit
Dans la gloire de Dieu le Père. Amen.

Gloria in excelsis Deo
et in terra pax hominibus bonae voluntatis.
Laudamus te, benedicimus te, adoramus te,
glorificamus te, gratias agimus tibi
propter magnam gloriam tuam,
Domine Deus, Rex caelestis,
Deus Pater omnipotens.
Domine Fili unigenite, Iesu Christe,
Domine Deus, Agnus Dei, Filius Patris,
qui tollis peccata mundi, miserere nobis,
qui tollis peccata mundi,
suscipe deprecationem nostram ;
qui sedes ad dexteram Patris, miserere nobis.
Quoniam tu solus Sanctus,
tu solus Dominus,
tu solus Altissimus, Iesu Christe,
cum Sancto Spiritu :
in gloria Dei Patris. Amen.

Prière d'ouverture

Première lecture

Psaume

Deuxième lecture

Acclamation de l'Évangile

Purifie mon cœur et mes lèvres, Dieu très saint,
pour que je fasse entendre à mes frères la Bonne Nouvelle.

Évangile

■ Le Seigneur soit avec vous.
■ Et avec votre esprit.

■ Évangile de Jésus Christ ✠ selon saint …
■ Gloire à toi, Seigneur.

(À la fin de l'Évangile :)

■ Acclamons la Parole de Dieu.
■ **Louange à toi, Seigneur Jésus !**

Homélie

Profession de foi

Le symbole des Apôtres

Je crois en Dieu, le Père tout-puissant,
créateur du ciel et de la terre.
Et en Jésus Christ, son Fils unique, notre Seigneur,
qui a été conçu du Saint-Esprit,
est né de la Vierge Marie,
a souffert sous Ponce Pilate,
a été crucifié, est mort et a été enseveli,
est descendu aux enfers,
le troisième jour, est ressuscité des morts,
est monté aux cieux,
est assis à la droite de Dieu le Père tout-puissant,
d'où il viendra juger les vivants et les morts.
Je crois en l'Esprit Saint,
à la sainte Église catholique,
à la communion des saints,
à la rémission des péchés,
à la résurrection de la chair,
à la vie éternelle. Amen.

Le symbole de Nicée-Constantinople

Je crois en un seul Dieu,
le Père tout-puissant, créateur du ciel et de la terre,
de l'univers visible et invisible.
Je crois en un seul Seigneur, Jésus Christ,
le Fils unique de Dieu,
né du Père avant tous les siècles :
Il est Dieu, né de Dieu,
lumière, née de la lumière,
vrai Dieu, né du vrai Dieu,
Engendré, non pas créé, de même nature que le Père ;
et par lui tout a été fait.
Pour nous les hommes, et pour notre salut,
il descendit du ciel.

Par l'Esprit Saint, il a pris chair de la Vierge Marie,
et s'est fait homme.
Crucifié pour nous sous Ponce Pilate,
il souffrit sa Passion et fut mis au tombeau.
Il ressuscita le troisième jour,
conformément aux Écritures,
et il monta au ciel; il est assis à la droite du Père.
Il reviendra dans la gloire,
pour juger les vivants et les morts;
et son règne n'aura pas de fin.
Je crois en l'Esprit Saint,
qui est Seigneur et qui donne la vie;
il procède du Père et du Fils.
Avec le Père et le Fils,
il reçoit même adoration et même gloire;
il a parlé par les prophètes.
Je crois en l'Église, une, sainte, catholique
et apostolique.
Je reconnais un seul baptême
pour le pardon des péchés.
J'attends la résurrection des morts,
et la vie du monde à venir. Amen.

Credo in unum Deum,
Patrem omnipotentem, factorem caeli et terrae,
visibilium omnium et invisibilium.
Et in unum Dominum Iesum Christum,
Filium Dei unigenitum,
et ex Patre natum ante omnia saecula.
Deum de Deo,
lumen de lumine,
Deum verum de Deo vero,
genitum, non factum, consubstantialem Patri:
per quem omnia facta sunt.
Qui propter nos homines et propter nostram salutem
descendit de caelis.
Et incarnatus est de Spiritu Sancto ex Maria Virgine,
et homo factus est.
Crucifixus etiam pro nobis sub Pontio Pilato,
passus et sepultus est,
et resurrexit tertia die, secundum Scripturas,

et ascendit in caelum, sedet ad dexteram Patris.
Et iterum venturus est cum gloria,
iudicare vivos et mortuos,
cuius regni non erit finis.
Et in Spiritum Sanctum,
Dominum et vivificantem :
qui ex Patre Filioque procedit ;
qui cum Patre et Filio,
simul adoratur et conglorificatur :
qui locutus est per prophetas.
Et unam, sanctam, catholicam et apostolicam Ecclesiam.
Confiteor unum baptisma in remissionem peccatorum.
Et exspecto resurrectionem mortuorum,
et vitam venturi saeculi. Amen.

Prière universelle

LITURGIE EUCHARISTIQUE

Préparation des dons

■ Tu es béni, Dieu de l'univers, toi qui nous donnes ce pain, fruit de la terre et du travail des hommes ; nous te le présentons : il deviendra le pain de la vie.
■ **Béni soit Dieu, maintenant et toujours !**

Comme cette eau se mêle au vin pour le sacrement de l'Alliance, puissions-nous être unis à la divinité de Celui qui a pris notre humanité.

■ Tu es béni, Dieu de l'univers, toi qui nous donnes ce vin, fruit de la vigne et du travail des hommes ; nous te le présentons : il deviendra le vin du Royaume éternel.
■ **Béni soit Dieu, maintenant et toujours !**

Humbles et pauvres, nous te supplions, Seigneur, accueille-nous : que notre sacrifice, en ce jour, trouve grâce devant toi. Lave-moi de mes fautes, Seigneur, purifie-moi de mon péché.

Prière sur les offrandes

■ Prions ensemble,
au moment d'offrir le sacrifice de toute l'Église.
■ **Pour la gloire de Dieu et le salut du monde.**

PRIÈRE EUCHARISTIQUE

- Le Seigneur soit avec vous.
- **Et avec votre esprit.**
- Élevons notre cœur.
- **Nous le tournons vers le Seigneur.**
- Rendons grâce au Seigneur notre Dieu.
- **Cela est juste et bon.**

Préfaces

(Les préfaces se trouvent habituellement au jour concerné.)

Préface des dimanches du temps ordinaire I

Vraiment, il est juste et bon de te rendre gloire, de t'offrir notre action de grâce, toujours et en tout lieu, à toi, Père très saint, Dieu éternel et tout-puissant, par le Christ, notre Seigneur. Dans le mystère de sa Pâque, il a fait une œuvre merveilleuse, car nous étions esclaves de la mort et du péché, et nous sommes appelés à partager sa gloire ; nous portons désormais ces noms glorieux : nation sainte, peuple racheté, race choisie, sacerdoce royal ; nous pouvons annoncer au monde les merveilles que tu as accomplies, toi qui nous fais passer des ténèbres à ton admirable lumière.
C'est pourquoi, avec les anges et tous les saints, nous proclamons ta gloire, en chantant (disant) d'une seule voix : Saint !...

Préface commune I

Vraiment, il est juste et bon de te rendre gloire, de t'offrir notre action de grâce, toujours et en tout lieu, à toi, Père très saint, Dieu éternel et tout-puissant, par le Christ, notre Seigneur. En lui tu as voulu que tout soit rassemblé, et tu nous as fait partager la vie qu'il possède en plénitude : lui qui est vraiment Dieu, il s'est anéanti pour donner au monde la paix par le sang de sa croix ; élevé au-dessus de toute créature, il est maintenant le salut pour tous ceux qui écoutent sa parole.
C'est pourquoi, avec les anges et tous les saints, nous proclamons ta gloire, en chantant (disant) d'une seule voix : Saint !...

Préface commune VI

Cette préface est généralement utilisée avec la P.E. II.

Vraiment, Père très saint, il est juste et bon de te rendre grâce, toujours et en tout lieu, par ton Fils bien-aimé, Jésus Christ.

Car il est ta parole vivante, par qui tu as créé toutes choses ; c'est lui que tu nous as envoyé comme Rédempteur et Sauveur, Dieu fait homme, conçu de l'Esprit Saint, né de la Vierge Marie ; pour accomplir jusqu'au bout ta volonté et rassembler du milieu des hommes un peuple saint qui t'appartienne, il étendit les mains à l'heure de sa Passion, afin que soit brisée la mort, et que la résurrection soit manifestée.
C'est pourquoi, avec les anges et tous les saints, nous proclamons ta gloire, en chantant (disant) d'une seule voix :

■ **Saint ! Saint ! Saint,**
le Seigneur, Dieu de l'univers !
Le ciel et la terre sont remplis de ta gloire.
Hosanna au plus haut des cieux.
Béni soit celui qui vient au nom du Seigneur.
Hosanna au plus haut des cieux.

■ **Sanctus, Sanctus, Sanctus**
Dominus Deus Sabaoth.
Pleni sunt caeli et terra gloria tua.
Hosanna in excelsis.
Benedictus qui venit in nomine Domini.
Hosanna in excelsis.

PRIÈRES EUCHARISTIQUES

I. « Père infiniment bon… », ci-dessous
II. « Toi qui es vraiment saint… », p. 204
III. « Tu es vraiment saint… », p. 206
IV. « Père très saint, nous proclamons… », p. 207

Prière eucharistique I

Père infiniment bon, toi vers qui montent nos louanges, nous te supplions par Jésus Christ, ton Fils, notre Seigneur, d'accepter et de bénir ✠ ces offrandes saintes.

Nous te les présentons avant tout pour ta sainte Église catholique : accorde-lui la paix et protège-la, daigne la rassembler dans l'unité et la gouverner par toute la terre ; nous les présentons en même temps pour ton serviteur le pape …, pour notre évêque … et tous ceux qui veillent fidèlement sur la foi catholique reçue des Apôtres.

Souviens-toi, Seigneur, de tes serviteurs ... et de tous ceux qui sont ici réunis, dont tu connais la foi et l'attachement.

Nous t'offrons pour eux, ou ils t'offrent pour eux-mêmes et tous les leurs ce sacrifice de louange, pour leur propre rédemption, pour le salut qu'ils espèrent ; et ils te rendent cet hommage à toi, Dieu éternel, vivant et vrai.

Dans la communion de toute l'Église, nous voulons nommer en premier lieu la bienheureuse Marie toujours Vierge, Mère de notre Dieu et Seigneur, Jésus Christ ;

PROPRE DU DIMANCHE

Dans la communion de toute l'Église, en ce premier jour de la semaine, nous célébrons le jour où le Christ est ressuscité d'entre les morts, et nous voulons nommer en premier lieu la bienheureuse Marie toujours Vierge, Mère de notre Dieu et Seigneur, Jésus Christ ;

---

saint Joseph, son époux, les saints Apôtres et martyrs Pierre et Paul, André [Jacques et Jean, Thomas, Jacques et Philippe, Barthélemy et Matthieu, Simon et Jude, Lin, Clet, Clément, Sixte, Corneille et Cyprien, Laurent, Chrysogone, Jean et Paul, Côme et Damien,] et tous les saints. Accorde-nous, par leur prière et leurs mérites, d'être, toujours et partout, forts de ton secours et de ta protection.

Voici l'offrande que nous présentons devant toi, nous, tes serviteurs, et ta famille entière : dans ta bienveillance, accepte-la. Assure toi-même la paix de notre vie, arrache-nous à la damnation et reçois-nous parmi tes élus.

Sanctifie pleinement cette offrande par la puissance de ta bénédiction, rends-la parfaite et digne de toi : qu'elle devienne pour nous le corps et le sang de ton Fils bien-aimé, Jésus Christ, notre Seigneur.

La veille de sa Passion,
il prit le pain dans ses mains très saintes et,
les yeux levés au ciel, vers toi, Dieu,
son Père tout-puissant, en te rendant grâce il le bénit,
le rompit, et le donna à ses disciples, en disant :
« Prenez, et mangez-en tous :
ceci est mon corps livré pour vous. »

De même, à la fin du repas,
il prit dans ses mains cette coupe incomparable ;
et te rendant grâce à nouveau
il la bénit, et la donna à ses disciples, en disant :
« Prenez, et buvez-en tous,
car ceci est la coupe de mon sang,
le sang de l'Alliance nouvelle et éternelle,
qui sera versé pour vous et pour la multitude,
en rémission des péchés.
Vous ferez cela, en mémoire de moi. »

■ Il est grand, le mystère de la foi :
■ **Nous proclamons ta mort, Seigneur Jésus,**
nous célébrons ta résurrection,
nous attendons ta venue dans la gloire.

(Ou bien :)

■ Quand nous mangeons ce pain et buvons à cette coupe,
nous célébrons le mystère de la foi :
■ **Nous rappelons ta mort,**
Seigneur ressuscité,
et nous attendons que tu viennes.

(Ou bien :)

■ Proclamons le mystère de la foi :
■ **Gloire à toi qui étais mort,**
gloire à toi qui es vivant,
notre Sauveur et notre Dieu :
Viens, Seigneur Jésus !

C'est pourquoi nous aussi, tes serviteurs, et ton peuple saint avec nous, faisant mémoire de la passion bienheureuse de ton Fils, Jésus Christ, notre Seigneur, de sa résurrection du séjour des morts et de sa glorieuse ascension dans le ciel, nous te présentons, Dieu de gloire et de majesté, cette offrande prélevée sur les biens que tu nous donnes, le sacrifice pur et saint, le sacrifice parfait, pain de la vie éternelle et coupe du salut.

Et comme il t'a plu d'accueillir les présents d'Abel le Juste, le sacrifice de notre père Abraham, et celui que t'offrit Melkisédek, ton grand prêtre, en signe du sacrifice parfait, regarde cette offrande avec amour et, dans ta bienveillance, accepte-la.

Nous t'en supplions, Dieu tout-puissant : qu'elle soit portée par ton ange en présence de ta gloire, sur ton autel céleste, afin qu'en recevant ici, par notre communion à l'autel, le corps et le sang de ton Fils, nous soyons comblés de ta grâce et de tes bénédictions.

Souviens-toi de tes serviteurs ... qui nous ont précédés, marqués du signe de la foi, et qui dorment dans la paix...

Pour eux et pour tous ceux qui reposent dans le Christ, nous implorons ta bonté : qu'ils entrent dans la joie, la paix et la lumière.

Et nous pécheurs, qui mettons notre espérance en ta miséricorde inépuisable, admets-nous dans la communauté des bienheureux Apôtres et martyrs, de Jean Baptiste, Étienne, Matthias et Barnabé, [Ignace, Alexandre, Marcellin et Pierre, Félicité et Perpétue, Agathe, Lucie, Agnès, Cécile, Anastasie,] et de tous les saints.

Accueille-nous dans leur compagnie, sans nous juger sur le mérite mais en accordant ton pardon, par Jésus Christ, notre Seigneur. C'est par lui que tu ne cesses de créer tous ces biens, que tu les bénis, leur donnes la vie, les sanctifies et nous en fais le don.

Par lui, avec lui et en lui, à toi, Dieu le Père tout-puissant, dans l'unité du Saint-Esprit, tout honneur et toute gloire, pour les siècles des siècles.

■ **Amen.** *(Notre Père : page 210)*

Prière eucharistique II

Toi qui es vraiment saint, toi qui es la source de toute sainteté, Seigneur, nous te prions :

PROPRE DU DIMANCHE

Toi qui es vraiment saint, toi qui es la source de toute sainteté, nous voici rassemblés devant toi, et, dans la communion de toute l'Église, en ce premier jour de la semaine, nous célébrons le jour où le Christ est ressuscité d'entre les morts. Par lui que tu as élevé à ta droite, Dieu notre Père, nous te prions :

Sanctifie ces offrandes en répandant sur elles ton Esprit ; qu'elles deviennent pour nous le corps ✠ et le sang de Jésus, le Christ, notre Seigneur.

Au moment d'être livré
et d'entrer librement dans sa Passion,
il prit le pain, il rendit grâce, il le rompit
et le donna à ses disciples, en disant :
« Prenez, et mangez-en tous :
ceci est mon corps livré pour vous. »

De même, à la fin du repas,
il prit la coupe ; de nouveau il rendit grâce,
et la donna à ses disciples, en disant :
« Prenez, et buvez-en tous,
car ceci est la coupe de mon sang,
le sang de l'Alliance nouvelle et éternelle,
qui sera versé pour vous et pour la multitude
en rémission des péchés.
Vous ferez cela, en mémoire de moi. »

(Prendre une des trois acclamations d'anamnèse, page 203)

Faisant ici mémoire de la mort et de la résurrection de ton Fils, nous t'offrons, Seigneur, le pain de la vie et la coupe du salut, et nous te rendons grâce, car tu nous as choisis pour servir en ta présence.

Humblement, nous te demandons qu'en ayant part au corps et au sang du Christ, nous soyons rassemblés par l'Esprit Saint en un seul corps.

Souviens-toi, Seigneur, de ton Église répandue à travers le monde : fais-la grandir dans ta charité avec le pape …, notre évêque …, et tous ceux qui ont la charge de ton peuple.

Souviens-toi aussi de nos frères qui se sont endormis dans l'espérance de la résurrection, et de tous les hommes qui ont quitté cette vie : reçois-les dans ta lumière, auprès de toi.

Sur nous tous enfin, nous implorons ta bonté : permets qu'avec la Vierge Marie, la bienheureuse Mère de Dieu, avec saint Joseph, son époux, les Apôtres et les saints de tous les temps qui ont vécu dans ton amitié, nous ayons part à la vie éternelle, et que nous chantions ta louange, par Jésus Christ, ton Fils bien-aimé.

Par lui, avec lui et en lui, à toi, Dieu le Père tout-puissant, dans l'unité du Saint-Esprit, tout honneur et toute gloire, pour les siècles des siècles.

■ Amen. ***(Notre Père : page 210)***

Prière eucharistique III

Tu es vraiment saint, Dieu de l'univers, et toute la création proclame ta louange, car c'est toi qui donnes la vie, c'est toi qui sanctifies toutes choses, par ton Fils, Jésus Christ, notre Seigneur, avec la puissance de l'Esprit Saint ; et tu ne cesses de rassembler ton peuple, afin qu'il te présente partout dans le monde une offrande pure.

C'est pourquoi nous te supplions de consacrer toi-même les offrandes que nous apportons :

PROPRE DU DIMANCHE

C'est pourquoi nous voici rassemblés devant toi et, dans la communion de toute l'Église, en ce premier jour de la semaine, nous célébrons le jour où le Christ est ressuscité d'entre les morts. Par lui, que tu as élevé à ta droite, Dieu tout-puissant, nous te supplions de consacrer toi-même les offrandes que nous apportons :

Sanctifie-les par ton Esprit pour qu'elles deviennent le corps ✠ et le sang de ton Fils, Jésus Christ, notre Seigneur, qui nous a dit de célébrer ce mystère.

La nuit même où il fut livré, il prit le pain,
en te rendant grâce il le bénit, il le rompit
et le donna à ses disciples, en disant :
« Prenez, et mangez-en tous :
ceci est mon corps livré pour vous. »

De même, à la fin du repas,
il prit la coupe, en te rendant grâce il la bénit,
et la donna à ses disciples, en disant :
« Prenez, et buvez-en tous,
car ceci est la coupe de mon sang,
le sang de l'Alliance nouvelle et éternelle,
qui sera versé pour vous et pour la multitude
en rémission des péchés.
Vous ferez cela, en mémoire de moi. »

(Prendre une des trois acclamations d'anamnèse, page 203)

En faisant mémoire de ton Fils, de sa Passion qui nous sauve, de sa glorieuse résurrection et de son ascension dans le ciel, alors que nous attendons son dernier avènement, nous présentons cette offrande vivante et sainte pour te rendre grâce.

Regarde, Seigneur, le sacrifice de ton Église, et daigne y reconnaître celui de ton Fils qui nous a rétablis dans ton alliance ; quand nous serons nourris de son corps et de son sang et remplis de l'Esprit Saint, accorde-nous d'être un seul corps et un seul esprit dans le Christ.

Que l'Esprit Saint fasse de nous une éternelle offrande à ta gloire, pour que nous obtenions un jour les biens du monde à venir auprès de la Vierge Marie, la bienheureuse Mère de Dieu, avec saint Joseph, son époux, les Apôtres, les martyrs, [saint ...] et tous les saints, qui ne cessent d'intercéder pour nous.

Et maintenant, nous te supplions, Seigneur : par le sacrifice qui nous réconcilie avec toi, étends au monde entier le salut et la paix. Affermis la foi et la charité de ton Église au long de son chemin sur la terre : veille sur ton serviteur le pape ..., et notre évêque ..., l'ensemble des évêques, les prêtres, les diacres, et tout le peuple des rachetés.

Écoute les prières de ta famille assemblée devant toi, et ramène à toi, Père très aimant, tous tes enfants dispersés.

Pour nos frères défunts, pour les hommes qui ont quitté ce monde et dont tu connais la droiture, nous te prions : reçois-les dans ton royaume, où nous espérons être comblés de ta gloire, tous ensemble et pour l'éternité, par le Christ, notre Seigneur, par qui tu donnes au monde toute grâce et tout bien.

Par lui, avec lui et en lui, à toi, Dieu le Père tout-puissant, dans l'unité du Saint-Esprit, tout honneur et toute gloire, pour les siècles des siècles.

■ **Amen.** *(Notre Père : page 210)*

Prière eucharistique IV

Vraiment, il est bon de te rendre grâce, il est juste et bon de te glorifier, Père très saint, car tu es le seul Dieu, le Dieu vivant et vrai : tu étais avant tous les siècles, tu demeures éternellement, lumière au-delà de toute lumière. Toi, le Dieu de bonté,

la source de la vie, tu as fait le monde pour que toute créature soit comblée de tes bénédictions, et que beaucoup se réjouissent de ta lumière. Ainsi, les anges innombrables qui te servent jour et nuit se tiennent devant toi, et, contemplant la splendeur de ta face, n'interrompent jamais leur louange.
Unis à leur hymne d'allégresse, avec la création tout entière qui t'acclame par nos voix, Dieu, nous te chantons : Saint !...

Père très saint, nous proclamons que tu es grand et que tu as créé toutes choses avec sagesse et par amour : tu as fait l'homme à ton image, et tu lui as confié l'univers, afin qu'en te servant, toi son Créateur, il règne sur la création. Comme il avait perdu ton amitié en se détournant de toi, tu ne l'as pas abandonné au pouvoir de la mort. Dans ta miséricorde, tu es venu en aide à tous les hommes pour qu'ils te cherchent et puissent te trouver. Tu as multiplié les alliances avec eux, et tu les as formés, par les prophètes, dans l'espérance du salut.
Tu as tellement aimé le monde, Père très saint, que tu nous as envoyé ton propre Fils, lorsque les temps furent accomplis, pour qu'il soit notre Sauveur.

Conçu de l'Esprit Saint, né de la Vierge Marie, il a vécu notre condition d'homme en toute chose, excepté le péché, annonçant aux pauvres la Bonne Nouvelle du salut ; aux captifs, la délivrance ; aux affligés, la joie.

Pour accomplir le dessein de ton amour, il s'est livré lui-même à la mort, et, par sa résurrection, il a détruit la mort et renouvelé la vie. Afin que notre vie ne soit plus à nous-mêmes, mais à lui qui est mort et ressuscité pour nous, il a envoyé d'auprès de toi, comme premier don fait aux croyants, l'Esprit qui poursuit son œuvre dans le monde et achève toute sanctification.

Que ce même Esprit Saint, nous t'en prions, Seigneur, sanctifie ces offrandes : qu'elles deviennent ainsi le corps ✠ et le sang de ton Fils dans la célébration de ce grand mystère, que lui-même nous a laissé en signe de l'Alliance éternelle.

Quand l'heure fut venue où tu allais le glorifier,
comme il avait aimé les siens qui étaient dans le monde,
il les aima jusqu'au bout :
pendant le repas qu'il partageait avec eux,

il prit le pain, il le bénit, le rompit
et le donna à ses disciples, en disant :
« Prenez, et mangez-en tous :
ceci est mon corps livré pour vous. »
De même, il prit la coupe remplie de vin,
il rendit grâce, et la donna à ses disciples, en disant :
« Prenez, et buvez-en tous,
car ceci est la coupe de mon sang,
le sang de l'Alliance nouvelle et éternelle,
qui sera versé pour vous et pour la multitude
en rémission des péchés.
Vous ferez cela, en mémoire de moi. »

(Prendre une des trois acclamations d'anamnèse, page 203)

Voilà pourquoi, Seigneur, nous célébrons aujourd'hui le mémorial de notre rédemption : en rappelant la mort de Jésus Christ et sa descente au séjour des morts, en proclamant sa résurrection et son ascension à ta droite dans le ciel, en attendant aussi qu'il vienne dans la gloire, nous t'offrons son corps et son sang, le sacrifice qui est digne de toi et qui sauve le monde. Regarde, Seigneur, cette offrande que tu as donnée toi-même à ton Église ; accorde à tous ceux qui vont partager ce pain et boire à cette coupe d'être rassemblés par l'Esprit Saint en un seul corps, pour qu'ils soient eux-mêmes dans le Christ une vivante offrande à la louange de ta gloire.

Et maintenant, Seigneur, rappelle-toi tous ceux pour qui nous offrons le sacrifice : le pape …, notre évêque … et tous les évêques, les prêtres et ceux qui les assistent, les fidèles qui présentent cette offrande, les membres de notre assemblée, le peuple qui t'appartient et tous les hommes qui te cherchent avec droiture.

Souviens-toi aussi de nos frères qui sont morts dans la paix du Christ, et de tous les morts dont toi seul connais la foi.

À nous qui sommes tes enfants, accorde, Père très bon, l'héritage de la vie éternelle auprès de la Vierge Marie, la bienheureuse Mère de Dieu, auprès de saint Joseph, son époux, des Apôtres et de tous les saints, dans ton royaume, où nous pourrons, avec la création tout entière enfin libérée du péché et de la mort, te glorifier par le Christ, notre Seigneur, par qui tu donnes au monde toute grâce et tout bien.

Par lui, avec lui et en lui, à toi, Dieu le Père tout-puissant, dans l'unité du Saint-Esprit, tout honneur et toute gloire, pour les siècles des siècles.

■ Amen. *(Notre Père)*

RITE DE COMMUNION

Prière du Seigneur Jésus

Unis dans le même Esprit, nous pouvons dire avec confiance la prière que nous avons reçue du Sauveur :

Notre Père, qui es aux cieux,
que ton nom soit sanctifié,
que ton règne vienne,
que ta volonté soit faite
sur la terre comme au ciel.
Donne-nous aujourd'hui
notre pain de ce jour.
Pardonne-nous nos offenses,
comme nous pardonnons aussi
à ceux qui nous ont offensés.
Et ne nous soumets pas à la tentation,
mais délivre-nous du Mal.

Pater noster, qui es in caelis :
sanctificetur nomen tuum ;
adveniat regnum tuum ;
fiat voluntas tua,
sicut in caelo, et in terra.
Panem nostrum quotidianum
da nobis hodie ;
et dimitte nobis debita nostra,
sicut et nos dimittimus
debitoribus nostris ;
et ne nos inducas in tentationem ;
sed libera nos a Malo.

■ Délivre-nous de tout mal, Seigneur, et donne la paix à notre temps ; par ta miséricorde, libère-nous du péché, rassure-nous devant les épreuves en cette vie où nous espérons le bonheur que tu promets et l'avènement de Jésus Christ, notre Sauveur.

■ Car c'est à toi qu'appartiennent
le règne, la puissance et la gloire,
pour les siècles des siècles !

La paix

■ Seigneur Jésus Christ, tu as dit à tes Apôtres : « Je vous laisse la paix, je vous donne ma paix » ; ne regarde pas nos péchés mais la foi de ton Église ; pour que ta volonté s'accomplisse, donne-lui toujours cette paix, et conduis-la vers l'unité parfaite, toi qui règnes pour les siècles des siècles.

■ Amen.

■ Que la paix du Seigneur soit toujours avec vous.

■ Et avec votre esprit.

(Ensuite, le prêtre, ou le diacre, peut dire aux fidèles :)

■ Frères, dans la charité du Christ, donnez-vous la paix.

Fraction du pain

■ Agneau de Dieu, qui enlèves le péché du monde,
prends pitié de nous.
Agneau de Dieu, qui enlèves le péché du monde,
prends pitié de nous.
Agneau de Dieu, qui enlèves le péché du monde,
donne-nous la paix.

■ Agnus Dei, qui tollis peccata mundi :
miserere nobis.
Agnus Dei, qui tollis peccata mundi :
miserere nobis.
Agnus Dei, qui tollis peccata mundi :
dona nobis pacem.

(Le prêtre laisse tomber un petit fragment de l'hostie dans le vin consacré en disant à voix basse :)

Que le corps et le sang de Jésus Christ, réunis dans cette coupe, nourrissent en nous la vie éternelle.

Prière avant la communion

Seigneur Jésus Christ, Fils du Dieu vivant, selon la volonté du Père et avec la puissance du Saint-Esprit, tu as donné, par ta mort, la vie au monde ; que ton corps et ton sang me délivrent de mes péchés et de tout mal ; fais que je demeure fidèle à tes commandements et que jamais je ne sois séparé de toi.

(Ou bien :)

Seigneur Jésus Christ, que cette communion à ton corps et à ton sang n'entraîne pour moi ni jugement ni condamnation ; mais qu'elle soutienne mon esprit et mon corps et me donne la guérison.

Communion

(En présentant le pain consacré, le prêtre dit à haute voix :)

■ Heureux les invités au repas du Seigneur !
Voici l'Agneau de Dieu, qui enlève le péché du monde.

(Prêtre et fidèles disent ensemble en se frappant la poitrine :)

■ **Seigneur, je ne suis pas digne de te recevoir ;**
mais dis seulement une parole et je serai guéri.

(Le prêtre communie au corps et au sang du Christ.)

Prière après la communion

RITE DE CONCLUSION

Annonces

Renvoi de l'assemblée

■ Le Seigneur soit avec vous.
■ **Et avec votre esprit.**
■ Que Dieu tout-puissant vous bénisse,
le Père, le Fils ✠ et le Saint-Esprit.
■ **Amen.**
■ Allez, dans la paix du Christ.
■ **Nous rendons grâce à Dieu.**

[VENDREDI 15 JUILLET]

Saint Bonaventure

Prière du matin

Rendons grâce à Dieu,
éternel est son amour.

Gloire au Père, et au Fils, et au Saint-Esprit !

HYMNE

Sur les chemins où nous peinons,
comme il est bon, Seigneur,
de rencontrer ta croix !

Sur les sommets que nous cherchons,
nous le savons, Seigneur,
nous trouverons ta croix !

Et lorsqu'enfin nous te verrons,
dans ta clarté, Seigneur,
nous comprendrons ta croix.

PSAUME 21 (I-II) **Prière du Serviteur souffrant**

Pourquoi tant de solitude ? En criant vers le Père, au cœur de sa souffrance, Jésus nous a donné les mots qui ouvrent à l'espérance.

Mon Dieu, mon Dieu,
pourquoi m'as-tu abandonné ? *
Le salut est loin de moi,
loin des mots que je rugis.

Mon Dieu, j'appelle tout le jour,
et tu ne réponds pas ; *
même la nuit,
je n'ai pas de repos.

Toi, pourtant, tu es saint,
toi qui habites les hymnes d'Israël !
C'est en toi que nos pères espéraient,
ils espéraient et tu les délivrais.
Quand ils criaient vers toi, ils échappaient ;
en toi ils espéraient et n'étaient pas déçus.

Et moi, je suis un ver, pas un homme,
raillé par les gens, rejeté par le peuple.
Tous ceux qui me voient me bafouent,
ils ricanent et hochent la tête :
« Il comptait sur le Seigneur : qu'il le délivre !
Qu'il le sauve, puisqu'il est son ami ! »

C'est toi qui m'as tiré du ventre de ma mère,
qui m'as mis en sûreté entre ses bras.
À toi je fus confié dès ma naissance ;
dès le ventre de ma mère, tu es mon Dieu.

Ne sois pas loin : l'angoisse est proche,
je n'ai personne pour m'aider.
Des fauves nombreux me cernent,
des taureaux de Basan m'encerclent.
Des lions qui déchirent et rugissent
ouvrent leur gueule contre moi.

Je suis comme l'eau qui se répand,
tous mes membres se disloquent.
Mon cœur est comme la cire,
il fond au milieu de mes entrailles.
Ma vigueur a séché comme l'argile,
ma langue colle à mon palais.

Tu me mènes à la poussière de la mort. +

Oui, des chiens me cernent,
une bande de vauriens m'entoure.
Ils me percent les mains et les pieds ;
je peux compter tous mes os.

Ces gens me voient, ils me regardent. +
Ils partagent entre eux mes habits
et tirent au sort mon vêtement.

Mais toi, Seigneur, ne sois pas loin :
ô ma force, viens vite à mon aide !
Préserve ma vie de l'épée,
arrache-moi aux griffes du chien ;
sauve-moi de la gueule du lion
et de la corne des buffles.

Gloire au Père, et au Fils, et au Saint-Esprit,
pour les siècles des siècles. Amen.

Parole de Dieu **Éphésiens 2, 8-9**

C'EST BIEN PAR LA GRÂCE que vous êtes sauvés, et par le moyen de la foi. Cela ne vient pas de vous, c'est le don de Dieu. Cela ne vient pas des actes : personne ne peut en tirer orgueil.

Toi seul es saint ! Toi seul, Seigneur !
À la gloire de Dieu le Père !

CANTIQUE DE ZACHARIE (Texte, couverture B)

LOUANGE ET INTERCESSION

Supplions le Christ qui nous a aimés jusqu'à la mort :

℟ Sauve-nous par ton amour.

Jésus, que l'on a bafoué sans raison,
– prends pitié de ceux dont l'amour est trahi.

Jésus, que l'amour du Royaume a perdu,
– prends pitié de ceux que l'on met en prison.

Jésus, qui n'as pas trouvé de consolateur,
– prends pitié de ceux qui sont affligés.

Jésus, que l'on abreuva de vinaigre,
– prends pitié de ceux qui souffrent pour la justice.

Jésus, humilié par les hommes, sauvé par Dieu,
– sois la joie et la fête des pauvres.

Intentions libres

Notre Père…

Accorde-nous, Dieu tout-puissant, tandis que nous célébrons l'anniversaire de saint Bonaventure, de mettre à profit les richesses de son enseignement, et de prendre en exemple sa brûlante charité. Par Jésus Christ, ton Fils, notre Seigneur.

LA MESSE

Vendredi de la 15e semaine du temps ordinaire

SAINT BONAVENTURE (XIIIE S.) *Mémoire*

● *FILS SPIRITUEL de saint François d'Assise dont il écrivit la vie, ministre général de l'ordre des Frères mineurs, auquel il donna son organisation, Bonaventure de Bagnorea (1221-1274) fut aussi un théologien d'une rare profondeur. À l'école de saint Augustin, il scruta et enseigna l'*Itinéraire de l'âme vers Dieu. *Devenu cardinal évêque d'Albano, il mourut au concile de Lyon.* ●

Ainsi parle le Seigneur Dieu : « Je me susciterai un prêtre fidèle, qui agira selon mon cœur et mon désir. »

PRIÈRE ——— **ci-dessus**

(Lectures de la mémoire : Ep 3, 14-19 ; Ps 118 ; Mt 23, 8-12.)

Lecture du livre du prophète Isaïe 38, 1-6.21-22.7-8

En ces jours-là, le roi Ézékias souffrait d'une maladie mortelle. Le prophète Isaïe, fils d'Amots, vint lui dire : « Ainsi parle le Seigneur : Prends des dispositions pour ta maison, car tu vas mourir, tu ne guériras pas. » Ézékias se tourna vers le mur et fit cette prière au Seigneur : « Ah ! Seigneur, souviens-toi ! J'ai marché en ta présence, dans la loyauté et d'un cœur sans partage, et j'ai fait ce qui est bien à tes yeux. » Puis le roi Ézékias fondit en larmes. La parole du Seigneur fut adressée à Isaïe : « Va dire à Ézékias : Ainsi parle le Seigneur, Dieu de David ton ancêtre : J'ai entendu ta prière, j'ai vu tes larmes. Je vais ajouter quinze années à ta vie. Je te délivrerai, toi et cette ville, de la main du roi d'Assour, je protégerai cette ville. » Puis Isaïe dit : « Qu'on apporte un gâteau de figues ; qu'on l'applique sur l'ulcère, et le roi vivra. » Ézékias dit : « À quel signe reconnaîtrai-je que je pourrai monter à la maison du Seigneur ? – Voici le signe que le Seigneur te donne pour montrer qu'il accomplira sa promesse : Je vais faire reculer de dix degrés l'ombre qui est déjà descendue sur le cadran solaire d'Acaz. » Et le soleil remonta sur le cadran les dix degrés qu'il avait déjà descendus.

— *Parole du Seigneur.*

Cantique (Isaïe 38)

Seigneur, tu me guériras,
tu me feras vivre.

Je disais : Au milieu de mes jours,
je m'en vais ;
j'ai ma place entre les morts
pour la fin de mes années.

Je disais : Je ne verrai pas le Seigneur
sur la terre des vivants,

plus un visage d'homme
parmi les habitants du monde !

Ma demeure m'est enlevée, arrachée,
comme une tente de berger.
Tel un tisserand, j'ai dévidé ma vie :
le fil est tranché.

« Le Seigneur est auprès d'eux : ils vivront !
Tout ce qui vit en eux vit de son esprit ! »
Oui, tu me guériras, tu me feras vivre :
voici que mon amertume se change en paix.

Alléluia. Alléluia. Mes brebis écoutent ma voix, dit le Seigneur ; moi, je les connais, et elles me suivent. **Alléluia.**

Évangile de Jésus Christ
selon saint Matthieu 12, 1-8

En ce temps-là, un jour de sabbat, Jésus vint à passer à travers les champs de blé ; ses disciples eurent faim et ils se mirent à arracher des épis et à les manger. Voyant cela, les pharisiens lui dirent : « Voilà que tes disciples font ce qu'il n'est pas permis de faire le jour du sabbat ! » Mais il leur dit : « N'avez-vous pas lu ce que fit David, quand il eut faim, lui et ceux qui l'accompagnaient ? Il entra dans la maison de Dieu, et ils mangèrent les pains de l'offrande ; or, ni lui ni les autres n'avaient le droit d'en manger, mais seulement les prêtres. Ou bien encore, n'avez-vous pas lu dans la Loi que le jour du sabbat, les prêtres, dans le Temple, manquent au repos du sabbat sans commettre de faute ? Or, je vous le dis : il y a ici plus grand que le Temple. Si vous aviez compris ce que signifie : Je veux la miséricorde, non le sacrifice, vous n'auriez pas condamné ceux qui n'ont pas commis de faute. En effet, le Fils de l'homme est maître du sabbat. »

— ***Acclamons la Parole de Dieu.***

PRIÈRE SUR LES OFFRANDES. En célébrant, Seigneur, la mémoire de saint Bonaventure, nous offrons ce sacrifice à ta louange ; c'est en lui que nous mettons notre espoir : qu'il nous délivre du mal aujourd'hui et demain. Par Jésus, le Christ, notre Seigneur.

« Je suis venu, dit le Seigneur, pour que les hommes aient la vie, et qu'ils l'aient en abondance. »

PRIÈRE APRÈS LA COMMUNION. Que cette communion, Seigneur notre Dieu, ravive en nous l'ardeur de charité et nous brûle de ce feu qui dévorait saint Bonaventure, alors qu'il se dépensait pour ton Église. Par Jésus, le Christ, notre Seigneur.

MÉDITATION DU JOUR

L'éveil des sens intérieurs

L'âme doit croire, espérer et aimer Jésus Christ, lui qui est le Verbe incarné, incréé et inspiré, la voie, la vérité et la vie. Par la foi, elle croit au Christ comme au Verbe incréé, Verbe et splendeur du Père ; elle recouvre alors l'ouïe et la vue spirituelle, l'ouïe pour recueillir les enseignements du Christ, la vue pour contempler les splendeurs de sa lumière. Par l'espérance, elle soupire après la venue du Verbe inspiré, le désir et la ferveur lui rendent l'odorat spirituel. Enfin par la charité, elle embrasse le Verbe incarné, de qui elle tire ses délices et qui la fait passer en lui dans une extase d'amour, elle retrouve le goût et le toucher spirituels. Après avoir recouvré tous ses sens, l'âme voit et entend son Époux, elle le respire, le goûte et l'étreint ; elle peut alors chanter comme l'épouse du Cantique des cantiques. L'âme rentrée en possession de ses sens intérieurs perçoit la souveraine beauté ; elle entend ses harmonies ineffables, elle respire ses parfums enivrants ; elle goûte son exquise douceur, elle embrasse ses délices infinis.

La voilà prête pour les ravissements de l'extase dans la dévotion, l'admiration et la joie.

ST BONAVENTURE

Le franciscain Jean Fidanza, dit Bonaventure († 1274), enseigna la théologie à l'université de Paris en compagnie de Thomas d'Aquin. Canonisé en 1482, le « docteur séraphique » fut proclamé docteur de l'Église en 1587.

Prière du soir

Ta croix, Seigneur, nous la vénérons,
ta sainte résurrection, nous la chantons.

PSAUME 21 (III) **Prière du Serviteur souffrant**

Dieu n'abandonne jamais ses enfants. Qu'ils exultent de joie ceux qui ont remis leur vie entre ses mains ! Qu'ils proclament son œuvre de grâce !

Tu m'as répondu ! +
Et je proclame ton nom devant mes frères,
je te loue en pleine assemblée.

Vous qui le craignez, louez le Seigneur, +
glorifiez-le, vous tous, descendants de Jacob,
vous tous, redoutez-le, descendants d'Israël.

Car il n'a pas rejeté,
il n'a pas réprouvé le malheureux dans sa misère ;
il ne s'est pas voilé la face devant lui,
mais il entend sa plainte.

Tu seras ma louange dans la grande assemblée ;
devant ceux qui te craignent,
je tiendrai mes promesses.
Les pauvres mangeront : ils seront rassasiés ;
ils loueront le Seigneur, ceux qui le cherchent :
« À vous, toujours, la vie et la joie ! »

La terre entière se souviendra
et reviendra vers le Seigneur,
chaque famille de nations se prosternera devant lui :
« Oui, au Seigneur la royauté,
le pouvoir sur les nations ! »

Tous ceux qui festoyaient s'inclinent ;
promis à la mort, ils plient en sa présence.

Et moi, je vis pour lui : ma descendance le servira ;
on annoncera le Seigneur aux générations à venir.
On proclamera sa justice au peuple qui va naître :
Voilà son œuvre !

Gloire au Père, et au Fils, et au Saint-Esprit,
pour les siècles des siècles. Amen.

Pourquoi nous abandonner, ô notre Dieu, si tu n'abandonnes jamais ? Pourquoi ne pas répondre, toi qui suscites la prière ? Pourquoi rester si loin, quand tu as notre confiance ? Laisse-nous t'interroger comme le Christ sur la croix. Comme tu l'as sauvé, sauve-nous. Mets sur nos lèvres son action de grâce pour annoncer au monde ton œuvre de salut.

Parole de Dieu

1 Pierre 1, 18-21

VOUS LE SAVEZ : ce n'est pas par des biens corruptibles, l'argent ou l'or, que vous avez été rachetés de la conduite superficielle héritée de vos pères ; mais c'est par un sang précieux, celui d'un agneau sans défaut et sans tache, le Christ. Dès avant la fondation du monde, Dieu l'avait désigné d'avance et il l'a manifesté à la fin des temps à cause de vous. C'est bien par lui que vous croyez en Dieu, qui l'a ressuscité d'entre les morts et qui lui a donné la gloire ; ainsi vous mettez votre foi et votre espérance en Dieu.

Agneau de Dieu, tu enlèves le péché du monde.

Cantique de Marie (Texte, couverture A)

Intercession

En contemplant la passion de Jésus, notre Sauveur, nous supplions :

℟ Ô Jésus, notre Sauveur !

Pour ceux que la tristesse accable,
– souviens-toi de ton agonie.

Pour ceux qui sont blessés dans leur chair,
– souviens-toi de tes tortures.

Pour ceux qui souffrent la dérision,
– souviens-toi de la couronne d'épines.

Pour ceux qui désespèrent de la vie,
– souviens-toi de ton cri vers le Père.

Pour ceux qui meurent aujourd'hui,
– souviens-toi de ta mort sur la croix.

Pour ceux qui espèrent contre toute espérance,
– que resplendisse ta résurrection.

Intentions libres

Notre Père…

Car c'est à toi qu'appartiennent
le règne, la puissance et la gloire,
pour les siècles des siècles !

SAINTS
D'HIER ET D'AUJOURD'HUI

Le martyrologe romain fait mémoire de SAINT VLADIMIR DE KIEV

Que l'intercession des saints assemblés dans la gloire stimule notre amour pour le Christ.

Vladimir (v. 958-1015) est le plus jeune fils du prince de Kiev, Sviatoslav. Élevé dans le paganisme, il devient prince de Kiev, régnant sur la Rus' – territoire qui englobait l'Ukraine, la Russie et la Biélorussie –, les mains ensanglantées après avoir éliminé son frère aîné et mené quelques guerres victorieuses contre ses divers voisins qui professent, selon le cas, l'islam, le christianisme latin ou byzantin. Lorsque l'empereur byzantin Basile II sollicite son aide militaire pour mettre fin à une révolte, il est mis en contact direct avec la liturgie byzantine dans le plus fastueux des lieux : la basilique Sainte-Sophie. Le culte qui révère le Roi des rois, à grand renfort d'or, d'encens et de chants ineffables, l'enthousiasme : « Nous ne savions plus si nous étions au ciel ou sur la terre ! » Le prince fougueux se fait baptiser en 988, et entraîne son peuple dans cette conversion. En 2001, Jean-Paul II disait : « C'est ici qu'eut lieu le baptême de la Rus'. Kiev, c'est de toi que sont partis les évangélisateurs [...]. Que ne manquent pas aux nouvelles générations des hommes et des femmes de l'étoffe de ces glorieux ancêtres ! »
Prions pour nos frères des différentes Églises présentes sur ces vastes territoires, leurs patriarches et les foules nombreuses qui attendent le message du Christ.

Bonne fête !
Bonaventure, Donald, Donovan, Vladimir, Volodia et Ceslas

[SAMEDI 16 JUILLET
Notre-Dame du Mont-Carmel]

Prière du matin

Rendons grâce à Dieu,
éternel est son amour !

Gloire au Père, et au Fils, et au Saint-Esprit,
au Dieu qui est, qui était, et qui vient,
pour les siècles des siècles. Amen. Alléluia.

HYMNE

Pleine de grâce, réjouis-toi !
L'Emmanuel a trouvé place
Dans ta demeure illuminée.
Par toi, la gloire a rayonné
Pour le salut de notre race.

Arche d'alliance, réjouis-toi !
Sur toi repose la présence
Du Dieu caché dans la nuée.
Par toi, la route est éclairée
Dans le désert où l'homme avance.

Vierge fidèle, réjouis-toi !
Dans la ténèbre où Dieu t'appelle,
Tu fais briller si haut ta foi
Que tu reflètes sur nos croix
La paix du Christ et sa lumière.

Reine des anges, réjouis-toi !
Déjà l'Église en toi contemple
La création transfigurée :
Fais-nous la joie de partager
L'exultation de ta louange.

CANTIQUE DE LA SAGESSE (9)

Du trône de sa gloire, le Père envoie sa Sagesse, Jésus Christ.
Accueillons-le, il connaît ce qui plaît à Dieu et nous l'enseigne.

Dieu de mes pères et Seigneur de tendresse,
par ta parole tu fis l'univers,
tu formas l'homme par ta Sagesse
pour qu'il domine sur tes créatures,
qu'il gouverne le monde avec justice et sainteté,
qu'il rende, avec droiture, ses jugements.

℟ **Donne-moi la Sagesse,**
assise près de toi.

Ne me retranche pas du nombre de tes fils :
je suis ton serviteur, le fils de ta servante,
un homme frêle et qui dure peu,
trop faible pour comprendre les préceptes et les lois.
Le plus accompli des enfants des hommes, *
s'il lui manque la Sagesse que tu donnes,
sera compté pour rien.

Or la Sagesse est avec toi,
elle qui sait tes œuvres ;
elle était là quand tu fis l'univers, *
elle connaît ce qui plaît à tes yeux,
ce qui est conforme à tes décrets.
Des cieux très saints, daigne l'envoyer,
fais-la descendre du trône de ta gloire.

Qu'elle travaille à mes côtés
et m'apprenne ce qui te plaît.
Car elle sait tout, comprend tout, *
guidera mes actes avec prudence,
me gardera par sa gloire.

Gloire au Père, et au Fils, et au Saint-Esprit,
pour les siècles des siècles. Amen.

Parole de Dieu Isaïe 35, 1-2

Le désert et la terre de la soif, qu'ils se réjouissent ! Le pays aride, qu'il exulte et fleurisse comme la rose, qu'il se couvre de fleurs des champs, qu'il exulte et crie de joie ! La gloire du Liban lui est donnée, la splendeur du Carmel et du Sarone. On verra la gloire du Seigneur, la splendeur de notre Dieu.

Fille de Sion, réjouis-toi,
car le Seigneur est en toi en vaillant Sauveur !

Cantique de Zacharie (Texte, couverture B)

Louange et intercession

Avec tous les frères et sœurs du Carmel, avec toutes les générations qui ont chanté la gloire de la Vierge Marie, la Reine du Carmel, nous disons à Dieu :

℟ Nous te louons, Seigneur, et nous te bénissons !

Pour l'humilité de la Vierge, et sa docilité à ta parole,

Pour son allégresse et pour l'œuvre, en elle, de l'Esprit,

Pour l'enfant qu'elle a porté,
qu'elle a couché dans la mangeoire,

Pour son offrande au Temple
et son obéissance à la Loi,

Pour sa présence à Cana, pour sa tranquille prière,

Pour sa foi dans l'épreuve, pour sa force au Calvaire,

Pour sa joie au matin de Pâques,
et parce qu'elle est notre mère, **Intentions libres**

Notre Père…

Que la prière maternelle de la Vierge Marie vienne à notre aide, Seigneur : accorde-nous, par sa protection, de parvenir à la montagne véritable qui est le Christ, notre Seigneur. Lui qui règne avec toi et le Saint-Esprit.

LA MESSE

Samedi de la 15e semaine du temps ordinaire

NOTRE-DAME DU MONT-CARMEL *Mémoire facultative*

● *AUX TEMPS ANCIENS, le mont Carmel fut lié à la geste d'Élie. Au XIIIe siècle, des hommes, brûlant comme le prophète « de zèle pour le Dieu vivant », y menèrent la vie érémitique, puis ils se groupèrent sous une règle commune. Ce fut l'origine de l'ordre du Carmel, qui se mit sous la protection de Marie, la Vierge de Nazareth et la Mère des contemplatifs.* ●

Nous te saluons, Mère très sainte : tu as mis au monde le Roi qui gouverne le ciel et la terre pour les siècles sans fin.

PRIÈRE ——— **ci-dessus**

(Lectures de la mémoire : Za 2, 14-17 ; Lc 1 ; Mt 12, 46-50.)

Lecture du livre du prophète Michée **2, 1-5**

MALHEUR À CEUX qui préparent leur mauvais coup et, du fond de leur lit, élaborent le mal ! Au point du jour, ils l'exécutent car c'est en leur pouvoir. S'ils convoitent des champs, ils s'en emparent ; des maisons, ils les prennent ; ils saisissent le maître et sa maison, l'homme et son héritage. C'est pourquoi, ainsi parle le Seigneur : Moi, je prépare contre cette engeance un malheur où ils enfonceront jusqu'au cou ; vous ne marcherez plus la tête haute, car ce sera un temps de malheur. Ce jour-là, on proférera sur vous une satire, et l'on entonnera une lamentation ; on dira : « Nous sommes entièrement dévastés ! On livre à d'autres la part de mon peuple ! Hélas ! Elle m'échappe ! Nos champs sont partagés entre des infidèles ! » Plus personne, en effet, ne t'assurera une part dans l'assemblée du Seigneur.

— *Parole du Seigneur.*

PSAUME 9B

N'oublie pas le pauvre, Seigneur !

Pourquoi, Seigneur, es-tu si loin ?
Pourquoi te cacher aux jours d'angoisse ?
L'impie, dans son orgueil, poursuit les malheureux :
ils se font prendre aux ruses qu'il invente.

L'impie se glorifie du désir de son âme,
l'arrogant blasphème, il brave le Seigneur ;
plein de suffisance, l'impie ne cherche plus :
« Dieu n'est rien », voilà toute sa ruse.

Sa bouche qui maudit n'est que fraude et violence,
sa langue, mensonge et blessure.
Il se tient à l'affût près des villages,
il se cache pour tuer l'innocent.

Mais tu as vu : tu regardes le mal et la souffrance,
tu les prends dans ta main ;
sur toi repose le faible,
c'est toi qui viens en aide à l'orphelin.

Alléluia. Alléluia. Dans le Christ, Dieu réconciliait le monde avec lui : il a mis dans notre bouche la parole de la réconciliation. **Alléluia.**

Évangile de Jésus Christ
selon saint Matthieu 12, 14-21

En ce temps-là, une fois sortis de la synagogue, les pharisiens se réunirent en conseil contre Jésus pour voir comment le faire périr. Jésus, l'ayant appris, se retira de là ; beaucoup de gens le suivirent, et il les guérit tous. Mais il leur défendit vivement de parler de lui. Ainsi devait s'accomplir la parole prononcée par le prophète Isaïe : *Voici mon serviteur que j'ai choisi, mon bien-aimé en qui je trouve mon bonheur. Je ferai reposer sur lui mon Esprit, aux nations il fera connaître le jugement. Il ne cherchera pas querelle, il ne criera pas, on n'entendra pas sa voix sur les places publiques. Il n'écrasera pas le roseau froissé, il n'éteindra pas la mèche qui faiblit, jusqu'à ce qu'il ait fait triompher le jugement. Les nations mettront en son nom leur espérance.*

— Acclamons la Parole de Dieu.

PRIÈRE SUR LES OFFRANDES. Dans son amour pour les hommes, que ton Fils unique vienne à notre secours, Seigneur : puisque sa naissance n'a pas altéré mais a consacré la virginité de sa mère, qu'il nous délivre aujourd'hui de nos péchés et te rende agréable cette offrande. Lui qui règne avec toi pour les siècles des siècles.

Heureuse la Vierge Marie, qui a porté dans son sein le Fils du Père éternel.

PRIÈRE APRÈS LA COMMUNION. En communiant à la nourriture du ciel, nous implorons ta bonté, Seigneur : puisque nous avons la joie de faire mémoire de la Vierge Marie, rends-nous capables d'accueillir comme elle le mystère de notre rédemption. Par Jésus, le Christ, notre Seigneur.

MÉDITATION DU JOUR

Pourquoi prier Marie ?

Jésus Christ notre Sauveur, vrai Dieu et vrai homme, doit être la fin dernière de toutes nos autres dévotions ; autrement, elles seraient fausses et trompeuses. Si donc nous établissons la solide dévotion de la Très Sainte

Vierge, ce n'est que pour établir plus parfaitement celle de Jésus Christ, ce n'est que pour donner un moyen aisé et assuré pour trouver Jésus Christ. Si la dévotion à la Sainte Vierge éloignait de Jésus Christ, il faudrait la rejeter comme une illusion du diable ; mais tant s'en faut, que le contraire est vrai : cette dévotion ne nous est nécessaire que pour trouver Jésus Christ parfaitement, et l'aimer tendrement, et le servir fidèlement.

Vous êtes, Seigneur, toujours avec Marie, et Marie est toujours avec vous et ne peut être sans vous ; autrement, elle cesserait d'être ce qu'elle est. Elle est tellement transformée en vous par la grâce, qu'elle ne vit plus, qu'elle n'est plus : c'est vous seul, mon Jésus, qui vivez et régnez en elle, plus parfaitement qu'en tous les anges et les bienheureux. Elle vous est si intimement liée, qu'on séparerait plutôt la lumière du soleil, la chaleur du feu, je dis plus, on séparerait plutôt tous les anges et les saints de vous que la divine Marie, parce qu'elle vous aime plus ardemment et vous glorifie plus parfaitement que toutes vos autres créatures ensemble.

ST LOUIS-MARIE GRIGNION DE MONTFORT

Saint Louis-Marie Grignion de Montfort († 1716), breton formé chez les jésuites de Rennes, fut l'homme des missions paroissiales de l'ouest de la France. Fondateur de plusieurs congrégations, il est surtout connu pour son Traité de la vraie dévotion à la Sainte Vierge, *revendiqué à ce titre par saint Jean-Paul II comme l'un de ses maîtres spirituels.*

Prière du soir

16e semaine du temps ordinaire

Que ma prière devant toi s'élève comme un encens,
et mes mains, comme l'offrande du soir.

Gloire au Père, et au Fils, et au Saint-Esprit,
au Dieu qui est, qui était, et qui vient,
pour les siècles des siècles. Amen. Alléluia.

HYMNE

L'heure s'avance : fais-nous grâce,
Toi dont le jour n'a pas de fin.
Reste avec nous quand tout s'efface,
Dieu des lumières sans déclin.

Tu sais toi-même où sont nos peines ;
Porte au Royaume nos travaux.
Sans toi, notre œuvre sera vaine :
viens préparer les temps nouveaux.

Comme un veilleur attend l'aurore,
Nous appelons le jour promis.
Mais si la nuit demeure encore,
Tiens-nous déjà pour tes amis.

Dieu qui sans cesse nous enfantes,
À toi ces derniers mots du jour !
L'Esprit du Christ en nous les chante
Et les confie à ton amour.

PSAUME 129 — Désir de l'âme

Nous en avons la certitude, auprès du Seigneur est l'amour. Par sa mort et sa résurrection, il a sauvé le monde.

Des profondeurs je crie vers toi, Seigneur,
Seigneur, écoute mon appel ! *
Que ton oreille se fasse attentive
au cri de ma prière !

Si tu retiens les fautes, Seigneur, **je suis sûr de ta parole**
Seigneur, qui subsistera ? *
Mais près de toi se trouve le pardon
pour que l'homme te craigne. **je suis sûr de ta parole**

J'espère le Seigneur de toute mon âme ; *
je l'espère, et j'attends sa parole. **je suis sûr de ta parole**

Mon âme attend le Seigneur
plus qu'un veilleur ne guette l'aurore. *
Plus qu'un veilleur ne guette l'aurore,
attends le Seigneur, Israël. **je suis sûr de ta parole**

Oui, près du Seigneur, est l'amour ;
près de lui, abonde le rachat. *
C'est lui qui rachètera Israël
de toutes ses fautes. **je suis sûr de ta parole**

Rendons gloire au Père tout-puissant,
à son Fils, Jésus Christ, le Seigneur,
à l'Esprit qui habite en nos cœurs,
pour les siècles des siècles. Amen.

Dieu d'amour et de pardon, tu as fait lever sur ton peuple l'aurore du salut en envoyant ta parole dans le monde. Ne nous abandonne pas maintenant aux profondeurs où nous ont plongés nos fautes ; écoute le cri de ton Église et comble son attente en lui donnant la pleine délivrance.

Parole de Dieu — 2 Pierre 1, 19b-21

Vous faites bien de fixer votre attention sur la parole prophétique, comme sur une lampe brillant dans un lieu obscur jusqu'à ce que paraisse le jour et que l'étoile du matin se lève dans vos cœurs. Car vous savez cette chose primordiale : pour aucune prophétie de l'Écriture il ne peut y avoir d'interprétation individuelle, puisque ce n'est jamais par la volonté d'un homme qu'un message prophétique a été porté : c'est portés par l'Esprit Saint que des hommes ont parlé de la part de Dieu.

Ouvre mon cœur, Seigneur,
à ta parole de lumière.

Cantique de Marie — (Texte, couverture A)

INTERCESSION

Prions le Christ, source de joie pour qui espère en lui.

℟ Regarde-nous, Seigneur, exauce-nous.

Témoin fidèle et premier-né d'entre les morts,
tu nous as sauvés par l'eau et le sang,
– réjouis-nous au souvenir de tes merveilles.

Tu envoies tes disciples
annoncer l'Évangile au monde :
– donne-leur courage et fidélité.

Par ta croix, tu as brisé le mur de la haine :
– accorde aux gouvernants ton Esprit de paix.

Tu es venu porter le feu sur la terre :
– donne-nous de combattre toute injustice.

Accueille auprès de ta mère et de tous les saints
– ceux que ta résurrection a libérés de la mort.

Intentions libres

Apprends-nous toi-même à prier !

Notre Père… Car c'est à toi qu'appartiennent…

Sainte Mère de notre Rédempteur,
Porte du ciel, toujours ouverte,
Étoile de la mer,
Viens au secours du peuple qui tombe
et qui cherche à se relever.
Tu as enfanté, ô merveille !
celui qui t'a créée,
et tu demeures toujours vierge.
Accueille le salut de l'ange Gabriel
et prends pitié de nous, pécheurs.

Saints
d'hier et d'aujourd'hui

Le martyrologe romain fait mémoire des bienheureux André de Soveral et Dominique Carvalho

La gloire du Christ apparaît sur le visage des saints qui chantent dans les demeures du ciel.

En l'an 2000, année du cinquième centenaire de l'évangélisation du Brésil, Jean-Paul II a béatifié les trente plus anciens martyrs de ce vaste pays, dont le père André de Soveral et un de ses paroissiens, Dominique Carvalho.

Né vers 1572 à São Vicente, dans l'État de São Paulo, André de Soveral fait son noviciat chez les jésuites de Bahia, où il apprend la langue indienne. Il est ensuite nommé au collège d'Olinda, un centre important de rayonnement missionnaire. Vers 1610, il intègre le clergé diocésain et devient curé de Cunhaú, dans le Rio Grande do Norte. Mais, en 1630, la région passe aux mains des Hollandais, calvinistes. Le 16 juillet 1645, alors que la paroisse est réunie autour du père de Soveral pour célébrer l'eucharistie, des soldats hollandais accompagnés d'Indiens font irruption dans l'église. Le père André interrompt la célébration et exhorte les fidèles à se préparer à la mort en demandant pardon pour leurs péchés. À l'issue du terrible massacre, un seul fidèle est identifié, il s'agit de Dominique Carvalho.

Demandons à ces martyrs de soutenir le courage de ceux qui, aujourd'hui, affrontent la mort à cause de leur foi.

Bonne fête !

Carmen, Reinelde, Irmengarde, Barthélemy

16e du temps ordinaire

Parole de Dieu pour un dimanche

L'art de recevoir

Christelle Javary

ENFANT, je me souviens d'avoir été témoin de l'affolement provoqué par l'invité qui arrivait trop en avance à la maison. Un de mes parents se précipitait pour l'accueillir, laissant l'autre veiller en cuisine ou terminer en hâte de se préparer. La scène était presque comique, mais elle me transmettait une leçon essentielle : il est inenvisageable de laisser seul un invité, car la première chose qu'on lui doit, ce n'est pas un repas soigné ou une table bien mise, c'est une présence affectueuse. Autrement dit, accueillir quelqu'un, c'est s'offrir soi-même. Marthe semble l'avoir oublié, elle qui n'hésite pas à « réquisitionner » sa sœur pour l'aider, quitte à laisser Jésus seul au salon… Marthe, Marthe, tu fais sûrement de ton mieux pour que ce repas soit parfait, car c'est ta manière d'honorer celui que tu appelles Maître. Mais est-ce vraiment cela qu'il est venu chercher sur terre ? N'est-ce pas plutôt des cœurs ouverts et disponibles ? Ta sœur Marie, *assise aux pieds du Seigneur, écoutait sa parole* : c'est l'attitude même du disciple. Ne la tourmente pas, Marthe, ne la jalouse pas ; réjouis-toi plutôt de votre complémentarité. N'aie pas l'air de reprocher à ton invité tout le mal qu'il te donne. Tu peux agir sans t'agiter ! Toi qui vaques aux fourneaux, que ce soit d'un cœur léger, comme une offrande. Marthe et Marie, si différentes de caractère et si proches dans votre amour pour Jésus, vous avez beaucoup à nous apprendre, car aujourd'hui encore, il désire être reçu comme l'hôte très doux de nos âmes. ■

Les intentions dominicales

Ces intentions sont à adapter en fonction de l'actualité et de l'assemblée qui célèbre.

Rassemblés par le Christ pour la prière commune, intercédons pour les hommes et les femmes de ce monde.

Pour que l'Église s'ouvre toujours plus à l'accueil et au partage.

Pour que les gouvernants cherchent activement des solutions de paix qui préservent leur peuple.

Pour que les responsables des divers groupes de jeunes partant aux JMJ ne se laissent pas accaparer par les multiples tâches qui les attendent.

Pour que les familles chrétiennes aient le souci de l'accueil des plus pauvres.

Pour que notre communauté prenne le chemin unique et commun de la prière et du service.

Dieu de miséricorde, tu sais les besoins des hommes, accueille notre prière et exauce les désirs de ceux qui te supplient. Par Jésus, le Christ, notre Seigneur.

[DIMANCHE 17 JUILLET]

16e du temps ordinaire

Prière du matin

Rendez grâce au Seigneur : Il est bon !
Éternel est son amour !

Louez le Seigneur, tous les peuples ; **Ps 116**
fêtez-le, tous les pays !

Son amour envers nous s'est montré le plus fort ;
éternelle est la fidélité du Seigneur !
Gloire au Père, et au Fils, et au Saint-Esprit,
pour les siècles des siècles. Amen.

HYMNE

Le chant nouveau que tu appelles,
Dieu créateur de l'univers,
Que ton Esprit le fasse naître,
Qu'il nous éveille
à la louange de ton nom.

C'est lui la voix qui intercède
Mais ne dit pas quel est son nom,
C'est lui qui met au fond de l'être
Ton nom de Père,
Puis d'un murmure fait un chant.

C'est lui encore qui s'émerveille
En proclamant « Jésus, Seigneur ! » :
Alors les hommes se souviennent
De l'aube en fête
Où tu relèves le vivant.

Chaque parole de ton Verbe,
Et chaque signe qu'il a fait,
Il les embrase de lumière
Pour qu'ils éclairent
Notre chemin jusqu'à ton jour.

Le chant nouveau que tu appelles,
Dieu créateur de l'univers,
Nous l'accueillons de ta tendresse ;
Fais qu'il s'élève
Dans le grand souffle de l'Esprit.

Cantique de Daniel (3)

Unissons nos voix à celles des enfants dans la fournaise et bénissons le Créateur de tout bien.

Béni sois-tu, Seigneur, Dieu de nos pères :
à toi, louange et gloire éternellement !

Béni soit le nom très saint de ta gloire :
à toi, louange et gloire éternellement !

Béni sois-tu dans ton saint temple de gloire :
à toi, louange et gloire éternellement !

Béni sois-tu sur le trône de ton règne :
à toi, louange et gloire éternellement !

Béni sois-tu, toi qui sondes les abîmes :
à toi, louange et gloire éternellement !

Toi qui sièges au-dessus des Kéroubim :
à toi, louange et gloire éternellement !

Béni sois-tu au firmament, dans le ciel :
à toi, louange et gloire éternellement !

Toutes les œuvres du Seigneur, bénissez-le :
à toi, louange et gloire éternellement !

Parole de Dieu

Cantique des cantiques 8, 6b-7a

L'AMOUR EST FORT comme la Mort, la passion, implacable comme l'Abîme : ses flammes sont des flammes de feu, fournaise divine.
Les grandes eaux ne pourront éteindre l'amour, ni les fleuves l'emporter.

Je t'aime, Seigneur, ma force.

CANTIQUE DE ZACHARIE **(Texte, couverture B)**

LOUANGE ET INTERCESSION

Nous levons nos mains et nos cœurs vers notre Dieu, Seigneur du ciel et de la terre :

℟ Dans le jour que tu as fait, béni sois-tu !

Père de l'univers,
tu es souverain de tout ce qui existe ;
– aujourd'hui ton peuple se rassemble
pour reconnaître tes bienfaits.

Dieu Sauveur,
tu as envoyé ton Fils relever l'homme déchu ;
– aujourd'hui ton peuple se rassemble
pour faire mémoire de sa résurrection.

Père du Fils unique,
tu appelles tous les hommes
à renaître en lui ;
– aujourd'hui ton peuple se rassemble
pour se nourrir de sa vie.
Toi qui habites la louange de ton peuple,
– aujourd'hui ton Église se rassemble
pour te rendre grâce. **Intentions libres**

Notre Père…

Dieu très bon et ami des hommes, tu connais nos soucis et nos travaux. Libère le cœur de tes enfants : qu'ils te confient leurs peines et leurs joies et se mettent résolument à l'écoute de ta Parole. Elle est venue jusqu'à nous en Jésus Christ ; elle nous ramène à toi, notre Dieu, pour les siècles des siècles.

LA MESSE

16e dimanche du temps ordinaire

Voici que le Seigneur vient m'aider, Dieu, mon appui entre tous. De grand cœur j'offrirai le sacrifice, je rendrai grâce à son nom, car il est bon !

GLOIRE À DIEU page 195

PRIÈRE. Sois favorable à tes fidèles, Seigneur, et multiplie les dons de ta grâce : entretiens en eux la foi, l'espérance et la charité, pour qu'ils soient attentifs à garder tes commandements. Par Jésus Christ, ton Fils, notre Seigneur.

Lecture du livre de la Genèse 18, 1-10a

EN CES JOURS-LÀ, aux chênes de Mambré, le Seigneur apparut à Abraham, qui était assis à l'entrée de la tente. C'était l'heure la plus chaude du jour. Abraham leva les yeux, et il vit trois hommes qui se tenaient debout près de lui. Dès qu'il les vit, il courut à leur rencontre depuis l'entrée de la tente et se prosterna jusqu'à terre. Il dit : « Mon seigneur, si j'ai pu trouver grâce à tes yeux, ne passe pas sans t'arrêter près de ton serviteur. Permettez que l'on vous apporte un peu d'eau, vous vous laverez les pieds, et vous vous étendrez sous cet arbre. Je vais chercher de quoi manger, et vous reprendrez des forces avant d'aller plus loin, puisque vous êtes passés près de votre serviteur ! » Ils répondirent : « Fais comme tu l'as dit. »

Abraham se hâta d'aller trouver Sara dans sa tente, et il dit : « Prends vite trois grandes mesures de fleur de farine, pétris la pâte et fais des galettes. » Puis Abraham courut au troupeau, il prit un veau gras et tendre, et le donna à un serviteur, qui se hâta de le préparer. Il prit du fromage blanc, du lait, le veau que l'on avait apprêté, et les déposa devant eux ; il se tenait debout près d'eux, sous l'arbre, pendant qu'ils mangeaient. Ils lui demandèrent : « Où est Sara, ta femme ? » Il répondit : « Elle est à l'intérieur de la tente. » Le voyageur reprit : « Je reviendrai chez toi au temps fixé pour la naissance, et à ce moment-là, Sara, ta femme, aura un fils. »

— Parole du Seigneur.

PSAUME 14

**Celui qui se conduit parfaitement,
qui agit avec justice
et dit la vérité selon son cœur.
Il met un frein à sa langue.**

**Il ne fait pas de tort à son frère
et n'outrage pas son prochain.
À ses yeux, le réprouvé est méprisable
mais il honore les fidèles du Seigneur.**

**Il ne reprend pas sa parole.
Il prête son argent sans intérêt,
n'accepte rien qui nuise à l'innocent.
Qui fait ainsi demeure inébranlable.**

Lecture de la lettre
de saint Paul apôtre aux Colossiens 1, 24-28

Frères, maintenant je trouve la joie dans les souffrances que je supporte pour vous ; ce qui reste à souffrir des épreuves du Christ dans ma propre chair, je l'accomplis pour son corps qui est l'Église. De cette Église, je suis devenu ministre, et la mission que Dieu m'a confiée, c'est de mener à bien pour vous l'annonce de sa parole, le mystère qui était caché depuis toujours à toutes les générations, mais qui maintenant a été manifesté à ceux qu'il a sanctifiés. Car Dieu a bien voulu leur faire connaître en quoi consiste la gloire sans prix de ce mystère parmi toutes les nations : le Christ est parmi vous, lui, l'espérance de la gloire !
Ce Christ, nous l'annonçons : nous avertissons tout homme, nous instruisons chacun en toute sagesse, afin de l'amener à sa perfection dans le Christ.

— *Parole du Seigneur.*

Alléluia. Alléluia. Heureux ceux qui ont entendu la Parole dans un cœur bon et généreux, qui la retiennent et portent du fruit par leur persévérance. Alléluia.

Évangile de Jésus Christ selon saint Luc 10, 38-42

En ce temps-là, Jésus entra dans un village. Une femme nommée Marthe le reçut. Elle avait une sœur appelée Marie qui, s'étant assise aux pieds du Seigneur, écoutait sa parole. Quant à Marthe, elle était accaparée par les multiples occupations du service. Elle intervint et dit : « Seigneur, cela ne te fait rien que ma sœur m'ait laissé faire seule le service ? Dis-lui donc de m'aider. » Le Seigneur lui répondit : « Marthe, Marthe, tu te donnes du souci et tu t'agites pour bien des choses. Une seule

est nécessaire. Marie a choisi la meilleure part, elle ne lui sera pas enlevée. »

— ***Acclamons la Parole de Dieu.***

CREDO ——— page 197

PRIÈRE SUR LES OFFRANDES. Dans l'unique et parfait sacrifice de la croix, tu as porté à leur achèvement, Seigneur, les sacrifices de l'ancienne loi ; reçois cette offrande des mains de tes fidèles et daigne la sanctifier comme tu as béni les présents d'Abel : que les dons offerts par chacun pour te glorifier servent au salut de tous. Par Jésus, le Christ, notre Seigneur.

PRÉFACE ——— page 200

Le Seigneur a mis le comble à son amour en nous laissant le mémorial de ses merveilles ; à ses amis, il a donné le signe d'un repas qui leur rappelle à jamais son alliance.

Ou bien :

« Voici que je me tiens à la porte et je frappe, dit le Seigneur ; si quelqu'un entend ma voix, s'il m'ouvre, j'entrerai chez lui, je prendrai mon repas avec lui, et lui avec moi. »

PRIÈRE APRÈS LA COMMUNION. Dieu très bon, reste auprès de ton peuple, car sans toi notre vie tombe en ruine ; fais passer à une vie nouvelle ceux que tu as initiés aux sacrements de ton royaume. Par Jésus, le Christ, notre Seigneur.

MÉDITATION DU JOUR

Marthe et Marie

Dès lors qu'on parle à Dieu de ce qu'on fait en travaillant, le travail n'est plus une distraction, mais une dévotion de grand mérite. Marthe, qui pense aux affaires temporelles et qui a toutes les peines de la maison, n'est pas distraite puisque c'est au Sauveur qu'elle en fait ses plaintes, et puisqu'elle ne perd aucune occasion de lui

dire quelque mot et de se soulager en lui témoignant que c'est pour lui qu'elle travaille, et qu'elle s'estime heureuse de travailler et de se lasser [fatiguer] à la vue de son Dieu. N'en doutez point, dès lors qu'au milieu d'une multitude d'occupations, vous vous souvenez de dire à notre Seigneur ce que vous dites à d'autres personnes, que vous êtes accablée, et que vous lui communiquez avec confiance les pensées qui vous viennent durant cet accablement, toutes vos distractions se changent à l'heure même en autant d'actes d'amour divin. Si les Madeleines contemplatives ont plus de douceur, elles n'ont pas plus de mérite. Une personne qui ne s'éloigne point de Dieu, en courant par la ville, vaut bien mieux que celle qui y laisse courir ses pensées en demeurant à l'oratoire.

MICHEL BOUTAULT

Né à Paris en 1604, jésuite, prédicateur et professeur, Michel Boutault († 1689) devra sa notoriété à l'adaptation que fit de sa Méthode pour converser avec Dieu *saint Alphonse de Liguori.*

Prière du soir

Dieu, viens à mon aide,
Seigneur, à notre secours.

Gloire au Père, et au Fils, et au Saint-Esprit !

HYMNE

Veillons et prions dans la nuit,
L'esprit est prompt, la chair est faible,
Il ne dort pas, le Tentateur.

Gardons notre lampe allumée
Car il revient, l'Époux des noces,
Guettons le jour de son retour.

Ne doutons pas, croyons en lui,
Et nous saurons le reconnaître
Quand il viendra dans notre nuit.

Alors le Jour se lèvera,
Ce jour promis à l'espérance,
Et nous vivrons auprès de Dieu.

PSAUME 90 **Mon Dieu, dont je suis sûr**

« Je ne vous promets pas de vous rendre heureuse en ce monde », disait Marie à Bernadette. Ainsi la vie n'est-elle pas exempte d'épreuves, mais Dieu veille sur chacun de nos pas.

Quand je me tiens sous l'abri du Très-Haut
et repose à l'ombre du Puissant,
je dis au Seigneur : « Mon refuge,
mon rempart, mon Dieu, dont je suis sûr ! »

C'est lui qui te sauve des filets du chasseur
et de la peste maléfique ; *
il te couvre et te protège.
Tu trouves sous son aile un refuge :
sa fidélité est une armure, un bouclier.

Tu ne craindras ni les terreurs de la nuit,
ni la flèche qui vole au grand jour,
ni la peste qui rôde dans le noir,
ni le fléau qui frappe à midi.

Qu'il en tombe mille à tes côtés, +
qu'il en tombe dix mille à ta droite, *
toi, tu restes hors d'atteinte.

Il suffit que tu ouvres les yeux,
tu verras le salaire du méchant.
Oui, le Seigneur est ton refuge ;
tu as fait du Très-Haut ta forteresse.

Le malheur ne pourra te toucher,
ni le danger, approcher de ta demeure :

il donne mission à ses anges
de te garder sur tous tes chemins.

Ils te porteront sur leurs mains
pour que ton pied ne heurte les pierres ;
tu marcheras sur la vipère et le scorpion,
tu écraseras le lion et le Dragon.

« Puisqu'il s'attache à moi, je le délivre ;
je le défends, car il connaît mon nom.
Il m'appelle et, moi, je lui réponds ;
je suis avec lui dans son épreuve.

« Je veux le libérer, le glorifier ; +
de longs jours, je veux le rassasier, *
et je ferai qu'il voie mon salut. »

Gloire au Père, et au Fils, et au Saint-Esprit…

Dieu Très-Haut, Dieu Puissant, tu as pris sous ta protection ton serviteur, tu l'as gardé sur tous ses chemins d'homme et tu as été avec lui dans son épreuve. Tiens-nous, comme lui, dans la confiance malgré les terreurs de la nuit. Défends-nous au moment du combat : que nous soyons glorifiés avec lui !

Parole de Dieu

1 Corinthiens 6, 19-20

NE LE SAVEZ-VOUS PAS ? Votre corps est un sanctuaire de l'Esprit Saint, lui qui est en vous et que vous avez reçu de Dieu ; vous ne vous appartenez plus à vous-mêmes, car vous avez été achetés à grand prix. Rendez donc gloire à Dieu dans votre corps.

Gloire à Dieu dans le ciel !
Grande paix sur la terre !

HYMNE DE LOUANGE **(Texte, couverture C)**

INTERCESSION

Dans la joie du Seigneur, source de tout bien, en ce dimanche soir, prions d'un cœur confiant :

℟ Seigneur Dieu, exauce nos prières.

Père de Jésus Christ, pour que ton nom soit glorifié
en tout lieu, tu as envoyé l'Esprit Saint :
– qu'il confirme ton Église au milieu des nations.

Tu nous rassembles aujourd'hui pour que nous
fassions mémoire de la résurrection de ton Fils :
– que la foi de tes Églises en soit renouvelée.

Souviens-toi des croyants persécutés
qui n'ont pas la liberté de se rassembler en ton nom :
– resserre le lien visible de leur communion.

Nous t'avons rendu grâce par le Christ,
pain rompu pour la vie du monde :
– livre-nous en partage à ceux qui ont faim.

Comble l'espérance de ceux qui sont morts :
– par le baptême de l'eau et du feu,
qu'ils parviennent aux rives de la vraie vie.

Intentions libres

Notre Père…

Car c'est à toi qu'appartiennent
le règne, la puissance et la gloire,
pour les siècles des siècles !

À partir du 18 juillet, la rubrique « Saint d'hier et d'aujourd'hui » ne suivra pas le martyrologe romain, mais présentera des saints polonais proposés comme guides aux jeunes des JMJ.

En route pour les JMJ

Bernadette Mélois

Krakow, Cracovie, un petit point sur le globe ! Un petit point vers lequel commencent à converger des milliers de jeunes du monde entier. Ils viennent vivre ce temps de rassemblement des Journées mondiales de la jeunesse qui, cette année, constituent pour eux la démarche jubilaire.

C'est de Cracovie qu'un courant spirituel suscité par une humble religieuse, Faustine Kowalska, a commencé de réveiller la conscience chrétienne sur un point fondamental de la foi : la miséricorde divine. C'est à Cracovie que les jeunes vont découvrir et approfondir ce mystère de la miséricorde qui découle de la mort et de la résurrection du Christ. L'enjeu de la foi est immense !

Eux partent, et nous, nous sommes conviés à les porter dans la prière de manière pressante. En approchant de la source, ils connaîtront sans aucun doute quelques difficultés : la barrière de la langue, le service missionnaire, les tensions du groupe, etc., mais ils vont devoir, aussi, affronter une page noire de l'histoire en passant par Auschwitz. Si nous savons que c'est dans l'ombre de la croix que jaillit la miséricorde, seule l'expérience du passage vers la lumière nous affermit dans la foi.

Il est de notre responsabilité de nous tenir à leur côté dans une grande communion spirituelle. En eux, l'Église d'aujourd'hui et de demain s'édifie, par eux le message de la miséricorde divine peut se répandre aux quatre coins du globe. Prenons part aux JMJ en offrant pour tous ces jeunes la ferveur de notre prière. ■

---

1. Extrait de la prière par laquelle saint Jean-Paul II a confié le monde à la Miséricorde divine, à Cracovie, le 17 août 2002.

Prière des JMJ

« Dieu, Père miséricordieux,
qui as révélé ton amour
dans ton Fils Jésus Christ,
et l'as répandu sur nous
dans l'Esprit Saint Consolateur,
nous te confions aujourd'hui
le destin du monde
et de chaque homme[1]. »

Nous te confions en particulier
les jeunes de toute langue, peuple et nation :
guide-les et protège-les
le long des sentiers périlleux de la vie
et donne-leur la grâce de récolter
de nombreux fruits
de l'expérience
des Journées mondiales de la jeunesse
de Cracovie.

Père céleste,
rends-nous témoins de ta miséricorde.
Apprends-nous à annoncer
la foi aux hésitants,
l'espérance aux découragés,
l'amour aux indifférents,
le pardon à ceux qui ont fait du mal
et la joie aux malheureux.
Fais que l'étincelle de l'amour miséricordieux
que tu as allumée en nous
devienne un feu
qui transforme les cœurs
et renouvelle la face de la terre.

Marie, Mère de miséricorde, prie pour nous,
saint Jean-Paul II, prie pour nous,
sainte Faustine, prie pour nous.

[LUNDI 18 JUILLET]

Prière du matin

Au son de la joie et de la fête,
allons à la rencontre du Seigneur !

Hymne

Envoie ton Esprit Saint et tout sera créé :
Qu'un torrent débordant jailli du cœur du Christ
Étanche toute soif et nous conduise à toi.

℟ Dieu notre Père, Source de tout don,
répands ton Esprit sur l'Église
Et renouvelle la face de la terre.

Envoie ton Esprit Saint et tout sera sauvé :
Que par la croix plantée au cœur du temps
qui passe,
Nous soyons délivrés du poids de nos péchés.

Envoie ton Esprit Saint pour tout ressusciter :
Que la chair du Seigneur, qui a détruit la mort,
Donne à nos corps mortels leur destinée de gloire.

Envoie ton Esprit Saint pour nous donner la paix,
Cette paix que Jésus au soir du jour de Pâques
Donnait à ses disciples pour qu'ils soient
son Église.

Envoie ton Esprit Saint, fais de nous des témoins,
Qui portent l'Évangile à toutes les nations,
Car tu es avec nous jusqu'à la fin du monde.

Psaume 89 **Toute vie est à Dieu**

Au matin de ce jour, nous découvrons que la vie est un don que Dieu nous fait. Louons-le et demandons-lui de fortifier notre foi.

D'âge en âge, Seigneur,
tu as été notre refuge.

Avant que naissent les montagnes, +
que tu enfantes la terre et le monde, *
de toujours à toujours,
toi, tu es Dieu.

Tu fais retourner l'homme à la poussière ;
tu as dit : « Retournez, fils d'Adam ! »
À tes yeux, mille ans sont comme hier,
c'est un jour qui s'en va, une heure dans la nuit.

Tu les as balayés : ce n'est qu'un songe ;
dès le matin, c'est une herbe changeante :
elle fleurit le matin, elle change ;
le soir, elle est fanée, desséchée.

Nous voici anéantis par ta colère ;
ta fureur nous épouvante :
tu étales nos fautes devant toi,
nos secrets à la lumière de ta face.

Sous tes fureurs tous nos jours s'enfuient,
nos années s'évanouissent dans un souffle.
Le nombre de nos années ? soixante-dix,
quatre-vingts pour les plus vigoureux !
Leur plus grand nombre n'est que peine et misère ;
elles s'enfuient, nous nous envolons.

Qui comprendra la force de ta colère ?
Qui peut t'adorer dans tes fureurs ?
Apprends-nous la vraie mesure de nos jours :
que nos cœurs pénètrent la sagesse.

Reviens, Seigneur, pourquoi tarder ?
Ravise-toi par égard pour tes serviteurs.
Rassasie-nous de ton amour au matin,
que nous passions nos jours dans la joie et les chants.

Rends-nous en joies tes jours de châtiment
et les années où nous connaissions le malheur.

Fais connaître ton œuvre à tes serviteurs
et ta splendeur à leurs fils.
Que vienne sur nous
la douceur du Seigneur notre Dieu !
Consolide pour nous l'ouvrage de nos mains ;
oui, consolide l'ouvrage de nos mains.

Gloire au Père, et au Fils, et au Saint-Esprit,
pour les siècles des siècles. Amen.

Parole de Dieu — Hébreux 3, 12-14

FRÈRES, veillez à ce que personne d'entre vous n'ait un cœur mauvais que le manque de foi sépare du Dieu vivant. Au contraire, encouragez-vous les uns les autres jour après jour, aussi longtemps que retentit l'« aujourd'hui » de ce psaume, afin que personne parmi vous ne s'endurcisse en se laissant tromper par le péché. Car nous sommes devenus les compagnons du Christ, si du moins nous maintenons fermement, jusqu'à la fin, notre engagement premier.

Allons à la rencontre du Seigneur.

CANTIQUE DE ZACHARIE (Texte, couverture B)

LOUANGE ET INTERCESSION

Bénissons le Seigneur qui veut le bonheur de ses enfants.

℟ Ami des hommes, sois béni !

Tu invites à la pauvreté des cœurs,

Tu donnes la terre en partage,

Tu consoles ceux qui pleurent,

Tu rassasies ceux qui ont faim de la justice,

Tu fais miséricorde aux miséricordieux,

Tu te révèles aux cœurs purs,

Tu appelles tes fils ceux qui font la paix,

Tu donnes ton royaume aux persécutés,

Intentions libres

Notre Père…

Seigneur, dans l'Alliance instaurée par ton Fils, tu ne cesses de te former un peuple qui se rassemble dans l'Esprit Saint sans distinction de races et sans frontières ; accorde à ton Église d'accomplir sa mission universelle : qu'elle soit le ferment et l'âme du monde pour que devienne la famille de Dieu toute l'humanité renouvelée dans le Christ. Lui qui règne avec toi et le Saint-Esprit.

LA MESSE

Lundi de la 16e semaine du temps ordinaire

(En ce jour, on peut choisir les oraisons, entre filets, de la messe pour demander la charité, Missel romain, *n° IV.39.)*

« J'enlèverai votre cœur de pierre, dit le Seigneur, et je vous donnerai un cœur de chair. Je mettrai en vous mon Esprit : vous serez mon peuple, et moi, je serai votre Dieu. »

PRIÈRE. Dieu d'amour, transforme-nous par ton Esprit d'amour : que nos pensées deviennent tes pensées, et nous aurons pour nos frères et pour toi un même amour. Par Jésus Christ, ton Fils, notre Seigneur.

Lecture du livre du prophète Michée 6,1-4.6-8

ÉCOUTEZ DONC ce que dit le Seigneur : Lève-toi ! Engage un procès avec les montagnes, et que les collines entendent

ta voix. Montagnes, écoutez le procès du Seigneur, vous aussi, fondements inébranlables de la terre. Car le Seigneur est en procès avec son peuple, il plaide contre Israël : Mon peuple, que t'ai-je fait ? En quoi t'ai-je fatigué ? Réponds-moi. Est-ce parce que je t'ai fait monter du pays d'Égypte, que je t'ai racheté de la maison d'esclavage, et que je t'ai donné comme guides Moïse, Aaron et Miryam ?
« Comment dois-je me présenter devant le Seigneur ? demande le peuple. Comment m'incliner devant le Très-Haut ? Dois-je me présenter avec de jeunes taureaux pour les offrir en holocaustes ? Prendra-t-il plaisir à recevoir des milliers de béliers, à voir des flots d'huile répandus sur l'autel ? Donnerai-je mon fils aîné pour prix de ma révolte, le fruit de mes entrailles pour mon propre péché ?
– Homme, répond le prophète, on t'a fait connaître ce qui est bien, ce que le Seigneur réclame de toi : rien d'autre que respecter le droit, aimer la fidélité, et t'appliquer à marcher avec ton Dieu. »

— *Parole du Seigneur.*

Psaume 49

À celui qui veille sur sa conduite,
je ferai voir le salut de Dieu.

« Assemblez, devant moi, mes fidèles,
eux qui scellent d'un sacrifice mon alliance. »
Et les cieux proclament sa justice :
oui, le juge c'est Dieu !

« Je ne t'accuse pas pour tes sacrifices ;
tes holocaustes sont toujours devant moi.
Je ne prendrai pas un seul taureau de ton domaine,
pas un bélier de tes enclos.

« Qu'as-tu à réciter mes lois,
à garder mon alliance à la bouche,

toi qui n'aimes pas les reproches
et rejettes loin de toi mes paroles ?

« Voilà ce que tu fais ;
garderai-je le silence ?
Penses-tu que je suis comme toi ?
Je mets cela sous tes yeux, et je t'accuse.

« Qui offre le sacrifice d'action de grâce,
celui-là me rend gloire :
sur le chemin qu'il aura pris,
je lui ferai voir le salut de Dieu. »

Alléluia. Alléluia. Aujourd'hui, ne fermez pas votre cœur, mais écoutez la voix du Seigneur. Alléluia.

**Évangile de Jésus Christ
selon saint Matthieu** 12, 38-42

En ce temps-là, quelques-uns des scribes et des pharisiens adressèrent la parole à Jésus : « Maître, nous voulons voir un signe venant de toi. » Il leur répondit : « Cette génération mauvaise et adultère réclame un signe, mais, en fait de signe, il ne lui sera donné que le signe du prophète Jonas. En effet, comme Jonas est resté dans le ventre du monstre marin trois jours et trois nuits, le Fils de l'homme restera de même au cœur de la terre trois jours et trois nuits. Lors du Jugement, les habitants de Ninive se lèveront en même temps que cette génération, et ils la condamneront ; en effet, ils se sont convertis en réponse à la proclamation faite par Jonas, et il y a ici bien plus que Jonas. Lors du Jugement, la reine de Saba se dressera en même temps que cette génération, et elle la condamnera ; en effet, elle est venue des extrémités de la terre pour écouter la sagesse de Salomon, et il y a ici bien plus que Salomon. »

— ***Acclamons la Parole de Dieu.***

Prière sur les offrandes. Sanctifie, Seigneur, les biens que nous te présentons : en les acceptant comme une offrande spirituelle, rends-nous capables d'aimer tous les hommes de l'amour dont tu les aimes. Par Jésus, le Christ, notre Seigneur.

Ce qui demeure aujourd'hui, c'est la foi, l'espérance et la charité ; mais la plus grande des trois, c'est la charité.

Prière après la communion. Ceux que tu as nourris d'un même pain, Seigneur, tiens-les dans le souffle de ton Esprit : qu'un parfait amour de charité les saisisse et les renouvelle. Par Jésus, le Christ, notre Seigneur.

MÉDITATION DU JOUR

Soyez miséricordieux

Nous ne pouvons rencontrer Dieu qu'en faisant l'expérience de sa miséricorde sur nous. Nous ne sommes sauvés que parce que nous avons *obtenu miséricorde* (Rm 11, 30). À cela, une seule condition. Une seule, mais impérieuse : faire nous-mêmes miséricorde. La miséricorde n'est pas seulement une sorte de sentiment, mais une suprême activité ; un amour qui est don. En aimant, Dieu crée, Dieu pardonne, Dieu rachète, Dieu glorifie. Le Père rend au fils prodigue son amour et sa robe ; il le fait entrer en sa maison ; le bon Samaritain se penche sur le blessé, le soigne, le conduit au refuge, il met l'hôtelier en action jusqu'au plein rétablissement. Ce n'est pas de bons sentiments dont le monde a besoin, mais d'une action aimante, réfléchie, efficace et persévérante. Telle est bien la démarche ultime de la miséricorde. Non pas seulement donner aux pauvres, mais se donner pour être l'un d'eux. C'est l'amour qui nous unit aux plus pauvres en nous donnant d'être enfin nous-mêmes ce que nous sommes, un pauvre devant Dieu et un pauvre au milieu des hommes. Alors nous entrons dans la vérité de notre être et de nos relations avec les autres et avec Dieu. L'amitié des pauvres nous a sauvés.

LOUIS LOCHET

Louis Lochet († 2002), prêtre du diocèse de Reims, a été professeur au grand séminaire puis curé de paroisse. Il part en 1974 au Burundi pour y fonder un Foyer de charité.

Prière du soir

HYMNE

O Dieu qui fis jaillir de l'ombre
Le monde en son premier matin,
Tu fais briller dans notre nuit
La connaissance de ta gloire.

Tu es l'image de ton Père
Et la splendeur de sa beauté.
Sur ton visage, ô Jésus Christ,
Brille à jamais la joie du monde.

Tu es toi-même la lumière
Qui luit au fond d'un lieu obscur.
Tu es la lampe de nos pas
Sur une route de ténèbres.

Quand tout décline, tu demeures,
Quand tout s'efface, tu es là !
Le soir descend, tu resplendis
Au cœur de toute créature.

Et quand l'aurore qui s'annonce
Se lèvera sur l'univers,
Tu régneras dans la cité
Où disparaissent les ténèbres.

CANTIQUE AUX ÉPHÉSIENS (1)

Contemplons le mystère de notre salut et rendons grâce.

Qu'il soit béni, le Dieu et Père
de notre Seigneur, Jésus, le Christ !

Il nous a bénis et comblés
des bénédictions de l'Esprit, *
au ciel, dans le Christ.

Il nous a choisis, dans le Christ,
avant que le monde fût créé, *
pour être saints et sans péchés devant sa face
grâce à son amour.

Il nous a prédestinés
à être, pour lui, des fils adoptifs *
par Jésus, le Christ.

Ainsi l'a voulu sa bonté,
à la louange de gloire de sa grâce, *
la grâce qu'il nous a faite
dans le Fils bien-aimé.

En lui, par son sang, *
nous avons le rachat,
le pardon des péchés.

C'est la richesse de sa grâce
dont il déborde jusqu'à nous *
en toute intelligence et sagesse.

Il nous dévoile ainsi le mystère de sa volonté, *
selon que sa bonté l'avait prévu dans le Christ :

pour mener les temps à leur plénitude, +
récapituler toutes choses dans le Christ, *
celles du ciel et celles de la terre.

Parole de Dieu

Luc 6, 46-48

JÉSUS DISAIT : « Pourquoi m'appelez-vous en disant : "Seigneur ! Seigneur !" et ne faites-vous pas ce que je dis ? Quiconque vient à moi, écoute mes paroles et les met en pratique, je vais vous montrer à qui il ressemble. Il ressemble à celui qui construit une maison. Il a creusé très profond et il a posé les fondations sur le roc. Quand est venue l'inondation, le torrent s'est précipité sur cette maison, mais il n'a pas pu l'ébranler parce qu'elle était bien construite. »

Prends pitié de moi pécheur !

CANTIQUE DE MARIE (Texte, couverture A)

INTERCESSION

Supplions le Christ qui n'abandonne pas les siens :

℟ Exauce-nous, Seigneur Dieu.

Toi, notre Lumière, illumine ton Église :
– qu'elle révèle ta gloire aux nations.

Veille sur tes pasteurs, les évêques, les prêtres
et les diacres :
– que leur vie se modèle sur la Parole
qu'ils annoncent.

Par ta croix, tu as donné la paix au monde :
– accorde-nous de travailler à l'entente des peuples.

Donne ta grâce aux époux chrétiens,
– qu'ils soient témoins de ton alliance,
jour après jour.

Pardonne aux défunts toutes leurs fautes,
– qu'ils vivent parmi les saints du ciel. Intentions libres

Notre Père… Car c'est à toi qu'appartiennent…

Saints
D'HIER ET D'AUJOURD'HUI

En marche avec les saints des JMJ
SAINT CASIMIR
(Fêté le 4 mars)

Ils ne cessent d'intercéder pour nous,
les saints qui ont marché à la suite du Christ.

Casimir (1458-1484) voit le jour au sein de la famille royale des Jagellon, originaire de Lituanie, qui régna sur l'Europe centrale du XVIe au XVIIIe siècle. Il naît à Cracovie en 1458 et reçoit une éducation qui le prépare à conduire les affaires publiques. Bien que deuxième fils, il est pressenti pour monter sur le trône de Hongrie, mais refuse une couronne qui serait obtenue par la guerre. Tandis que son frère aîné règne sur la Bohême, il assure la régence de la Pologne en l'absence de son père, Casimir IV, et gère le royaume avec intelligence et sagesse durant cinq années. Son père tente de lui faire épouser une des filles de l'empereur Frédéric III, mais il reste ferme dans le choix délibéré du célibat. Toute la vie de Casimir est imprégnée de l'Évangile. Prince, il se met à genoux devant les pauvres ; riche, il choisit l'austérité ; courtisé, il met sa confiance en Dieu seul. Atteint de tuberculose, il s'éteint au château de Grodno, sur la route qui le conduit en Lituanie, en 1484.
En 1948, le pape Pie XII le nomme patron de la jeunesse et modèle de pureté. Qu'il nous apprenne à vivre d'une vie droite et ouverte à l'amour des plus pauvres, quel que soit le milieu où nous vivons.

Bonne fête !
Arnould, Frédéric, Frida, Fred, Materne et Tarcisia

[MARDI 19 JUILLET]

Prière du matin

Adorons le Seigneur, il est notre Dieu.
Gloire au Père, et au Fils, et au Saint-Esprit !

HYMNE

Ecoute la voix du Seigneur,
Prête l'oreille de ton cœur,
Qui que tu sois,
Ton Dieu t'appelle,
Qui que tu sois,
Il est ton Père.

℟ Toi qui aimes la vie,
Ô toi qui veux le bonheur,
Réponds en fidèle ouvrier
De sa très douce volonté,
Réponds en fidèle ouvrier
De l'Évangile et de sa paix.

Écoute la voix du Seigneur,
Prête l'oreille de ton cœur.
Tu entendras
Que Dieu fait grâce,
Tu entendras
L'Esprit d'audace.

CANTIQUE D'AZARIAS (Daniel 3)

À l'homme pécheur, Dieu accorde son pardon. Ne craignons pas de nous approcher de lui, encore et encore, pour recevoir sa vie et déborder d'action de grâce.

Béni sois-tu, Seigneur, Dieu de nos pères,
loué soit ton nom, glorifié pour les siècles !

Oui, tu es juste
pour nous avoir ainsi traités.

Car nous avons péché ; +
quand nous t'avons quitté, nous avons fait le mal :
en tout, nous avons failli.

À cause de ton nom,
ne nous quitte pas pour toujours *
et ne romps pas ton alliance.

Ne nous retire pas ton amour, +
à cause d'Abraham, ton ami,
d'Isaac, ton serviteur, *
et d'Israël que tu as consacré.

Tu as dit que tu rendrais leur descendance
aussi nombreuse que les astres du ciel, *
que le sable au rivage des mers.

Et nous voici, Seigneur,
le moins nombreux de tous les peuples, *
humiliés aujourd'hui sur toute la terre,
à cause de nos fautes.

Il n'est plus, en ce temps,
ni prince ni chef ni prophète, +
plus d'oblation ni d'holocauste ni d'encens, *
plus de lieu où t'offrir nos prémices
pour obtenir ton amour.

Mais, nos cœurs brisés,
nos esprits humiliés, reçois-les, *
comme un holocauste de béliers, de taureaux,
d'agneaux gras par milliers.

Que notre sacrifice, en ce jour,
trouve grâce devant toi, *
car il n'est pas de honte
pour qui espère en toi.

Et maintenant, de tout cœur, nous te suivons,
nous te craignons et nous cherchons ta face.

Gloire au Père, et au Fils, et au Saint-Esprit,
pour les siècles des siècles. Amen.

Parole de Dieu

Isaïe 55, 10-11

LA PLUIE ET LA NEIGE qui descendent des cieux n'y retournent pas sans avoir abreuvé la terre, sans l'avoir fécondée et l'avoir fait germer, donnant la semence au semeur et le pain à celui qui doit manger ; ainsi ma parole, qui sort de ma bouche, ne me reviendra pas sans résultat, sans avoir fait ce qui me plaît, sans avoir accompli sa mission.

Ouvre mon cœur, Seigneur,
à ta parole de lumière !

CANTIQUE DE ZACHARIE

(Texte, couverture B)

LOUANGE ET INTERCESSION

Notre Dieu est un Dieu patient ; bénissons-le :

℟ Béni sois-tu !

Béni sois-tu pour ce jour :
– que nous tirions parti du temps présent
pour hâter la venue de ton règne.

Béni sois-tu pour ce monde en croissance :
– que nous lui annoncions la justice et la paix.

Béni sois-tu pour l'Église que ton Esprit renouvelle :
– donne à ses fils la joie de l'espérance.

Béni sois-tu pour la Terre nouvelle que tu promets :
– guide nos pas jusqu'à la fin du jour.

Intentions libres

Notre Père…

Augmente en nous la foi, Seigneur : fais-nous la grâce de tenir, dans ce monde, notre devoir de louange et de service. Par Jésus Christ, ton Fils, notre Seigneur.

LA MESSE

Mardi de la 16e semaine du temps ordinaire

(En lien avec l'Évangile, on peut choisir les oraisons, entre filets, de la messe pour la famille,* Missel romain, *n° IV.42.)

« Honore ton père et ta mère », c'est le premier commandement assorti d'une promesse, « afin d'être heureux et d'avoir une longue vie sur terre ».

PRIÈRE. Dieu qui es à l'origine de la famille et qui l'as voulue comme lieu de l'amour et de la vie, accorde à toutes les familles de la terre de ressembler à celle que tu as donnée à ton Fils, d'être unies comme elle par les liens de ta charité, et d'être ouvertes comme elle aux appels de l'Esprit. Par Jésus Christ, ton Fils, notre Seigneur.

Lecture du livre du prophète Michée 7, 14-15.18-20

SEIGNEUR, avec ta houlette, sois le pasteur de ton peuple, du troupeau qui t'appartient, qui demeure isolé dans le maquis, entouré de vergers. Qu'il retrouve son pâturage à Bashane et Galaad, comme aux jours d'autrefois ! Comme aux jours où tu sortis d'Égypte, tu lui feras voir des merveilles !

Qui est Dieu comme toi, pour enlever le crime, pour passer sur la révolte comme tu le fais à l'égard du reste, ton héritage : un Dieu qui ne s'obstine pas pour toujours dans sa colère mais se plaît à manifester sa faveur ? De nouveau, tu nous montreras ta miséricorde, tu fouleras aux pieds nos crimes, tu jetteras au fond de la mer tous nos péchés ! Ainsi tu accordes à Jacob ta fidélité, à Abraham ta faveur, comme tu l'as juré à nos pères depuis les jours d'autrefois.
— *Parole du Seigneur.*

PSAUME 84

Fais-nous voir, Seigneur, ton amour !

Tu as aimé, Seigneur, cette terre,
tu as fait revenir les déportés de Jacob ;
tu as ôté le péché de ton peuple,
tu as couvert toute sa faute.

Fais-nous revenir, Dieu, notre salut,
oublie ton ressentiment contre nous.
Seras-tu toujours irrité contre nous,
maintiendras-tu ta colère d'âge en âge ?

N'est-ce pas toi qui reviendras nous faire vivre
et qui seras la joie de ton peuple ?
Fais-nous voir, Seigneur, ton amour,
et donne-nous ton salut.

Alléluia. Alléluia. Si quelqu'un m'aime, il gardera ma parole, dit le Seigneur ; mon Père l'aimera, et nous viendrons vers lui. Alléluia.

Évangile de Jésus Christ selon saint Matthieu 12, 46-50

EN CE TEMPS-LÀ, comme Jésus parlait encore aux foules, voici que sa mère et ses frères se tenaient au-dehors,

cherchant à lui parler. Quelqu'un lui dit : « Ta mère et tes frères sont là, dehors, qui cherchent à te parler. » Jésus lui répondit : « Qui est ma mère, et qui sont mes frères ? » Puis, étendant la main vers ses disciples, il dit : « Voici ma mère et mes frères. Car celui qui fait la volonté de mon Père qui est aux cieux, celui-là est pour moi un frère, une sœur, une mère. »
— *Acclamons la Parole de Dieu.*

PRIÈRE SUR LES OFFRANDES. En t'offrant, Seigneur, le sacrifice qui nous réconcilie avec toi, nous te supplions humblement d'affermir nos familles dans ta grâce et la paix. Par Jésus.

Ainsi parle le Seigneur tout-puissant : « Une femme peut-elle oublier son petit enfant ? Même si elle pouvait l'oublier, moi je ne t'oublierai pas. »

PRIÈRE APRÈS LA COMMUNION. Toi qui nous as fortifiés par cette communion, accorde à nos familles, Père très aimant, la grâce d'imiter la famille de ton Fils, et de goûter avec elle, après les difficultés de cette vie, le bonheur sans fin. Par Jésus, le Christ, notre Seigneur.

MÉDITATION DU JOUR

Dieu pour seul parent

Durant la persécution de 304, près de l'actuelle Belgrade, le gouverneur Probus interroge Irénée, père de famille et évêque de Sirmium.

Le gouverneur le fit supplicier. Pendant qu'on lui infligeait des supplices d'une violence inouïe, le gouverneur l'interpella : « Eh bien, Irénée, qu'en dis-tu ? Sacrifie ! » Irénée répondit : « Je sacrifie en proclamant hautement ma foi en ce Dieu qui est mien : toujours je lui ai sacrifié. »

— N'as-tu pas une femme ?

— Non.

— Des fils ?
— Non.
— Des parents ?
— Non.
— Mais ces gens qui pleuraient à la dernière audience, qui était-ce ?
— Écoute cette parole de mon Seigneur Jésus Christ : *Celui qui aime son père, sa mère, sa femme, ses enfants, ses frères ou ses parents plus que moi, n'est pas digne de moi* (Lc 14, 26). »

Pour cette raison, Irénée, le regard fixé au ciel, ne consentait qu'aux seules promesses divines. Il faisait fi de tout le reste. Il pouvait donc déclarer ne connaître ni n'avoir d'autre parent que Dieu.

Probus reprit : « Du moins, sacrifie pour tes fils ! »

Irénée répondit : « Mes fils ont le même Dieu que moi. Ce Dieu peut les sauver. Pour moi, fais ton métier. »

ANONYME

Prière du soir

Rendez grâce au Seigneur, il est bon,
éternel est son amour !

Gloire au Père, et au Fils, et au Saint-Esprit,
au Dieu qui est, qui était, et qui vient,
pour les siècles des siècles. Amen. Alléuia.

HYMNE

Ecoute la voix du Seigneur,
Prête l'oreille de ton cœur.
Tu entendras
Crier les pauvres :
Tu entendras
Gémir ce monde.

℟ Toi qui aimes la vie,
Ô toi qui veux le bonheur,
Réponds en fidèle ouvrier
De sa très douce volonté,
Réponds en fidèle ouvrier
De l'Évangile et de sa paix.

Écoute la voix du Seigneur,
Prête l'oreille de ton cœur.
Tu entendras
Grandir l'Église,
Tu entendras
Sa paix promise.

Écoute la voix du Seigneur,
Prête l'oreille de ton cœur.
Qui que tu sois,
Fais-toi violence,
Qui que tu sois,
Rejoins ton frère.

Psaume 136 **Tristesse des exilés**

Au milieu des tribulations de ce monde, rien ne pourra nous séparer de l'amour du Christ qui nous appelle à désirer la venue de son règne.

Au bord des fleuves de Babylone
nous étions assis et nous pleurions, +
nous souvenant de Sion ; *
aux saules des alentours
nous avions pendu nos harpes.

C'est là que nos vainqueurs
nous demandèrent des chansons, +
et nos bourreaux, des airs joyeux : *
« Chantez-nous, disaient-ils,
quelque chant de Sion. »

Comment chanterions-nous
un chant du Seigneur +
sur une terre étrangère ? *
Si je t'oublie, Jérusalem,
que ma main droite m'oublie !

Je veux que ma langue
s'attache à mon palais +
si je perds ton souvenir, *
si je n'élève Jérusalem
au sommet de ma joie.

Gloire au Père, et au Fils, et au Saint-Esprit,
pour les siècles des siècles. Amen.

Seigneur, si le monde nous persécute à cause du nom de Jésus, souviens-toi de nous ! Aide-nous à pardonner, au nom de Jésus, sans jamais pactiser avec le mal. Apprends-nous à nous en remettre à toi pour notre délivrance et notre salut.

Parole de Dieu

1 Jean 3, 17-18

CELUI QUI A de quoi vivre en ce monde, s'il voit son frère dans le besoin sans faire preuve de compassion, comment l'amour de Dieu pourrait-il demeurer en lui ? Petits enfants, n'aimons pas en paroles ni par des discours, mais par des actes et en vérité.

Seigneur, allume en nous
le feu de ton amour !

CANTIQUE DE MARIE (Texte, couverture A)

INTERCESSION (d'après les litanies des saints)

Montre ta bonté,
Pardonne-nous, Seigneur.

Montre ta bienveillance,
Exauce-nous, Seigneur.

De tout péché et de tout mal,
Délivre-nous, Seigneur.

Des embûches de l'Ennemi,
Délivre-nous, Seigneur.

De l'injustice et de la haine,
Délivre-nous, Seigneur.

Des faiblesses de la chair,
Délivre-nous, Seigneur.

Des jugements de ta colère,
Délivre-nous, Seigneur.

De la famine et de la guerre,
Délivre-nous, Seigneur.

Des fléaux et calamités,
Délivre-nous, Seigneur.

D'une mort imprévue,
Délivre-nous, Seigneur.

De la mort éternelle,
Délivre-nous, Seigneur.

Intentions libres

Notre Père…

Car c'est à toi qu'appartiennent
le règne, la puissance et la gloire,
pour les siècles des siècles !

SAINTS
D'HIER ET D'AUJOURD'HUI

En marche avec les saints des JMJ
SAINTE URSULE LEDÓCHOWSKA
(Fêtée le 29 mai)

Reconnaissons le Christ vainqueur dans ses saints
et chantons sa gloire immense.

« Pourvu que je sache aimer ! Me laisser brûler, consumer par l'amour. » Tel est le cri du cœur de Julie Ledóchowska (1865-1939) à la veille de prononcer ses vœux chez les ursulines de Cracovie. Celle qui a pris le nom d'Ursule manifeste très vite de grands talents d'éducatrice et, lorsque les jeunes filles sont autorisées à s'inscrire à l'université Jagellonne, elle ouvre le premier internat d'étudiantes en Pologne. En 1907, avec la bénédiction de Pie X, elle part à Saint-Pétersbourg où, en habit civil, elle poursuit son travail éducatif. Lorsque la guerre de 1914 éclate, mère Ursule est expulsée et commence un grand périple dans les pays scandinaves. Elle traduit un catéchisme en finnois, s'engage en faveur des victimes de la guerre. En 1920, de retour en Pologne, elle fonde la congrégation autonome des ursulines du Sacré-Cœur-de-Jésus-Agonisant, car elle veut « rester ursuline, mais simplifier nos coutumes selon nos besoins ». Depuis Rome, où le pape Benoît XV l'a appelée, elle poursuit son œuvre d'éducation. Il s'agit de donner « ce qu'il y a de meilleur pour ce qu'il y a de plus faible ».
Née le lundi de Pâques, elle s'éteint le lundi de Pentecôte, ayant vécu sa vie dans le dynamisme pascal. Qu'elle nous aide à vivre de même !

Bonne fête !
Aure, Aurane, Oriane, Ornella et Stilla

[**MERCREDI 20 JUILLET**
Saint Apollinaire]

Prière du matin

Seigneur, ouvre mes yeux à tes merveilles,
aux splendeurs de ta loi.

Gloire au Père, et au Fils, et au Saint-Esprit !

HYMNE

℟ **Que vive mon âme à te louer,**
Tu as posé une lampe, une lumière sur ma route,
Ta parole, Seigneur, ta parole, Seigneur.

Heureux ceux qui marchent dans tes voies,
Seigneur.
De tout mon cœur, je veux garder ta parole,
Ne me délaisse pas, Dieu de ma joie.

Heureux ceux qui veulent faire ta volonté.
Je cours sans peur sur la voie de tes préceptes
Et mes lèvres publient ta vérité.

Heureux ceux qui suivent tes commandements.
Oui, plus que l'or, que l'or fin j'aime ta loi,
Plus douce que le miel est ta promesse.

Heureux ceux qui méditent sur la sagesse.
Vivifie-moi, apprends-moi tes volontés,
Dès l'aube, de ta joie tu m'as comblé.

PSAUME 145 **Louange du Dieu juste**

Ne mettons pas notre espérance dans les hommes trompeurs. Appuyons-nous sur la fidélité du Seigneur qui nous sauve et nous relève.

Chante, ô mon âme, la louange du Seigneur ! +
Je veux louer le Seigneur tant que je vis, *
chanter mes hymnes pour mon Dieu tant que je dure.

Ne comptez pas sur les puissants,
des fils d'homme qui ne peuvent sauver !
Leur souffle s'en va : ils retournent à la terre ;
et ce jour-là, périssent leurs projets.

Heureux qui s'appuie sur le Dieu de Jacob,
qui met son espoir dans le Seigneur son Dieu,
lui qui a fait et le ciel et la terre
et la mer et tout ce qu'ils renferment !

Il garde à jamais sa fidélité,
il fait justice aux opprimés ;
aux affamés, il donne le pain ;
le Seigneur délie les enchaînés.

Le Seigneur ouvre les yeux des aveugles,
le Seigneur redresse les accablés,
le Seigneur aime les justes,
le Seigneur protège l'étranger.

Il soutient la veuve et l'orphelin,
il égare les pas du méchant.
D'âge en âge, le Seigneur régnera :
ton Dieu, ô Sion, pour toujours !

Gloire au Père, et au Fils, et au Saint-Esprit,
pour les siècles des siècles. Amen.

Parole de Dieu

Colossiens 3, 17.23-24

Tout ce que vous dites, tout ce que vous faites, que ce soit toujours au nom du Seigneur Jésus, en offrant par lui votre action de grâce à Dieu le Père. Quel que soit votre travail, faites-le de bon cœur, comme pour le Seigneur et non pour plaire à des hommes : vous savez bien qu'en retour vous recevrez du Seigneur votre héritage. C'est le Christ, le Seigneur, que vous servez.

Louange à toi, Seigneur Jésus !

Cantique de Zacharie (Texte, couverture B)

Louange et intercession

Les yeux levés vers le Christ, splendeur de la gloire du Père, nous le prions :

Tu es l'origine et le terme de notre foi ;
– béni sois-tu !

Toi qui nous appelles des ténèbres à ta lumière ;
– prends pitié de nous.

Tu as ouvert les yeux de l'aveugle
et l'oreille des sourds ;
– béni sois-tu !

Guéris-nous de l'incrédulité ;
– prends pitié de nous.

Tu nous as rassemblés en un seul corps ;
– béni sois-tu !

Garde-nous de séparer ce que tu as uni ;
– prends pitié de nous.

Tu donnes la force dans la tentation,
la patience dans l'épreuve ;
– béni sois-tu !

Que notre vie soit louange de grâce ;
– prends pitié de nous.

Intentions libres

Notre Père…

Souviens-toi, Seigneur, de ton alliance scellée dans le sang de ton Fils, rappelle à ton peuple le pardon que tu lui offres, et rends-lui la joie d'être sauvé. Par Jésus Christ.

LA MESSE

Mercredi de la 16e semaine du temps ordinaire

SAINT APOLLINAIRE (IIE S.) *Mémoire facultative*

● *PREMIER ÉVÊQUE DE RAVENNE au IIe siècle, Apollinaire, comme un bon pasteur, a conduit son troupeau en diffusant les insondables richesses du Christ. Selon la tradition, il venait d'Antioche et était disciple de saint Pierre qui l'aurait nommé évêque de la ville impériale. Dans l'Église primitive, Apollinaire était vénéré comme un martyr. Son culte est mentionné pour la première fois au Ve siècle à la date du 23 juillet.* ●

Saint Apollinaire a combattu jusqu'à la mort pour être fidèle à son Dieu; il n'a pas craint les menaces des impies: il était fondé sur le roc.

PRIÈRE. Conduis tes fidèles, Seigneur, sur la voie du salut éternel que le bienheureux évêque Apollinaire a montrée par son enseignement et son martyre; accorde-nous, par son intercession, d'observer tes commandements avec persévérance pour obtenir d'être couronnés avec lui dans le ciel. Par Jésus Christ.

● *AU VIIE SIÈCLE AVANT LE CHRIST, un siècle environ après la prédication d'Isaïe, le royaume de Juda lui-même est menacé par le puissant empire babylonien. C'est en ce temps bouleversé que vécut le prophète Jérémie, personnage d'une sensibilité exceptionnelle. Sa prédication lucide annonce la ruine prochaine et l'exil, mais aussi une restauration d'ordre spirituel et intérieur: c'est l'Alliance nouvelle entre Dieu et son peuple.* ●

Lecture du livre du prophète Jérémie 1, 1.4-10

Paroles de Jérémie, fils de Helkias, l'un des prêtres qui étaient à Anatoth, au pays de Benjamin. La parole du Seigneur me fut adressée : « Avant même de te façonner dans le sein de ta mère, je te connaissais ; avant que tu viennes au jour, je t'ai consacré ; je fais de toi un prophète pour les nations. » Et je dis : « Ah ! Seigneur mon Dieu ! Vois donc : je ne sais pas parler, je suis un enfant ! » Le Seigneur reprit : « Ne dis pas : "Je suis un enfant !" Tu iras vers tous ceux à qui je t'enverrai ; tout ce que je t'ordonnerai, tu le diras. Ne les crains pas, car je suis avec toi pour te délivrer » – oracle du Seigneur. Puis le Seigneur étendit la main et me toucha la bouche. Il me dit : « Voici, je mets dans ta bouche mes paroles ! Vois : aujourd'hui, je te donne autorité sur les nations et les royaumes, pour arracher et renverser, pour détruire et démolir, pour bâtir et planter. »

— *Parole du Seigneur.*

Psaume 70

Ma bouche annonce ton salut, Seigneur.

En toi, Seigneur, j'ai mon refuge :
garde-moi d'être humilié pour toujours.
Dans ta justice, défends-moi, libère-moi,
tends l'oreille vers moi, et sauve-moi.

Sois le rocher qui m'accueille, toujours accessible ;
tu as résolu de me sauver :
ma forteresse et mon roc, c'est toi !
Mon Dieu, libère-moi des mains de l'impie.

Seigneur mon Dieu, tu es mon espérance.
mon appui dès ma jeunesse.
Toi, mon soutien dès avant ma naissance,
tu m'as choisi dès le ventre de ma mère.

Ma bouche annonce tout le jour
tes actes de justice et de salut.
Mon Dieu, tu m'as instruit dès ma jeunesse,
jusqu'à présent, j'ai proclamé tes merveilles.

Alléluia. Alléluia. La semence est la parole de Dieu, le semeur est le Christ ; celui qui le trouve demeure pour toujours. Alléluia.

Évangile de Jésus Christ selon saint Matthieu **13, 1-9**

CE JOUR-LÀ, Jésus était sorti de la maison, et il était assis au bord de la mer. Auprès de lui se rassemblèrent des foules si grandes qu'il monta dans une barque où il s'assit ; toute la foule se tenait sur le rivage. Il leur dit beaucoup de choses en paraboles : « Voici que le semeur sortit pour semer. Comme il semait, des grains sont tombés au bord du chemin, et les oiseaux sont venus tout manger. D'autres sont tombés sur le sol pierreux, où ils n'avaient pas beaucoup de terre ; ils ont levé aussitôt, parce que la terre était peu profonde. Le soleil s'étant levé, ils ont brûlé et, faute de racines, ils ont séché. D'autres sont tombés dans les ronces ; les ronces ont poussé et les ont étouffés. D'autres sont tombés dans la bonne terre, et ils ont donné du fruit à raison de cent, ou soixante, ou trente pour un. Celui qui a des oreilles, qu'il entende ! »

— Acclamons la Parole de Dieu.

PRIÈRE SUR LES OFFRANDES. Accepte, Seigneur, les offrandes que nous apportons en la fête de saint Apollinaire. Qu'elles soient précieuses à tes yeux, comme le fut le sang de ton martyr. Par Jésus, le Christ, notre Seigneur.

« Si quelqu'un veut marcher à ma suite, dit le Seigneur, qu'il renonce à lui-même, qu'il prenne sa croix, et qu'il me suive. »

Prière après la communion. Que cette communion, Seigneur, nous donne cette force d'âme qui permit à saint Apollinaire, ton martyr, d'être fidèle à te servir, et victorieux dans la souffrance. Par Jésus, le Christ, notre Seigneur.

MÉDITATION DU JOUR

Qu'il entende !

L'avenir de l'Église devra être marqué par la pratique de plus en plus répandue de la lecture de la Bible. Si le second millénaire a connu une sorte de mise en quarantaine de l'Écriture, les prochaines décennies de ce nouveau millénaire continueront à être animées par l'impulsion dynamique de la constitution *Dei Verbum* [constitution dogmatique du deuxième concile du Vatican sur la Révélation]. C'est ce que requièrent la nouvelle situation de diaspora des chrétiens, leur confrontation avec les autres religions, ainsi que le besoin de donner une forme toujours plus méditative et réceptive à la prière.

En accordant une place accrue à la parole de Dieu dans la vie de chaque chrétien comme dans la vie des communautés, on va à l'essentiel : on permet à la *sequela sancti Evangelii* [suite de l'Évangile en tant que suite du Christ] de façonner toujours mieux l'existence des croyants. Ainsi, dans le monde et dans l'histoire, parmi les humains, la vie des chrétiens deviendra une exégèse vivante de l'Écriture, de la Parole faite chair.

C'est bien cela que Jean-Paul II, animé d'un regard prophétique, nous invitait à faire lorsqu'il écrivait : « Nous nourrir de la Parole, pour que nous soyons des "serviteurs de la Parole" dans notre mission d'évangélisation, c'est assurément une priorité pour l'Église au début de ce nouveau millénaire. » *Enzo Bianchi*

Enzo Bianchi est le fondateur de la communauté monastique œcuménique de Bose, dans le nord de l'Italie.

Prière du soir

Dieu, viens à mon aide,
Seigneur, à notre secours.

Gloire au Père, et au Fils, et au Saint-Esprit !

HYMNE

Feu et Lumière qui resplendissent
  sur la face du Christ,
Feu dont la venue est parole,
Feu dont le silence est lumière,
Feu qui établis les cœurs dans l'action de grâce,
Nous te magnifions.

Toi qui reposes en Christ,
Esprit de sagesse et d'intelligence,
Esprit de conseil et de force,
Esprit de science et de crainte,
Nous te magnifions.

Toi qui scrutes les profondeurs de Dieu,
Toi qui illumines les yeux de notre cœur,
Toi qui te joins à notre esprit,
Toi par qui nous réfléchissons la gloire
  du Seigneur,
Nous te magnifions.

CANTIQUE AUX COLOSSIENS (1)

Par le baptême, nous sommes devenus membres du Corps du Christ. Avec lui, nous avons part à l'héritage promis, la gloire éternelle.

Rendons grâce à Dieu le Père, +
lui qui nous a donné
  d'avoir part à l'héritage des saints, *
dans la lumière.

Nous arrachant à la puissance des ténèbres, +
il nous a placés
dans le Royaume de son Fils bien-aimé : *
en lui nous avons le rachat,
le pardon des péchés.

Il est l'image du Dieu invisible, +
le premier-né, avant toute créature : *
en lui, tout fut créé,
dans le ciel et sur la terre.

Les êtres visibles et invisibles, +
puissances, principautés,
souverainetés, dominations, *
tout est créé par lui et pour lui.

Il est avant toute chose,
et tout subsiste en lui.

Il est aussi la tête du corps, la tête de l'Église : +
c'est lui le commencement,
le premier-né d'entre les morts, *
afin qu'il ait en tout la primauté.

Car Dieu a jugé bon
qu'habite en lui toute plénitude *
et que tout, par le Christ,
lui soit enfin réconcilié,

faisant la paix par le sang de sa Croix, *
la paix pour tous les êtres
sur la terre et dans le ciel.

Parole de Dieu 1 Jean 2, 5-6

En celui qui garde sa parole, l'amour de Dieu atteint vraiment la perfection : voilà comment nous savons que nous sommes en lui. Celui qui déclare demeurer en lui doit, lui aussi, marcher comme Jésus lui-même a marché.

Ta parole, Seigneur, est vérité,
et ta loi, délivrance.

CANTIQUE DE MARIE (Texte, couverture A)

INTERCESSION

Prions Dieu notre Père, dont la miséricorde pour son peuple est infinie :

℟ Achève en nous ton ouvrage, Seigneur.

Seigneur, puisque tu as envoyé ton Fils
sauver le monde et non pas le juger,
– donne-nous en abondance les fruits de la croix.

Tu as établi tes prêtres intendants des mystères
du Christ :
– donne-leur un cœur fidèle, sage et bon.

À ceux que tu as appelés à la chasteté
en vue du Royaume,
– donne de suivre ton Fils.

Tu as créé l'homme à ton image,
homme et femme tu les créas ;
– donne cette grâce de l'unité.

Toi qui reçois l'offrande de ton Fils,
– ne condamne pas nos défunts,
mais accorde-leur ton pardon. Intentions libres

Notre Père…

Car c'est à toi qu'appartiennent
le règne, la puissance et la gloire,
pour les siècles des siècles !

Saints
d'hier et d'aujourd'hui

En marche avec les saints des JMJ
Saint Joseph-Sébastien Pelczar
(Fêté le 19 janvier)

Réjouissons-nous en contemplant, en tant de saints, la gloire du Christ.

Joseph-Sébastien Pelczar (1842-1924) s'est battu sur tous les fronts durant les vingt-cinq années de son épiscopat. Prêtre à 22 ans, il poursuit ses études à Rome, puis revient enseigner au séminaire de Przemyśl et à l'université Jagellonne de Cracovie, dont il fut recteur. Intellectuel brillant et fécond, il se dépense dans l'action sociale et caritative. En 1891, il fonde la confrérie de Marie-Immaculée-Reine-de-Pologne pour les plus nécessiteux, puis la congrégation des servantes du Sacré-Cœur afin de soulager la détresse des hommes.
Malgré sa santé précaire, nommé évêque de Przemyśl en 1899, il visite les paroisses, veille au niveau moral et intellectuel du clergé, encourage les fidèles à prier devant le Saint-Sacrement en faisant ouvrir les églises. Dans un contexte défavorable, il réunit trois synodes diocésains et donne une assise juridique à ses différentes initiatives : crèches, soupes populaires, foyers, écoles ménagères, séminaire gratuit pour les pauvres, etc. Dans la ligne de l'encyclique *Rerum novarum* de Léon XIII, qu'il cherche à faire appliquer, il dénonce le sort injuste des ouvriers et se préoccupe des émigrés.
Demandons-lui de savoir mettre nos talents au service du bien commun, et d'intercéder pour nos évêques.

Bonne fête !
Apollinaire, Élie, Eliott, Élyette et Marina

[JEUDI 21 JUILLET
Saint Laurent de Brindisi]

Prière du matin

Allez vers le Seigneur
parmi les chants d'allégresse !

Gloire au Père, et au Fils, et au Saint-Esprit,
au Dieu qui est, qui était, et qui vient,
pour les siècles des siècles. Amen. Alléluia.

HYMNE

℟ O Seigneur, à toi la gloire,
La louange pour les siècles,
Ô Seigneur, à toi la gloire,
Éternel est ton amour.

Vous les cieux,
Vous les anges,
Toutes ses œuvres,
Bénissez votre Seigneur.

Astres du ciel,
Soleil et lune,
Pluies et rosées,
Bénissez votre Seigneur.

Feu et chaleur,
Glace et neige,
Souffles et vents,
Bénissez votre Seigneur.

Nuits et jours,
Lumière et ténèbres,
Éclairs et nuées,
Bénissez votre Seigneur.

Vous son peuple,
Vous ses prêtres,
Vous ses serviteurs,
Bénissez votre Seigneur.

PSAUME 142 **Plainte et prière dans l'angoisse**

La fidélité de Dieu est éternelle, nos malheurs ne durent qu'un instant. Confiants comme le Christ, recevons du Père le souffle bienfaisant qui relève pour une vie nouvelle.

Seigneur, entends ma prière ; +
dans ta justice écoute mes appels, *
dans ta fidélité réponds-moi.
N'entre pas en jugement avec ton serviteur :
aucun vivant n'est juste devant toi.

L'ennemi cherche ma perte,
il foule au sol ma vie ;
il me fait habiter les ténèbres
avec les morts de jadis.
Le souffle en moi s'épuise,
mon cœur au fond de moi s'épouvante.

Je me souviens des jours d'autrefois,
je me redis toutes tes actions, *
sur l'œuvre de tes mains je médite.
Je tends les mains vers toi,
me voici devant toi comme une terre assoiffée.

Vite, réponds-moi, Seigneur :
je suis à bout de souffle !
Ne me cache pas ton visage :
je serais de ceux qui tombent dans la fosse.

Fais que j'entende au matin ton amour,
car je compte sur toi.
Montre-moi le chemin que je dois prendre :
vers toi, j'élève mon âme !

Délivre-moi de mes ennemis, Seigneur :
j'ai un abri auprès de toi.
Apprends-moi à faire ta volonté,
car tu es mon Dieu.
Ton souffle est bienfaisant :
qu'il me guide en un pays de plaines.

Pour l'honneur de ton nom,
Seigneur, fais-moi vivre ;
à cause de ta justice, tire-moi de la détresse.

Gloire au Père, et au Fils, et au Saint-Esprit,
pour les siècles des siècles. Amen.

Parole de Dieu

Sagesse 1, 1-2

AIMEZ LA JUSTICE, VOUS qui gouvernez la terre, ayez sur le Seigneur des pensées droites, cherchez-le avec un cœur simple, car il se laisse trouver par ceux qui ne le mettent pas à l'épreuve, il se manifeste à ceux qui ne refusent pas de croire en lui.

Je garde le Seigneur devant moi sans relâche ;
il est fidèle et juste !

CANTIQUE DE ZACHARIE

(Texte, couverture B)

LOUANGE ET INTERCESSION

(d'après la prière du pape Gélase)

Prions avec foi le Père tout-puissant,
prions Jésus, le Fils unique,
prions le Saint-Esprit de Dieu.

℟ Ô Seigneur, écoute et prends pitié !

Pour l'Église immaculée du Dieu vivant,
répandue par tout l'univers,
invoquons la richesse des grâces divines.

Pour les ministres consacrés au Seigneur,
pour le peuple qui adore Dieu en vérité,
supplions le Christ, notre Seigneur.

Pour ceux qui dispensent fidèlement la Parole,
demandons la sagesse infinie du Verbe de Dieu.

Pour les vierges d'esprit et de corps
à cause du règne de Dieu,
pour ceux qui peinent sur le chemin de la vie parfaite,
prions celui qui donne l'Esprit.

Pour ceux qui gouvernent les peuples,
pour que règnent la justice et le droit,
demandons la force de Dieu.

Pour l'alternance heureuse des saisons,
pour les bienfaits de la pluie et des vents,
invoquons le Seigneur qui gouverne le monde.

Intentions libres

Notre Père…

Donne à ceux qui te prient, Seigneur, l'abondance de ta grâce. Avec ton aide, qu'ils suivent tes commandements pour y trouver dès maintenant leur bonheur, pour en recevoir, dans l'éternité, ta joie. Par Jésus Christ, ton Fils, notre Seigneur.

La messe

Jeudi de la 16e semaine du temps ordinaire

Saint Laurent de Brindisi (xvie-xviie s.) *Mémoire facultative*

● *Laurent de Brindisi (1559-1619), capucin de Vérone, était un homme de grande culture, éminemment doué pour l'action, mais plus encore un vrai fils de saint François, simple et accueillant. Il travailla ardemment à la Réforme catholique à travers toute l'Europe centrale et il fut l'âme de la croisade contre les Turcs en Hongrie.* ●

Les sages brilleront comme la spendeur du firmament, et ceux qui sont les maîtres de justice pour la multitude resplendiront comme des étoiles, dans les siècles des siècles.

PRIÈRE. Pour la gloire de ton nom, Seigneur, et le salut des hommes, tu as donné à saint Laurent de Brindisi un esprit de sagesse et de force ; accorde-nous ce même esprit pour voir ce que nous devons faire, et accomplir ce que nous aurons vu. Par Jésus Christ, ton Fils, notre Seigneur.

Lecture du livre du prophète Jérémie 2, 1-3.7-8.12-13

LA PAROLE DU SEIGNEUR me fut adressée : Va proclamer aux oreilles de Jérusalem : « Ainsi parle le Seigneur : Je me souviens de la tendresse de tes jeunes années, ton amour de jeune mariée, lorsque tu me suivais au désert, dans une terre inculte. Israël était consacré au Seigneur, première gerbe de sa récolte ; celui qui en mangeait était coupable : il lui arrivait malheur, – oracle du Seigneur. Je vous ai fait entrer dans une terre plantureuse pour vous nourrir de tous ses fruits. Mais à peine entrés, vous avez profané ma terre, changé mon héritage en abomination. Les prêtres n'ont pas dit : "Où est-il, le Seigneur ?" Les dépositaires de la Loi ne m'ont pas connu, les pasteurs se sont révoltés contre moi ; les prophètes ont prophétisé au nom du dieu Baal, ils ont suivi des dieux qui ne servent à rien. Cieux, soyez-en consternés, horrifiés, épouvantés ! – oracle du Seigneur. Oui, mon peuple a commis un double méfait : ils m'ont abandonné, moi, la source d'eau vive, et ils se sont creusé des citernes, des citernes fissurées qui ne retiennent pas l'eau ! »

— Parole du Seigneur.

PSAUME 35

En toi, Seigneur, est la source de vie.

Dans les cieux, Seigneur, ton amour ;
jusqu'aux nues, ta vérité !
Ta justice, une haute montagne ;
tes jugements, le grand abîme !

Qu'il est précieux, ton amour, ô mon Dieu !
À l'ombre de tes ailes, tu abrites les hommes :
ils savourent les festins de ta maison ;
aux torrents du paradis, tu les abreuves.

En toi est la source de vie ;
par ta lumière nous voyons la lumière.
Garde ton amour à ceux qui t'ont connu,
ta justice à tous les hommes droits.

Alléluia. Alléluia. Tu es béni, Père, Seigneur du ciel et de la terre, tu as révélé aux tout-petits les mystères du Royaume ! **Alléluia.**

Évangile de Jésus Christ
selon saint Matthieu 13, 10-17

EN CE TEMPS-LÀ, les disciples s'approchèrent de Jésus et lui dirent : « Pourquoi leur parles-tu en paraboles ? » Il leur répondit : « À vous il est donné de connaître les mystères du royaume des Cieux, mais ce n'est pas donné à ceux-là. À celui qui a, on donnera, et il sera dans l'abondance ; à celui qui n'a pas, on enlèvera même ce qu'il a. Si je leur parle en paraboles, c'est parce qu'ils regardent sans regarder, et qu'ils écoutent sans écouter ni comprendre. Ainsi s'accomplit pour eux la prophétie d'Isaïe : *Vous aurez beau écouter, vous ne comprendrez pas. Vous aurez beau regarder, vous ne verrez pas. Le cœur de ce peuple s'est alourdi : ils sont devenus durs d'oreille, ils se sont bouché les yeux, de*

peur que leurs yeux ne voient, que leurs oreilles n'entendent, que leur cœur ne comprenne, qu'ils ne se convertissent, – et moi, je les guérirai. Mais vous, heureux vos yeux puisqu'ils voient, et vos oreilles puisqu'elles entendent ! Amen, je vous le dis : beaucoup de prophètes et de justes ont désiré voir ce que vous voyez, et ne l'ont pas vu, entendre ce que vous entendez, et ne l'ont pas entendu. »
— ***Acclamons la Parole de Dieu.***

Prière sur les offrandes. Daigne accepter, Seigneur, ce sacrifice que nous te présentons de grand cœur en la fête de saint Laurent de Brindisi ; fidèles à son enseignement, nous voulons nous offrir tout entiers en célébrant cette eucharistie. Par Jésus, le Christ, notre Seigneur.

Voici l'intendant fidèle et sensé que le Maître a placé à la tête de ses serviteurs, pour leur donner en temps voulu leur part de blé.

Prière après la communion. Ceux que tu fortifies, Seigneur, par le pain vivant, forme-les aussi par l'enseignement du Christ, pour qu'à l'exemple de saint Laurent de Brindisi, ils connaissent ta vérité et en vivent dans ton amour. Par Jésus, le Christ, notre Seigneur.

MÉDITATION DU JOUR

Tout vient de Dieu

Dieu est un être absolu, souverain, indépendant ; car, étant l'Être même et essentiel, il est nécessairement et par lui-même ce qu'il est. Mais au contraire toutes choses dépendent de lui ; car c'est lui qui a créé le monde, qui en a mis les parties dans l'ordre où elles sont, qui a imprimé aux éléments leurs sympathies et leurs antipathies, qui a donné à tous les êtres leurs génies et leurs instincts, qui en un mot a donné à toutes les créatures ce qu'elles ont et qui les a même faites ce qu'elles sont ; en sorte qu'il n'y en a pas une qui ne crie à notre esprit d'une voix forte et intelligible : *C'est lui qui nous a faites, et nous ne nous sommes pas faites nous-mêmes.* Elles font, par cette voix qui est continuelle, un aveu public que, comme Dieu est essentiellement, ainsi essentiellement elles ne sont point. Celles mêmes qui sont possibles ne sont possibles que parce que Dieu est ; et, si Dieu n'était point, nulle ne serait possible, puisqu'il n'y aurait point de puissance qui pût les tirer du néant pour leur donner l'être.

ST JEAN EUDES

Saint Jean Eudes († 1680), initiateur du culte liturgique des cœurs de Jésus et de Marie, est un des grands maîtres de l'école française de spiritualité au XVIIe siècle. Il a été canonisé en 1925.

Prière du soir

Venez à la source de la sagesse,
venez, adorons le Seigneur.

Gloire au Père, et au Fils, et au Saint-Esprit,
au Dieu qui est, qui était, et qui vient,
pour les siècles des siècles. Amen. Alléluia.

TROPAIRE

Au Nom de Jésus, Stance
tout être vivant
fléchit le genou
dans le ciel, sur la terre et aux abîmes !
À la gloire de Dieu,
à la gloire du Père,
toute langue proclame :
Jésus Christ est Seigneur !

℟ Louange à Dieu ! Jésus Christ est Seigneur,
louange à Dieu !

Tu es beau
comme aucun des enfants de l'homme,
la grâce est répandue sur tes lèvres.

Ton honneur, c'est de courir au combat,
pour la justice, la clémence et la vérité.

Ton sceptre royal est sceptre de droiture ;
tu aimes la justice, tu réprouves le mal.

CANTIQUE DE L'APOCALYPSE (11-12)

Le Christ a vaincu la mort ! Nous sommes sauvés ! Soyons dans la joie dès maintenant et à jamais !

A toi, nous rendons grâce, +
Seigneur, Dieu de l'univers, *
toi qui es, toi qui étais !

Tu as saisi ta grande puissance
et pris possession de ton règne.

Les peuples s'étaient mis en colère, +
alors, ta colère est venue *
et le temps du jugement pour les morts,

le temps de récompenser tes serviteurs,
les saints, les prophètes, *
ceux qui craignent ton nom,
les petits et les grands.

Maintenant voici le salut +
et le règne et la puissance de notre Dieu, *
voici le pouvoir de son Christ !

L'accusateur de nos frères est rejeté, *
lui qui les accusait, jour et nuit,
devant notre Dieu.

Ils l'ont vaincu par le sang de l'Agneau, +
par la parole dont ils furent les témoins, *

renonçant à l'amour d'eux-mêmes,
jusqu'à mourir.

Soyez donc dans la joie, *
cieux,
et vous, habitants des cieux !

Parole de Dieu **Hébreux 12, 1b-2**

DÉBARRASSÉS DE TOUT ce qui nous alourdit – en particulier du péché qui nous entrave si bien –, courons avec endurance l'épreuve qui nous est proposée, les yeux fixés sur Jésus, qui est à l'origine et au terme de la foi. Renonçant à la joie qui lui était proposée, il a enduré la croix en méprisant la honte de ce supplice, et il siège à la droite du trône de Dieu.

Les yeux fixés sur Jésus Christ,
entrons dans le combat de Dieu.

CANTIQUE DE MARIE **(Texte, couverture A)**

INTERCESSION **(d'après la prière du pape Gélase)**

Prions avec foi le Père tout-puissant,
prions Jésus, le Fils unique,
prions le Saint-Esprit de Dieu.

℟ Ô Seigneur, écoute et prends pitié !

Pour ceux que le Père attire à son Fils
et qui se préparent au baptême,
supplions la bonté du Dieu tout-puissant.

Pour ceux que retiennent la faiblesse humaine,
l'esprit de haine, d'envie et les erreurs du monde,
implorons la tendresse du Rédempteur.

Pour les absents, pour les prisonniers,
pour le faible qu'on opprime, le juste persécuté,
supplions Jésus le Sauveur.

Pour les chrétiens divisés, pour les fils d'Israël,
pour les musulmans,
et les hommes de toutes religions,
invoquons le Seigneur de vérité.

Pour les ouvriers de l'Évangile,
pour ceux qui servent leurs frères avec amour,
prions le Dieu des miséricordes.

Pour le repos des trépassés,
invoquons le Seigneur des esprits
et le Juge de toute chair.

Intentions libres

Notre Père…

Car c'est à toi qu'appartiennent
le règne, la puissance et la gloire,
pour les siècles des siècles !

SAINTS
D'HIER ET D'AUJOURD'HUI

En marche avec les saints des JMJ
BIENHEUREUX JERZY POPIEŁUSZKO
(Fêté le 19 octobre)

La vie des saints nous rappelle que la puissance de Dieu se déploie dans la faiblesse.

Au milieu du chaos qui bouleverse la Pologne dans les années 1980, la voix d'un jeune prêtre, Jerzy Popiełuszko (1947-1984), va faire trembler un pouvoir autoritaire mais fragilisé. Durant son service militaire, il est envoyé dans une unité spéciale dont le but est d'endoctriner les séminaristes pour les faire renoncer à leur vocation. Ces convictions fermes lui attirent des représailles. Dès lors, il sait où peut le conduire son engagement. Malgré sa santé fragile, cet homme, que rien ne distingue sinon sa joie profonde et son attention aux autres, est nommé aumônier des aciéries de Varsovie et devient l'ardent défenseur de l'idéal de Solidarność, le syndicat né dans les chantiers navals de Gdańsk qui fait trembler l'État. À partir du 13 décembre 1981, début de l'état de siège, le père Popiełuszko célèbre chaque semaine, devant une foule toujours plus nombreuse, une « messe pour la patrie », où ses homélies ardentes prônent la justice sociale et le respect de la liberté de l'homme. Il fait dès lors partie des hommes à éliminer. Après plusieurs essais d'intimidation, le vendredi 19 octobre 1984, il est battu à mort et jeté dans la Vistule.
Que ses paroles restent gravées en nous et nous aident à vivre en chrétiens jusqu'au bout : « Nous devons vaincre le mal par le bien. »

Bonne fête !
Laurent, Laurel, Praxède, Victor et Vicky

VENDREDI 22 JUILLET

Sainte Marie Madeleine

Prière du matin

Seigneur, ouvre mes lèvres,
et ma bouche publiera ta louange.

Gloire au Père, et au Fils, et au Saint-Esprit !

HYMNE (CD Magnificat, *Hymnes du temps pascal et de la Pentecôte*)

Un nouveau matin se lève, Alléluia, alléluia !
Premier jour de la semaine, Alléluia, alléluia !
Regardez ma joie briller, Alléluia, alléluia !
C'est Jésus qui se relève. Alléluia, alléluia !

Tombeau vide et plus de gardes, Alléluia…
Seuls les anges me regardent,
Entonnez de nouveaux chants,
C'est Jésus qui nous fait vivre.

Le jardin est clair et calme, Alléluia…
Le Seigneur est là qui parle,
J'ai cru voir le jardinier,
C'est Jésus qui est lumière.

Il m'envoie vers vous, mes frères, Alléluia…
Lui déjà il nous précède,
Écoutez, mes compagnons,
C'est Jésus qui nous appelle.

PSAUME 62 Soif de Dieu

D'un cœur brûlant d'amour, Marie Madeleine a cherché le Seigneur. Qu'elle nous aide à le reconnaître chaque jour.

Dieu, tu es mon Dieu,
je te ch<u>e</u>rche dès l'aube : *
mon âme a s<u>o</u>if de toi ;
après toi langu<u>i</u>t ma chair,
terre aride, altér<u>é</u>e, sans eau.

Je t'ai contempl<u>é</u> au sanctuaire,
j'ai vu ta f<u>o</u>rce et ta gloire.
Ton amour vaut mie<u>u</u>x que la vie :
tu seras la lou<u>a</u>nge de mes lèvres !

Toute ma vie je v<u>a</u>is te bénir,
lever les mains en invoqu<u>a</u>nt ton nom.
Comme par un festin je ser<u>a</u>i rassasié ;
la joie sur les lèvres, je dir<u>a</u>i ta louange.

Dans la nuit, je me souvi<u>e</u>ns de toi
et je reste des he<u>u</u>res à te parler.
Oui, tu es ven<u>u</u> à mon secours :
je crie de joie à l'<u>o</u>mbre de tes ailes.
Mon âme s'att<u>a</u>che à toi,
ta main dr<u>o</u>ite me soutient.

Gloire au Père, et au F<u>i</u>ls, et au Saint-Esprit…

Parole de Dieu — Marc 16, 9-11

RESSUSCITÉ LE MATIN, le premier jour de la semaine, Jésus apparut d'abord à Marie Madeleine, de laquelle il avait expulsé sept démons. Celle-ci partit annoncer la nouvelle à ceux qui, ayant vécu avec lui, s'affligeaient et pleuraient. Quand ils entendirent que Jésus était vivant et qu'elle l'avait vu, ils refusèrent de croire.

De mes yeux, j'ai vu le Ressuscité, alléluia !

CANTIQUE DE ZACHARIE (Texte, couverture B)

LOUANGE ET INTERCESSION

Ô Christ, tu as choisi des femmes
pour annoncer ta résurrection aux Apôtres,
– fais que nous recevions leur témoignage.

℟ Exauce-nous, Seigneur de gloire !

Tu t'es fait connaître de Marie,
qui te cherchait parmi les morts,
– prononce le nom qui nous retournera vers toi.

Tu as laissé vide le tombeau,
– garde-nous de te chercher où tu n'es pas.

Tu es monté vers ton Père et notre Père,
– suscite parmi tes frères des témoins de ta présence.

Intentions libres

Notre Père…

Seigneur notre Dieu, c'est à Marie Madeleine que ton Fils bien-aimé a confié la première annonce de la joie pascale ; accorde-nous, à sa prière et à son exemple, la grâce d'annoncer le Christ ressuscité et de le contempler un jour dans ta gloire. Lui qui règne avec toi et le Saint-Esprit.

LA MESSE

(Aujourd'hui, l'Évangile de la mémoire de sainte Marie Madeleine est obligatoire car il fait mention de la sainte fêtée, il n'est donc pas permis de prendre l'Évangile de la férie. Cependant, on peut choisir la première lecture de la férie, ainsi que le cantique qui l'accompagne, page 300.)

Sainte Marie Madeleine

Mémoire

● *LA PÉCHERESSE PARDONNÉE s'était attachée avec amour aux pas de Jésus. Elle faisait partie du groupe de femmes qui accompagnaient Jésus et les Douze dans leur cheminement à travers villes et villages pour annoncer la Bonne Nouvelle (Lc 8, 1-3). Tandis que les Apôtres s'enfuirent lors de l'arrestation du Seigneur, elle se trouvait près de la croix avec Marie la mère de Jésus et le disciple qu'il aimait (Jn 19, 25). Lorsque le corps du Seigneur eut été déposé dans le sépulcre, Marie Madeleine ne pouvait encore s'y arracher : avec Marie, femme de Cléophas, elle restait « assise en face du tombeau » (Mt 27, 61). Tel fut l'humble service silencieux (p. sur les offrandes), « l'amour sans défaillance qui a lié pour toujours sainte Marie Madeleine à son divin Maître, le Christ » (p. et a. de la communion). C'est à elle que le Seigneur ressuscité voulut se montrer avant tout autre (Évangile), à elle qu'il confia « la première annonce de la joie pascale » (a. et p. d'ouverture). Comme le chante la liturgie byzantine, il a fait de Madeleine l'« apôtre des Apôtres ». Puissions-nous, « à sa prière et à son exemple, annoncer le Christ ressuscité et le contempler un jour dans la gloire » (p. d'ouverture).* ●

À Marie Madeleine, Jésus ressuscité a confié ce message : « Va trouver mes frères, et dis-leur : Je monte vers mon Père et votre Père, vers mon Dieu et votre Dieu. »

PRIÈRE ——— **page précédente**

Lecture du Cantique des Cantiques 3, 1-4a

PAROLES DE LA BIEN-AIMÉE. Sur mon lit, la nuit, j'ai cherché celui que mon âme désire ; je l'ai cherché ; je ne l'ai pas trouvé. Oui, je me lèverai, je tournerai dans la ville, par les rues et les places : je chercherai celui que mon âme désire ; je l'ai cherché ; je ne l'ai pas trouvé. Ils m'ont trouvée, les gardes, eux qui tournent dans la ville : « Celui que mon âme désire, l'auriez-vous vu ? » À peine

les avais-je dépassés, j'ai trouvé celui que mon âme désire : je l'ai saisi et ne le lâcherai pas.

— Parole du Seigneur.

Ou bien :

Lecture de la deuxième lettre de saint Paul apôtre aux Corinthiens 5, 14-17

FRÈRES, l'amour du Christ nous saisit quand nous pensons qu'un seul est mort pour tous, et qu'ainsi tous ont passé par la mort. Car le Christ est mort pour tous, afin que les vivants n'aient plus leur vie centrée sur eux-mêmes, mais sur lui, qui est mort et ressuscité pour eux. Désormais nous ne regardons plus personne d'une manière simplement humaine : si nous avons connu le Christ de cette manière, maintenant nous ne le connaissons plus ainsi. Si donc quelqu'un est dans le Christ, il est une créature nouvelle. Le monde ancien s'en est allé, un monde nouveau est déjà né.

— Parole du Seigneur.

PSAUME 62

Mon âme a soif de toi, Seigneur, mon Dieu !

Dieu, tu es mon Dieu, je te cherche dès l'aube :
mon âme a soif de toi ;
après toi languit ma chair,
terre aride, altérée, sans eau.

Je t'ai contemplé au sanctuaire,
j'ai vu ta force et ta gloire.
Ton amour vaut mieux que la vie :
tu seras la louange de mes lèvres !

Toute ma vie, je vais te bénir,
lever les mains en invoquant ton nom.

Comme par un festin je serai rassasié ;
la joie sur les lèvres, je dirai ta louange.

Oui, tu es venu à mon secours :
je crie de joie à l'ombre de tes ailes.
Mon âme s'attache à toi,
ta main droite me soutient.

Ou bien :

Vendredi de la 16e semaine du temps ordinaire

Lecture du livre du prophète Jérémie 3, 14-17

REVENEZ, fils renégats – oracle du Seigneur ; c'est moi qui suis votre maître. Je vais vous prendre, un par ville, deux par clan, et vous faire venir à Sion. Je vous donnerai des pasteurs selon mon cœur : ils vous conduiront avec savoir et intelligence. Quand vous vous serez multipliés, quand vous aurez fructifié dans le pays, en ces jours-là – oracle du Seigneur –, on ne dira plus « Arche de l'Alliance du Seigneur », on ne gardera plus mémoire de l'Arche, on ne s'en souviendra plus, on ne s'en occupera plus, on n'en fera pas une autre.
En ce temps-là, on appellera Jérusalem « Trône du Seigneur ». Toutes les nations convergeront vers elle, vers le nom du Seigneur, à Jérusalem ; elles ne suivront plus les penchants mauvais de leur cœur endurci.
— *Parole du Seigneur.*

CANTIQUE (Jérémie 31, 10)

Le Seigneur nous garde,
comme un berger son troupeau.

Écoutez, nations, la parole du Seigneur !
Annoncez dans les îles lointaines :

« Celui qui dispersa Israël le rassemble,
il le garde, comme un berger son troupeau.

« Le Seigneur a libéré Jacob,
l'a racheté des mains d'un plus fort.
Ils viennent, criant de joie, sur les hauteurs de Sion :
ils affluent vers les biens du Seigneur.

« La jeune fille se réjouit, elle danse ;
jeunes gens, vieilles gens, tous ensemble !
Je change leur deuil en joie,
les réjouis, les console après la peine. »

Alléluia. Alléluia. « Dis-nous, Marie Madeleine, qu'as-tu vu en chemin ? – J'ai vu le tombeau du Christ vivant, j'ai vu la gloire du Ressuscité. » **Alléluia.**

Évangile de Jésus Christ selon saint Jean 20, 1.11-18

LE PREMIER JOUR de la semaine, Marie Madeleine se rend au tombeau de grand matin ; c'était encore les ténèbres. Elle s'aperçoit que la pierre a été enlevée du tombeau. Elle se tenait près du tombeau, au-dehors, tout en pleurs. Et en pleurant, elle se pencha vers le tombeau. Elle aperçoit deux anges vêtus de blanc, assis l'un à la tête et l'autre aux pieds, à l'endroit où avait reposé le corps de Jésus. Ils lui demandent : « Femme, pourquoi pleures-tu ? » Elle leur répond : « On a enlevé mon Seigneur, et je ne sais pas où on l'a déposé. » Ayant dit cela, elle se retourna ; elle aperçoit Jésus qui se tenait là, mais elle ne savait pas que c'était Jésus. Jésus lui dit : « Femme, pourquoi pleures-tu ? Qui cherches-tu ? » Le prenant pour le jardinier, elle lui répond : « Si c'est toi qui l'as emporté, dis-moi où tu l'as déposé, et moi, j'irai le prendre. » Jésus lui dit alors : « Marie ! » S'étant retournée, elle lui dit en hébreu : « Rabbouni ! » c'est-à-dire : Maître. Jésus reprend :

« Ne me retiens pas, car je ne suis pas encore monté vers le Père. Va trouver mes frères pour leur dire que je monte vers mon Père et votre Père, vers mon Dieu et votre Dieu. » Marie Madeleine s'en va donc annoncer aux disciples : « J'ai vu le Seigneur ! » et elle raconta ce qu'il lui avait dit. — *Acclamons la Parole de Dieu.*

PRIÈRE SUR LES OFFRANDES. Accepte, Seigneur, les offrandes que nous te présentons en fêtant sainte Marie Madeleine, puisque ton Fils voulut bien accepter son dévouement et son amour. Lui qui règne avec toi pour les siècles des siècles.

L'amour du Christ nous saisit, afin que notre vie ne soit plus à nous-mêmes, mais à lui qui est mort et ressuscité pour nous.

PRIÈRE APRÈS LA COMMUNION. Que la communion à tes mystères, Seigneur, nous remplisse de cet amour sans défaillance qui a lié pour toujours sainte Marie Madeleine à son divin Maître, le Christ. Lui qui règne avec toi pour les siècles des siècles.

MÉDITATION DU JOUR

Marie !

Le corps brisé de veille et d'insomnie, les yeux brouillés de larmes, le cœur inquiet d'absence, Madeleine n'identifie pas Jésus. Mais à l'appel de son nom par le Christ ressuscité, elle le reconnaît. Parce qu'elle est elle-même reconnue par Jésus, elle peut le reconnaître.

Elle s'entend appelée du seul nom connu d'elle et de Dieu : *Marie,* et non plus : « Marie Madeleine », un surnom lié à sa réputation des boulevards de Magdala, à son passé de possédée par sept démons. Quand Jésus ressuscité l'identifie de son nom unique de jeune fille, de femme, de vierge, son passé n'est plus, l'ombre de ses amours anciennes a disparu.

Nommée *Marie* par le Ressuscité, elle est restaurée totalement. Elle est désormais — celle qu'elle n'a jamais cessé d'être — une femme connue de Dieu et vivant de Dieu : *Marie !* Car Dieu ne connaît d'elle que cette réalité d'avant son « péché ». Ce qui faisait sa honte est submergé et englouti par le présent de la résurrection.

JEAN PIERRE BRICE OLIVIER, O.P.

Jean Pierre Brice Olivier est dominicain. Il est aujourd'hui prédicateur auprès des équipes du Rosaire, de la fraternité Lataste et auprès de nombreuses communautés ainsi qu'en prison.

Prière du soir

HYMNE

Avec ta joie
que nul ne peut nous prendre,
Avec ton nom
qui enchante nos lèvres,
Avec ton jour
pour purifier le nôtre,
Avec le feu
comme un fruit de ton jour,
Nous accueillons ta grâce,
Nous rendons grâce à Dieu. *(bis)*

Avec ton feu
brûlant de proche en proche,
Avec ton nom
qui appelle nos frères,
Avec ton cœur
pour pardonner au nôtre,
Avec ta paix
comme un fruit de ton cœur,
Nous accueillons ta grâce,
Nous rendons grâce à Dieu. *(bis)*

Avec ta vie
pour tout le corps en fête,

Avec ton nom
que les anges célèbrent,
Et ton Esprit
pour éveiller le nôtre,
Avec la joie
comme un fruit de l'Esprit,
Nous accueillons ta grâce,
Nous rendons grâce à Dieu. *(bis)*

Psaume 121 **Communion à Dieu**

Le cœur de Marie Madeleine s'est attaché au Seigneur. Comme elle, bâtissons notre maison sur le roc de son amour.

Quelle joie quand on m'a dit :
« Nous irons à la maison du Seigneur ! »

Maintenant notre marche prend fin
devant tes portes, Jérusalem !
Jérusalem, te voici dans tes murs :
ville où tout ensemble ne fait qu'un !

C'est là que montent les tribus,
les tribus du Seigneur, *
là qu'Israël doit rendre grâce
au nom du Seigneur.
C'est là le siège du droit, *
le siège de la maison de David.

Appelez le bonheur sur Jérusalem :
« Paix à ceux qui t'aiment !
Que la paix règne dans tes murs,
le bonheur dans tes palais ! »

À cause de mes frères et de mes proches,
je dirai : « Paix sur toi ! »
À cause de la maison du Seigneur notre Dieu,
je désire ton bien.

Gloire au Père, et au Fils, et au Saint-Esprit…

Parole de Dieu

1 Jean 3, 16

VOICI COMMENT nous avons reconnu l'amour : lui, Jésus, a donné sa vie pour nous. Nous aussi, nous devons donner notre vie pour nos frères.

Ma part, c'est Dieu pour toujours.

CANTIQUE DE MARIE

(Texte, couverture A)

INTERCESSION

Ô Christ, lumière sans déclin, alors que le jour baisse, reçois le sacrifice de notre louange et notre prière :

℟ Reste avec nous, Seigneur Jésus.

Ô Christ, toujours vivant dans ton Église,
conduis-la par ton Esprit à la plénitude de la vérité.

Ô Christ, qui as changé le cœur de Marie Madeleine,
tourne nos désirs vers le monde à venir.

Sauveur du monde, révèle ta miséricorde
à ceux qui connaissent la maladie,
les épreuves et la mort.

Vainqueur de la mort,
reçois nos frères qui ont quitté ce monde,
et montre-leur ton visage.

Intentions libres

Notre Père…

Car c'est à toi qu'appartiennent
le règne, la puissance et la gloire,
pour les siècles des siècles !

Saints
d'hier et d'aujourd'hui

En marche avec les saints des JMJ
Bienheureuse Nathalie Tułasiewicz
(Fêtée le 31 mars)

Que la prière des saints nous vienne en aide
pour avancer vers le Royaume.

Nathalie Tułasiewicz (1906-1945) voit le jour non loin des Carpathes. Après de brillantes études, elle enseigne tout en préparant un doctorat de lettres. Vive et intéressée, elle met sa vie laïque au service de l'annonce de la foi parmi ses contemporains. La déclaration de la guerre la pousse à quitter Poznań pour Cracovie où elle donne clandestinement des cours de littérature et de théologie. Après une récollection, en 1943, elle décide d'accompagner de son plein gré un groupe de femmes enrôlées pour le travail obligatoire en Allemagne, dans le but de leur apporter un soutien spirituel. Elle travaille alors dans une usine de Hanovre et organise, le soir, des conférences spirituelles, des temps de prière, mais aussi des pièces de théâtre. Reconnue comme chrétienne, elle est arrêtée en avril 1944, torturée et incarcérée à Cologne avant de rejoindre le camp de Ravensbrück. Le Vendredi saint, à bout de force, elle organise une ultime et discrète conférence sur la passion et la résurrection du Seigneur. Le lendemain, la chambre à gaz recueille sa pâque. Qu'à son exemple, nous soyons déterminés à témoigner du Christ en toutes circonstances.

Bonne fête !

Marie-Madeleine, Mylène, Marlène, Madelyne et Malèna

[SAMEDI 23 JUILLET
Sainte Brigitte]

Prière du matin

Au son de la joie et de la fête,
allons à la rencontre du Seigneur !

HYMNE

℟ **Bénis le Seigneur, ô mon âme,**
Du fond de mon être, son saint nom.
Bénis le Seigneur, ô mon âme,
Et n'oublie aucun de ses bienfaits.

Le Seigneur est tendresse et pitié,
Lent à la colère et plein d'amour,
Sa justice demeure à jamais.
Bénis le Seigneur, ô mon âme !

Il pardonne toutes tes fautes,
De tes maladies il te guérit,
À la fosse il rachète ta vie.
Bénis le Seigneur, ô mon âme !

Comme un père pour ses enfants,
Tendre est le Seigneur pour qui le craint,
De son cœur jaillit l'amour.
Bénis le Seigneur, ô mon âme !

La bonté du Seigneur se répand
Sur qui accomplit sa volonté,
Attentif à sa Parole.
Bénis le Seigneur, ô mon âme !

CANTIQUE DES CRÉATURES **(Daniel 3)**

Au matin de ce jour, unissons nos voix à celle de sainte Brigitte pour louer le Christ vainqueur qui nous attire à lui.

Toutes les œuvres du Seigneur,
bénissez le Seigneur :
À lui, haute gloire, louange éternelle !

Vous, les anges du Seigneur,
bénissez le Seigneur :
À lui, haute gloire, louange éternelle !

Vous, les cieux,
bénissez le Seigneur,
et vous, les eaux par-dessus le ciel,
bénissez le Seigneur,
et toutes les puissances du Seigneur,
bénissez le Seigneur !

Et vous, le soleil et la lune,
bénissez le Seigneur,
et vous, les astres du ciel,
bénissez le Seigneur,
vous toutes, pluies et rosées,
bénissez le Seigneur !

Vous tous, souffles et vents,
bénissez le Seigneur,
et vous, le feu et la chaleur,
bénissez le Seigneur,
et vous, la fraîcheur et le froid,
bénissez le Seigneur !

Et vous, le givre et la rosée,
bénissez le Seigneur,
et vous, le gel et le froid,
bénissez le Seigneur,
et vous, la glace et la neige,
bénissez le Seigneur !

Et vous, les nuits et les jours,
bénissez le Seigneur,

et vous, la lumière et les ténèbres,
bénissez le Seigneur,
et vous, les éclairs, les nuées,
bénissez le Seigneur !
À lui, haute gloire, louange éternelle !

Que la terre bénisse le Seigneur :
À lui, haute gloire, louange éternelle !

Et vous, montagnes et collines,
bénissez le Seigneur,
et vous, les plantes de la terre,
bénissez le Seigneur,
et vous, sources et fontaines,
bénissez le Seigneur !

Et vous, océans et rivières,
bénissez le Seigneur,
baleines et bêtes de la mer,
bénissez le Seigneur,
vous tous, les oiseaux dans le ciel,
bénissez le Seigneur,
vous tous, fauves et troupeaux,
bénissez le Seigneur :
À lui, haute gloire, louange éternelle !

Et vous, les enfants des hommes,
bénissez le Seigneur :
À lui, haute gloire, louange éternelle !

Toi, Israël,
bénis le Seigneur !
Et vous, les prêtres,
bénissez le Seigneur,
vous, ses serviteurs,
bénissez le Seigneur !

Les esprits et les âmes des justes,
bénissez le Seigneur,

les saints et les humbles de cœur,
 bénissez le Seigneur,
Ananias, Azarias et Misaël,
 bénissez le Seigneur :
À lui, haute gloire, louange éternelle !

Bénissons le Père, le Fils et l'Esprit Saint :
À lui, haute gloire, louange éternelle !
Béni sois-tu, Seigneur, au firmament du ciel :
À toi, haute gloire, louange éternelle !

Parole de Dieu

Hébreux 12, 1-3

Nous aussi, entourés de cette immense nuée de témoins, et débarrassés de tout ce qui nous alourdit – en particulier du péché qui nous entrave si bien –, courons avec endurance l'épreuve qui nous est proposée, les yeux fixés sur Jésus, qui est à l'origine et au terme de la foi. Renonçant à la joie qui lui était proposée, il a enduré la croix en méprisant la honte de ce supplice, et il siège à la droite du trône de Dieu. Méditez l'exemple de celui qui a enduré de la part des pécheurs une telle hostilité, et vous ne serez pas accablés par le découragement.

Puissance, honneur et gloire à l'Agneau de Dieu !

Cantique de Zacharie

(Texte, couverture B)

Louange et intercession

Avec sainte Brigitte et les saintes de tous les temps, louons et invoquons notre Sauveur :

℟ Viens, Seigneur Jésus !

Tu as beaucoup pardonné à la pécheresse
parce qu'elle a beaucoup aimé :
– pardonne-nous, car nous avons beaucoup péché.

Sur les routes de Galilée,
les saintes femmes te suivaient :
– accorde-nous de mettre nos pas dans tes pas.

Tu es le Maître que Marie écoutait
et que Marthe servait :
– donne-nous de te servir dans la foi et l'amour.

Tu appelles frère, sœur, mère celui qui fait ta volonté :
– conforme nos paroles et nos actes à ton vouloir.

Tu as fait des saintes femmes
les premières messagères de ta résurrection :
– envoie-nous proclamer à tes frères que tu es le Vivant.

Intentions libres

Notre Père…

Seigneur Dieu, tu as conduit sainte Brigitte par divers chemins de vie et tu lui as enseigné de façon admirable la sagesse de la croix par la contemplation de la passion de ton Fils ; accorde à chacun de nous, quel que soit son état de vie, de savoir te chercher en toute chose. Par Jésus Christ, ton Fils, notre Seigneur.

LA MESSE

Fête de sainte Brigitte

● *BRIGITTE PERSSON appartenait par sa naissance (1303) et par son mariage (1316) à la haute société suédoise. Mère de huit enfants, attentive à leur éducation, elle vécut avec son mari, Ulf Gudmarsson, d'une vie très pieuse et très consciente de leurs charges communes. Ils firent ensemble le pèlerinage de Compostelle, mais Ulf mourut au retour (1344). Bientôt, Brigitte commença à recevoir des révélations, qui l'introduisirent intimement dans le mystère de la Passion. « Elle ne pouvait y penser sans pleurer. Elle éprouvait une telle douceur à contempler les plaies du Sauveur qu'elle en était parfois tout embrasée d'amour » (Birger d'Upsal). Mais elle recevait aussi, dans ces révélations, des lumières sur la conduite de la politique européenne et de l'Église, qui lui faisaient inviter les rois de France et d'Angleterre à conclure la paix, et le pape Clément VI à quitter Avignon pour Rome. En 1350, Brigitte se rendit à Rome pour le pèlerinage de l'Année sainte. Elle allait y vivre le reste de sa vie dans la pauvreté volontaire, l'étude et la prière, attendant l'approbation par le pape de l'ordre du Saint-Sauveur qu'elle comptait fonder à Vadstena. Mais la fondation ne verra le jour qu'après sa mort (1373) sous la direction de sa fille, sainte Catherine de Suède.* ●

Réjouissons-nous tous dans le Seigneur, en célébrant la fête de la bienheureuse Brigitte, les anges s'en réjouissent et tous ensemble ils louent le Fils de Dieu.

Gloire à Dieu ——— **page 195**

Prière ——— **page précédente**

Lecture du livre de Tobie **8, 4b-7**

Le soir de son mariage, Tobie dit à Sarra : « Lève-toi, ma sœur. Prions, et demandons à notre Seigneur de nous combler de sa miséricorde et de son salut. » Elle se leva et ils se mirent à prier et à demander que leur soit accordé le salut. Tobie commença ainsi : « Béni sois-tu, Dieu de nos pères ; béni soit ton nom dans toutes les générations, à jamais. Que les cieux te bénissent et toute ta création dans tous les siècles. C'est toi qui as fait Adam ; tu lui as fait une aide et un appui : Ève, sa femme. Et de tous deux est né le genre humain. C'est toi qui as dit : "Il n'est pas bon que l'homme soit seul. Je vais lui faire une aide qui lui soit semblable." Ce n'est donc pas pour une

union illégitime que je prends ma sœur que voici, mais dans la vérité de la Loi. Daigne me faire miséricorde, ainsi qu'à elle, et nous mener ensemble à un âge avancé. »
— *Parole du Seigneur.*

Ou bien :

Lecture de la lettre
de saint Paul apôtre aux Galates 2, 19-20

FRÈRES, par la Loi, je suis mort à la Loi afin de vivre pour Dieu ; avec le Christ, je suis crucifié. Je vis, mais ce n'est plus moi, c'est le Christ qui vit en moi. Ce que je vis aujourd'hui dans la chair, je le vis dans la foi au Fils de Dieu qui m'a aimé et s'est livré lui-même pour moi.
— *Parole du Seigneur.*

PSAUME 33

Je bénirai le Seigneur en tout temps.

Ou bien :

Goûtez et voyez
comme est bon le Seigneur.

Je bénirai le Seigneur en tout temps,
sa louange sans cesse à mes lèvres.
Je me glorifierai dans le Seigneur :
que les pauvres m'entendent et soient en fête !

Magnifiez avec moi le Seigneur,
exaltons tous ensemble son nom.
Je cherche le Seigneur, il me répond :
de toutes mes frayeurs, il me délivre.

Qui regarde vers lui resplendira,
sans ombre ni trouble au visage.
Un pauvre crie ; le Seigneur entend :
il le sauve de toutes ses angoisses.

L'ange du Seigneur campe alentour
pour libérer ceux qui le craignent.
Goûtez et voyez : le Seigneur est bon !
Heureux qui trouve en lui son refuge !

Saints du Seigneur, adorez-le :
rien ne manque à ceux qui le craignent.
Des riches ont tout perdu, ils ont faim ;
qui cherche le Seigneur ne manquera d'aucun bien.

Alléluia. Alléluia. Demeurez dans mon amour, dit le Seigneur. Celui qui demeure en moi et en qui je demeure, celui-là porte beaucoup de fruit. Alléluia.

Évangile de Jésus Christ selon saint Jean **15, 1-8**

En ce temps-là, Jésus disait à ses disciples : « Moi, je suis la vraie vigne, et mon Père est le vigneron. Tout sarment qui est en moi, mais qui ne porte pas de fruit, mon Père l'enlève ; tout sarment qui porte du fruit, il le purifie en le taillant, pour qu'il en porte davantage. Mais vous, déjà vous voici purifiés grâce à la parole que je vous ai dite. Demeurez en moi, comme moi en vous. De même que le sarment ne peut pas porter de fruit par lui-même s'il ne demeure pas sur la vigne, de même vous non plus, si vous ne demeurez pas en moi. Moi, je suis la vigne, et vous, les sarments. Celui qui demeure en moi et en qui je demeure, celui-là porte beaucoup de fruit, car, en dehors de moi, vous ne pouvez rien faire. Si quelqu'un ne demeure pas en moi, il est, comme le sarment, jeté dehors, et il se dessèche. Les sarments secs, on les ramasse, on les jette au feu, et ils brûlent. Si vous demeurez en moi, et que mes paroles demeurent en vous, demandez tout ce que vous voulez, et cela se réalisera pour vous. Ce qui fait la gloire de mon Père, c'est que vous portiez beaucoup de fruit et que vous soyez pour moi des disciples. »

— *Acclamons la Parole de Dieu.*

Ou bien :

Évangile de Jésus Christ selon saint Marc 3, 31-35

En ce temps-là, comme Jésus était dans une maison, arrivent sa mère et ses frères. Restant au-dehors, ils le font appeler. Une foule était assise autour de lui ; et on lui dit : « Voici que ta mère et tes frères sont là dehors : ils te cherchent. » Mais il leur répond : « Qui est ma mère ? qui sont mes frères ? » Et parcourant du regard ceux qui étaient assis en cercle autour de lui, il dit : « Voici ma mère et mes frères. Celui qui fait la volonté de Dieu, celui-là est pour moi un frère, une sœur, une mère. »

— *Acclamons la Parole de Dieu.*

PRIÈRE SUR LES OFFRANDES. Dieu de grande bonté, en sainte Brigitte tu as fait disparaître ce qui devait vieillir, pour créer un être nouveau à ton image ; nous t'en prions, accorde-nous d'être renouvelés comme elle, afin que nous puissions te plaire en t'offrant ce sacrifice de pardon et de paix. Par Jésus, le Christ.

PRÉFACE. Vraiment, il est juste et bon de te rendre gloire, de t'offrir notre action de grâce, toujours et en tout lieu, à toi, Père très saint, Dieu éternel et tout-puissant. Nous célébrons les prévenances de ton amour pour tant d'hommes et de femmes parvenus à la sainteté en se donnant au Christ à cause du royaume des Cieux. Par ce mystère d'alliance, tu veux que notre condition humaine retrouve sa splendeur première, et que, dès ici-bas, nous ayons un avant-goût des biens que tu nous donneras dans le monde à venir. C'est pourquoi, avec les anges et tous les saints, nous chantons et proclamons : Saint !...

Tu aimes la justice et tu réprouves le mal. Oui, Dieu, ton Dieu, t'a consacrée d'une onction de joie, de préférence à tes semblables.

Prière après la communion. Dieu tout-puissant, nous te prions, fais que, soutenus par la force de ce sacrement et instruits par l'exemple de la bienheureuse Brigitte, nous te cherchions toujours et par-dessus tout, donnant forme en ce monde à l'humanité nouvelle. Par Jésus, le Christ, notre Seigneur.

MÉDITATION DU JOUR

Celui-là est pour moi un frère

Ici se pose une question : qui est mon proche parent ? Il est dit dans l'Évangile que les gens les plus proches de lui vinrent pour s'emparer de lui (cf. Mc 3, 21). Comment définir qui est mon prochain ? Le Christ dit dans l'Évangile : *Quiconque fait la volonté de Dieu, voilà mon frère, ma sœur, ma mère.* Nous considérons comme faisant partie de notre parenté ceux avec lesquels nous sommes liés par les liens du sang. Mais si nous entrons dans l'esprit de l'Évangile, nous constatons à l'évidence qu'il est impossible de diviser le monde entre les membres de notre parenté et ceux qui en sont étrangers. Dans la mesure où nos parents par le sang sont fermés à l'Évangile, au Christ, à Dieu, ils n'ont aucun rapport avec ce qui est au fondement de notre vie même. Il ne s'ensuit pas que nous devions nous détourner d'eux, ni qu'ils deviennent pour nous des étrangers. Mais prenons conscience que nous pouvons être plus proches de certaines personnes sur un plan autre que celui des liens de parenté. Nous partageons avec elles un mode de vie d'une telle profondeur, d'une telle signification, qu'il ne nous est pas possible d'agir de même avec ceux qui nous sont consanguins.

Métropolite Antoine Bloom

Médecin, moine, puis évêque, exarque du patriarcat russe pour l'Europe occidentale et métropolite, Antoine Bloom († 2003) a exercé une influence spirituelle profonde sur tous ceux qu'il a approchés.

Prière du soir

17e semaine du temps ordinaire

Que ma prière devant toi s'élève comme un encens,
et mes mains, comme l'offrande du soir.

Gloire au Père, et au Fils, et au Saint-Esprit !

HYMNE

℟ Alléluia, le Seigneur règne,
Alléluia, il est vainqueur,
Alléluia, le Seigneur règne,
Chante alléluia, amen.

Rendons gloire à Dieu, soyons dans la joie,
À Jésus gloire et puissance,
Dieu le Seigneur, maître de tout,
Règne dans sa majesté.

Le temps est venu de célébrer,
Dans la joie et l'allégresse,
Venez donc tous pour le banquet,
Pour les noces de l'Agneau.

Vous tous qui êtes appelés
Par le Seigneur, roi de gloire,
Adorez Dieu, dans l'unité,
Pour les siècles. Amen.

PSAUME 126 **Dieu, maître de nos vies**

« En dehors de moi, dit le Seigneur, vous ne pouvez rien faire » (Jn 15, 5).

Si le Seigneur ne bâtit la maison,
les bâtisseurs travaillent en vain ; *
si le Seigneur ne garde la ville,
c'est en vain que veillent les gardes.

En vain tu devances le jour,
tu retardes le moment de ton repos, + — le repos
tu manges un pain de douleur : *
Dieu comble son bien-aimé quand il dort.

Des fils, voilà ce que donne le Seigneur,
des enfants, la récompense qu'il accorde ; *
comme des flèches aux mains d'un guerrier,
ainsi les fils de la jeunesse. — une famille

Heureux l'homme vaillant
qui a garni son carquois de telles armes ! * — la victoire
S'ils affrontent leurs ennemis sur la place,
ils ne seront pas humiliés.

Rendons gloire au Père tout-puissant,
à son Fils Jésus Christ, le Seigneur,
à l'Esprit qui habite en nos cœurs,
pour les siècles des siècles. Amen.

Dieu qui donnes sans compter à ceux qui comptent sur toi, sois le bâtisseur de ton Église et le gardien de nos fidélités : apprends-nous à travailler comme si tout dépendait de nous ; apprends-nous à nous dépenser en attendant tout de ta grâce.

Parole de Dieu — Romains 15, 5-7

Que le Dieu de la persévérance et du réconfort vous donne d'être d'accord les uns avec les autres selon le Christ Jésus. Ainsi, d'un même cœur, d'une seule voix, vous rendrez gloire à Dieu, le Père de notre Seigneur Jésus Christ. Accueillez-vous donc les uns les autres, comme le Christ vous a accueillis pour la gloire de Dieu.

Seigneur, rassemble-nous
dans la paix de ton amour !

CANTIQUE DE MARIE (Texte, couverture A)

INTERCESSION

Pour rendre gloire au Père, au Fils et à l'Esprit, prions et supplions :

℟ Sauve-nous, Dieu de l'univers !

Béni sois-tu, Seigneur,
pour le monde et ses merveilles :
– que ta justice et ton amour emplissent la terre.

Béni sois-tu, Seigneur, Parole vivante du Père :
– que ton Évangile parvienne à toutes les nations.

Béni sois-tu, Seigneur, Esprit de vie :
– que ton souffle renouvelle la face de la terre.

Béni sois-tu, Seigneur de ton peuple :
– que ton Église témoigne pour l'espérance.

Béni sois-tu, Seigneur des vivants :
– fais entrer les défunts dans l'éternelle joie.

Intentions libres

Notre Père… Car c'est à toi qu'appartiennent…

Salut, Reine des cieux ! Salut, Reine des anges !
Salut, Tige féconde ! Salut, Porte du ciel !
Par toi, la lumière s'est levée sur le monde.

Réjouis-toi, Vierge glorieuse,
belle entre toutes les femmes !
Salut, Splendeur radieuse :
implore le Christ pour nous.

Demain, le 17e dimanche du temps ordinaire a la préséance sur la mémoire de saint Charbel Makhlouf.

Parole de Dieu pour un dimanche

Leçon d'audace

Christelle Javary

J'OSE ENCORE PARLER À MON SEIGNEUR : par trois fois, cette expression revient dans la bouche d'Abraham, engagé dans une négociation serrée – on peut même dire un marchandage ! – pour sauver Sodome de la destruction. Comme il est beau qu'une créature, un être qui se reconnaît *poussière et cendre*, puisse ainsi se tenir debout devant son Créateur et nouer avec lui ce stupéfiant dialogue ! Qu'il est bon, notre Dieu, de se laisser ainsi interpeller ! Les peuples de l'Orient ancien adoraient des idoles redoutables dont il fallait se concilier les faveurs à coup de sacrifices, parfois même d'enfants. Mais Israël reçoit peu à peu la révélation bouleversante d'un Dieu proche et bienveillant, sauveur et miséricordieux. C'est pourquoi Abraham ose demander qu'un petit nombre de justes obtienne la grâce de toute la ville. Il sent instinctivement que cette supplication sera bien reçue. Quel dommage, cependant, de s'arrêter en si bon chemin ! Abraham ne va pas au-delà du chiffre de dix justes. Or, expliquent les Pères de l'Église, il fallait descendre jusqu'à un. Ce Juste unique qui sauve du péché non seulement Sodome mais encore toute l'humanité, c'est bien sûr le Christ. Comme l'enseigne saint Paul, la croix annule toutes nos dettes, elle est l'expression suprême de la miséricorde divine. Par la Passion bienheureuse, nous qui étions séparés de Dieu, nous sommes réconciliés avec lui. Dès lors, comme Abraham, osons tout lui demander, et d'abord le don de l'Esprit Saint. En Christ, nous sommes certains d'être exaucés. ■

Les intentions dominicales

Ces intentions sont à adapter en fonction de l'actualité et de l'assemblée qui célèbre.

À l'exemple d'Abraham, ne cessons pas d'intercéder pour nos frères et sœurs dans le besoin.

Pour que la prière de l'Église monte sans interruption vers le Père.

Pour que les chrétiens des diverses confessions s'assemblent pour la prière commune du *Notre Père*.

Pour que les jeunes en marche vers Cracovie découvrent la force de la prière.

Pour ceux qui ne trouvent plus les mots de la prière.

Pour que les vacanciers prennent le temps de la prière et du repos spirituel.

Pour que notre communauté invoque l'Esprit Saint, ce don que Dieu ne refuse pas à ceux qui le lui demandent.

Dieu qui patientes et prends pitié, écoute la prière de ton peuple et donne-lui la joie d'être exaucé. Par Jésus, le Christ, notre Seigneur.

[DIMANCHE 24 JUILLET]

17e du temps ordinaire

Prière du matin

L'Esprit du Seigneur remplit l'univers,
venez, adorons notre Dieu !

Louez le Seigneur, tous les peuples ; **Ps 116**
fêtez-le, tous les pays !

Son amour envers nous s'est montré le plus fort ;
éternelle est la fidélité du Seigneur !

Gloire au Père, et au Fils, et au Saint-Esprit,
pour les siècles des siècles. Amen.

HYMNE

Toutes les œuvres du Seigneur,
Bénissez le Seigneur.
Vous les anges du Seigneur,
Bénissez le Seigneur.
À lui louange pour toujours,
Bénissez le Seigneur, bénissez le Seigneur !

Vous les cieux, *Bénissez…*
Et vous les eaux dessus le ciel, *Bénissez…*
Et toutes les puissances du Seigneur, *Bénissez…*

Et vous la lune et le soleil, *Bénissez…*
Et vous les astres du ciel, *Bénissez…*
Vous toutes, pluies et rosées, *Bénissez…*

Vous tous, souffles et vents, *Bénissez…*
Et vous le feu et la chaleur, *Bénissez…*
Et vous la fraîcheur et le froid, *Bénissez…*

Et vous rivières, océans, *Bénissez…*
Vous tous, bêtes et troupeaux, *Bénissez…*
Vous tous, oiseaux du ciel, *Bénissez…*

Vous les enfants des hommes, *Bénissez…*
Les esprits et les âmes des justes, *Bénissez…*
Les saints et les humbles de cœur, *Bénissez…*

PSAUME 148 — **Louange cosmique**

Chaque jour nous appelle à rendre grâce pour la création et pour la vie nouvelle d'enfants de Dieu. Louez Dieu, aujourd'hui et pour l'éternité !

Louez le Seigneur du haut des cieux,
louez-le dans les hauteurs.
Vous, tous ses anges, louez-le,
louez-le, tous les univers.

Louez-le, soleil et lune,
louez-le, tous les astres de lumière ;
vous, cieux des cieux, louez-le,
et les eaux des hauteurs des cieux.

Qu'ils louent le nom du Seigneur :
sur son ordre ils furent créés ;
c'est lui qui les posa pour toujours
sous une loi qui ne passera pas.

Louez le Seigneur depuis la terre,
monstres marins, tous les abîmes ;
feu et grêle, neige et brouillard,
vent d'ouragan qui accomplis sa parole ;

les montagnes et toutes les collines,
les arbres des vergers, tous les cèdres ;
les bêtes sauvages et tous les troupeaux,
le reptile et l'oiseau qui vole ;

les rois de la terre et tous les peuples,
les princes et tous les juges de la terre ;
tous les jeunes gens et jeunes filles,
les vieillards comme les enfants.

Qu'ils louent le nom du Seigneur,
le seul au-dessus de tout nom ;
sur le ciel et sur la terre, sa splendeur :
il accroît la vigueur de son peuple.

Louange de tous ses fidèles,
des fils d'Israël, le peuple de ses proches !

Gloire au Père, et au Fils, et au Saint-Esprit…

Dieu qui fais exister tout ce qui est, loué soit ton nom au-dessus de tout nom ! Oui, ton peuple te loue, Dieu Très-Haut, d'être proche de lui en Jésus, ton Fils bien-aimé.

Parole de Dieu — 1 Jean 4, 16

Et nous, nous avons reconnu l'amour que Dieu a pour nous, et nous y avons cru. Dieu est amour : qui demeure dans l'amour demeure en Dieu, et Dieu demeure en lui.

Dieu est amour ! Dieu est lumière !
Dieu, notre Père !

Cantique de Zacharie (Texte, couverture B)

Louange et intercession

Louons le Christ Seigneur, soleil de notre jour, qui éclaire tout homme et ne connaît pas de déclin :

℟ Tu es la vie, Seigneur, tu es le salut !

Nous accueillons le jour que ta bonté nous accorde,
– le jour où tu surgis de la mort.

Par l'eau du baptême, tu nous as fait renaître,
– fais-nous vivre du souffle de ton Esprit.

À la table de ta parole et de ton corps, tu nous invites,
– rassemble-nous dans la joie et la simplicité du cœur.

Pour tant de grâce, nous te rendons grâce ;
– fais que nous passions avec toi de ce monde au Père.

Intentions libres

Notre Père…

Dieu très-haut et si proche des hommes, tu nous invites à te prier en toute confiance au nom de ton Fils et dans la liberté de l'Esprit. Mets en nous l'audace de demander pour recevoir, de chercher pour trouver, et transforme tous nos désirs en un seul : que vienne ton règne, maintenant et pour les siècles des siècles.

La messe

17e dimanche du temps ordinaire

Adorons Dieu dans sa sainte demeure ; il fait habiter les siens tous ensemble dans sa maison ; c'est lui qui donne force et puissance à son peuple.

Gloire à Dieu — page 195

Prière. Tu protèges, Seigneur, ceux qui comptent sur toi ; sans toi rien n'est fort et rien n'est saint : multiplie pour nous tes gestes de miséricorde afin que, sous ta conduite, en faisant un bon usage des biens qui passent, nous puissions déjà nous attacher à ceux qui demeurent. Par Jésus Christ, ton Fils, notre Seigneur.

Lecture du livre de la Genèse 18, 20-32

En ces jours-là, les trois visiteurs d'Abraham allaient partir pour Sodome. Alors le Seigneur dit : « Comme elle est grande, la clameur au sujet de Sodome et de Gomorrhe ! Et leur faute, comme elle est lourde ! Je veux descendre pour voir si leur conduite correspond à la clameur venue jusqu'à moi. Si c'est faux, je le reconnaîtrai. » Les hommes se dirigèrent vers Sodome, tandis qu'Abraham demeurait devant le Seigneur. Abraham s'approcha et dit : « Vas-tu vraiment faire périr le juste avec le coupable ? Peut-être y a-t-il cinquante justes dans la ville. Vas-tu vraiment les faire périr ? Ne pardonneras-tu pas à toute la ville à cause des cinquante justes qui s'y trouvent ? Loin de toi de faire une chose pareille ! Faire mourir le juste avec le coupable, traiter le juste de la même manière que le coupable, loin de toi d'agir ainsi ! Celui qui juge toute la terre n'agirait-il pas selon le droit ? » Le Seigneur déclara : « Si je trouve cinquante justes dans Sodome, à cause d'eux je pardonnerai à toute la ville. » Abraham répondit : « J'ose encore parler à mon Seigneur, moi qui suis poussière et cendre. Peut-être, sur les cinquante justes, en manquera-t-il cinq : pour ces cinq-là, vas-tu détruire toute la ville ? » Il déclara : « Non, je ne la détruirai pas, si j'en trouve quarante-cinq. » Abraham insista : « Peut-être s'en trouvera-t-il seulement quarante ? » Le Seigneur déclara : « Pour quarante, je ne le ferai pas. » Abraham dit : « Que mon Seigneur ne se mette pas en colère, si j'ose parler encore. Peut-être s'en trouvera-t-il seulement trente ? » Il déclara : « Si j'en trouve trente, je ne le ferai pas. » Abraham dit alors : « J'ose encore parler à mon Seigneur. Peut-être s'en trouvera-t-il seulement vingt ? » Il déclara : « Pour vingt, je ne détruirai pas. » Il dit : « Que mon Seigneur ne se mette pas en colère : je ne parlerai plus qu'une fois. Peut-être s'en trouvera-t-il seulement dix ? » Et le Seigneur déclara : « Pour dix, je ne détruirai pas. »

— *Parole du Seigneur.*

PSAUME 137

De tout mon cœur, Seigneur, je te rends grâce :
tu as entendu les paroles de ma bouche.
Je te chante en présence des anges,
vers ton temple sacré, je me prosterne.

Je rends grâce à ton nom pour ton amour et ta vérité,
car tu élèves, au-dessus de tout, ton nom et ta parole.
Le jour où tu répondis à mon appel,
tu fis grandir en mon âme la force.

Si haut que soit le Seigneur, il voit le plus humble ;
de loin, il reconnaît l'orgueilleux.
Si je marche au milieu des angoisses, tu me fais vivre,
ta main s'abat sur mes ennemis en colère.

Ta droite me rend vainqueur.
Le Seigneur fait tout pour moi !
Seigneur, éternel est ton amour :
n'arrête pas l'œuvre de tes mains.

Lecture de la lettre
de saint Paul apôtre aux Colossiens 2, 12-14

FRÈRES, dans le baptême, vous avez été mis au

tombeau avec le Christ et vous êtes ressuscités avec lui par la foi en la force de Dieu qui l'a ressuscité d'entre les morts. Vous étiez des morts, parce que vous aviez commis des fautes et n'aviez pas reçu de circoncision dans votre chair. Mais Dieu vous a donné la vie avec le Christ : il nous a pardonné toutes nos fautes. Il a effacé le billet de la dette qui nous accablait en raison des prescriptions légales pesant sur nous : il l'a annulé en le clouant à la croix.
— ***Parole du Seigneur.***

Alléluia. Alléluia. Vous avez reçu un Esprit qui fait de vous des fils ; c'est en lui que nous crions « *Abba* », Père. Alléluia.

Évangile de Jésus Christ selon saint Luc 11, 1-13

IL ARRIVA QUE JÉSUS, en un certain lieu, était en prière. Quand il eut terminé, un de ses disciples lui demanda : « Seigneur, apprends-nous à prier, comme Jean le Baptiste, lui aussi, l'a appris à ses disciples. » Il leur répondit : « Quand vous priez, dites : Père, que ton nom soit sanctifié, que ton règne vienne. Donne-nous le pain dont nous avons besoin pour chaque jour. Pardonne-nous nos péchés, car nous-mêmes, nous pardonnons aussi à tous ceux qui ont des torts envers nous. Et ne nous laisse pas entrer en tentation. » Jésus leur dit encore : « Imaginez que l'un de vous ait un ami et aille le trouver au milieu de la nuit pour lui demander : "Mon ami, prête-moi trois pains, car un de mes amis est arrivé de voyage chez moi, et je n'ai rien à lui offrir." Et si, de l'intérieur, l'autre lui répond : "Ne viens pas m'importuner ! La porte est déjà fermée ; mes enfants et moi, nous sommes couchés. Je ne puis pas me lever pour te donner quelque chose." Eh bien ! je vous le dis : même s'il ne se lève pas pour donner par amitié, il se lèvera à cause du sans-gêne de cet ami, et il lui donnera tout ce qu'il lui faut. Moi, je vous dis : Demandez, on vous donnera ; cherchez, vous trouverez ; frappez, on vous ouvrira. En effet, quiconque demande reçoit ; qui cherche trouve ; à qui frappe, on ouvrira. Quel père parmi vous, quand son fils lui demande un poisson, lui donnera un serpent au lieu du poisson ? ou lui donnera un scorpion quand il demande un œuf ? Si donc vous, qui êtes mauvais, vous savez donner de bonnes choses à vos enfants, combien plus le Père du ciel donnera-t-il l'Esprit Saint à ceux qui le lui demandent ! »

— ***Acclamons la Parole de Dieu.***

CREDO ———————— page 197

PRIÈRE SUR LES OFFRANDES. Accepte, Seigneur, ces offrandes prélevées pour toi sur tes propres largesses ; que ces mystères très saints, où ta grâce opère avec puissance, sanctifient notre vie de tous les jours et nous conduisent aux joies éternelles. Par Jésus, le Christ, notre Seigneur.

PRÉFACE ———————— page 200

Bénis le Seigneur, ô mon âme, n'oublie aucun de ses bienfaits.

Ou bien :

Heureux les miséricordieux : ils obtiendront miséricorde !
Heureux les cœurs purs : ils verront Dieu !

PRIÈRE APRÈS LA COMMUNION. Nous avons communié, Seigneur, à ce sacrement, mémorial de la passion de ton Fils ; fais servir à notre salut le don que lui-même nous a légué dans son immense amour. Lui qui règne avec toi.

MÉDITATION DU JOUR

Un pardon crucifiant

« Le *Notre Père*, je ne peux plus le dire jusqu'au bout, car je n'arrive pas à pardonner. » Comment, cependant, prier en vérité quand Jésus met sur nos lèvres cette demande : « Pardonne-nous comme nous pardonnons » ? Si le pardon que le Christ nous demande d'accorder à nos frères nous est tellement difficile, c'est parce qu'il nous oblige à agir envers le prochain comme Dieu lui-même agit envers nous : divinement, avec la puissance de Dieu. Autrement dit, nous devons être habités par le pardon de Dieu. Cela nous semble impossible, à moins de recourir pour nous-mêmes au pardon de Dieu. Le Christ en est le ministre, le « grand prêtre ». Mais à quel prix ! Jésus « n'utilise » pas le pardon du Père comme un ingénieur une source d'énergie nucléaire dont il se protège. Non ! le Christ nous donne le pardon du Père en accomplissant l'œuvre de la rédemption, en vivant jusqu'à en mourir le mystère de la croix. Étonnez-vous alors que le pardon soit difficile à donner ! Il est crucifiant. Entrez donc dans le mystère de la croix en pécheur pardonné grâce au sacrement de réconciliation. Dans un vrai geste d'humilité, allez demander le pardon de Dieu, confessez votre résistance à pardonner, reconnaissez tout ce qui en vous se dérobe pour suivre le Christ en sa Passion. Vous recevrez de Dieu comme une grâce ce qui vous est demandé comme une mission, en union avec le Christ crucifié et ressuscité.

CARD. JEAN-MARIE LUSTIGER

Le cardinal Jean-Marie Lustiger († 2007) a été archevêque de Paris de 1981 à 2005.

Prière du soir

Dieu, viens à mon aide,
Seigneur, à notre secours.

Gloire au Père, et au Fils, et au Saint-Esprit,
au Dieu qui est, qui était, et qui vient,
pour les siècles des siècles. Amen. Alléluia.

HYMNE

Voici la nuit,
L'immense nuit des origines,
Et rien n'existe hormis l'Amour,
Hormis l'Amour qui se dessine :
En séparant le sable et l'eau,
Dieu préparait comme un berceau
La Terre où il viendrait au jour.

Voici la nuit,
L'heureuse nuit de Palestine,
Et rien n'existe hormis l'Enfant,
Hormis l'Enfant de vie divine :
En prenant chair de notre chair,
Dieu transformait tous nos déserts
En Terre d'immortels printemps.

Voici la nuit,
L'étrange nuit sur la colline,
Et rien n'existe hormis le Corps,
Hormis le Corps criblé d'épines :
En devenant un crucifié,
Dieu fécondait comme un verger
La Terre où le plantait la mort.

Voici la nuit,
La sainte nuit qui s'illumine,
Et rien n'existe hormis Jésus,
Hormis Jésus où tout culmine :
En s'arrachant à nos tombeaux,
Dieu conduisait au jour nouveau
La Terre où il était vaincu.

Voici la nuit,
La longue nuit où l'on chemine,
Et rien n'existe hormis ce lieu,
Hormis ce lieu d'espoirs en ruines :
En s'arrêtant dans nos maisons,

Dieu préparait comme un Buisson
La Terre où tomberait le Feu !

PSAUME 109 **Le Messie vainqueur**

Le Christ a vaincu la mort et mis fin au règne de ses ennemis. Il siège à la droite du Père et nous ouvre les portes de son royaume.

Oracle du Seigneur à mon Seigneur : **Jésus,**
« Siège à ma droite, * **Messie de Dieu**
et je ferai de tes ennemis
le marchepied de ton trône. »

De Sion, le Seigneur te présente **Jésus,**
le sceptre de ta force : * **Roi des rois**
« Domine, jusqu'au cœur de l'ennemi. »

Le jour où paraît ta puissance,
tu es prince, éblouissant de sainteté : * **Jésus,**
« Comme la rosée qui naît de l'aurore, **Fils éternel**
je t'ai engendré. »

Le Seigneur l'a juré **Jésus,**
dans un serment irrévocable : * **Prêtre éternel**
« Tu es prêtre à jamais
selon l'ordre du roi Melkisédek. »

À ta droite se tient le Seigneur : * **Jésus,**
il brise les rois au jour de sa colère. **juste Juge**

Au torrent il s'abreuve en chemin, * **Jésus,**
c'est pourquoi il redresse la tête. **Homme vivant**

Gloire au Père, et au Fils, et au Saint-Esprit…

Parole de Dieu

1 Jean 4, 9-11

VOICI COMMENT l'amour de Dieu s'est manifesté parmi nous : Dieu a envoyé son Fils unique dans le monde pour que nous vivions par lui. Voici en quoi consiste l'amour :

ce n'est pas nous qui avons aimé Dieu, mais c'est lui qui nous a aimés, et il a envoyé son Fils en sacrifice de pardon pour nos péchés. Bien-aimés, puisque Dieu nous a tellement aimés, nous devons, nous aussi, nous aimer les uns les autres.

Pas de plus grand amour
que de donner sa vie pour ceux qu'on aime !

HYMNE DE LOUANGE **(Texte, couverture C)**

INTERCESSION

Adorons le Christ, Seigneur. Il est la tête ; nous sommes les membres de son Corps :

℟ Vienne ton règne, Seigneur !

Christ, ami des hommes, tu as établi ton Église
signe de salut pour les peuples :
– qu'elle soit fidèle à sa mission.

Tu veux rassembler tes frères en un seul Corps ;
– avive en nous le désir de l'unité.

Garde en communion le pape et les évêques ;
– qu'ils servent ton peuple au milieu des nations.

Accorde au monde la paix ;
– fais-nous les artisans de ta justice.

Ta résurrection nous a ouvert les portes de la vie :
– qu'ils entrent, ceux qui ont mis leur espérance en toi.

Intentions libres

Notre Père…

Car c'est à toi qu'appartiennent
le règne, la puissance et la gloire,
pour les siècles des siècles !

[LUNDI 25 JUILLET
Saint Jacques]

Prière du matin

Seigneur, Jésus, Roi des Apôtres,
louange à toi !

Gloire au Père, et au Fils, et au Saint-Esprit,
au Dieu qui est, qui était, et qui vient,
pour les siècles des siècles. Amen. Alléluia.

Hymne

℟ **Nous sommes le corps du Christ,**
Chacun de nous est un membre de ce corps.
Chacun reçoit la grâce de l'Esprit,
Pour le bien du corps entier.
Chacun reçoit la grâce de l'Esprit,
Pour le bien du corps entier.

Dieu nous a tous appelés à tenir
la même espérance,
Pour former un seul corps baptisé dans l'Esprit.
Dieu nous a tous appelés à la même sainteté,
Pour former un seul corps baptisé dans l'Esprit.

Dieu nous a tous appelés des ténèbres à sa lumière,
Pour former un seul corps…
Dieu nous a tous appelés à l'amour et au pardon,
Pour former un seul corps…

Dieu nous a tous appelés à chanter sa libre
louange,
Pour former un seul corps…
Dieu nous a tous appelés à l'union avec son Fils,
Pour former un seul corps…

PSAUME 149 **Louez Dieu, vous ses fidèles**

Avec saint Jacques, exultons de joie devant l'œuvre que Dieu accomplit au milieu de son peuple.

Chantez au Seigneur un chant nouveau,
louez-le dans l'assemblée de ses fidèles !
En Israël, joie pour son créateur ;
dans Sion, allégresse pour son Roi !
Dansez à la louange de son nom,
jouez pour lui, tambourins et cithares !

Car le Seigneur aime son peuple,
il donne aux humbles l'éclat de la victoire.
Que les fidèles exultent, glorieux,
criant leur joie à l'heure du triomphe.
Qu'ils proclament les éloges de Dieu,
tenant en main l'épée à deux tranchants.

Tirer vengeance des nations,
infliger aux peuples un châtiment,
charger de chaînes les rois,
jeter les princes dans les fers,
leur appliquer la sentence écrite,
c'est la fierté de ses fidèles.

Gloire au Père, et au Fils, et au Saint-Esprit,
pour les siècles des siècles. Amen.

Parole de Dieu **2 Corinthiens 5, 19b-20**

DIEU A DÉPOSÉ en nous la parole de la réconciliation. Nous sommes donc les ambassadeurs du Christ, et par nous c'est Dieu lui-même qui lance un appel : nous le demandons au nom du Christ, laissez-vous réconcilier avec Dieu.

Annoncez à tous les peuples
la Bonne Nouvelle.

CANTIQUE DE ZACHARIE (Texte, couverture B)

LOUANGE ET INTERCESSION

Nous avons reçu de saint Jacques et des Apôtres un héritage spirituel, rendons grâce à Dieu notre Père pour les biens qu'il nous donne.

℟ Loué sois-tu, Seigneur.

Loué sois-tu pour ta sainte Église
édifiée sur les Apôtres :
elle est le corps que nous formons.

Loué sois-tu pour la Parole
qu'ils nous ont fait connaître :
elle est notre lumière et notre joie.

Loué sois-tu pour le baptême et la pénitence
qu'ils nous ont annoncés dans la foi :
c'est là que nous sommes pardonnés.

Loué sois-tu pour l'eucharistie
qu'ils nous ont transmise :
elle est notre force et notre vie.

Loué sois-tu pour la force
que tu nous donnes :
qu'elle nous mène tous au combat pour la vie.

Intentions libres

Notre Père…

Dieu tout-puissant, puisque saint Jacques fut le premier de tes Apôtres à offrir sa vie pour l'Évangile, accorde à ton Église de trouver dans son témoignage une force, et dans sa protection un appui. Par Jésus Christ, ton Fils, notre Seigneur.

LA MESSE

Fête de saint Jacques

● *SAINT JACQUES était le frère de Jean, l'un et l'autre fils de Zébédée, patrons pêcheurs sur le lac de Génésareth (a. d'ouverture), compagnons de travail de Pierre et d'André. Dans ce monde de gens simples et droits, rudes à la tâche, mais fidèles au Seigneur et communiant à l'espérance d'Israël, la voix de Jean Baptiste reçut un écho profond, et surtout Jésus de Nazareth passa : ils devinrent pêcheurs d'hommes. Un peu d'ambition humaine avait pu se mêler au zèle pour le royaume de Dieu (Évangile), mais la grâce du Christ conduirait ces âmes jusqu'au don total. Jacques appartient au petit groupe des intimes de Jésus, avec Pierre et Jean : il fut témoin de la résurrection de la fille de Jaïre et de la transfiguration du Seigneur ; celui-ci attendit en vain de lui quelque réconfort dans son agonie. Du moins Jacques eut-il l'honneur d'être « le premier des Apôtres à offrir sa vie pour l'Évangile » (p. d'ouverture et sur les offrandes) : en 43 ou 44, peu avant la fête de Pâques, le roi Hérode Agrippa Ier le fit décapiter* (Ac 12, 2). *C'est ainsi que, selon la prédiction de Jésus, « il partagea la coupe du Seigneur » (a. de la communion). Depuis le IXe siècle, on vénère à Compostelle le tombeau de saint Jacques. Quoi qu'il en soit de l'authenticité de cette tradition, le culte de l'Apôtre a fleuri à travers l'Europe tout au long des routes qui mènent en Galice, en attendant de franchir l'Océan avec les découvreurs de l'Amérique latine (Santiago).* ●

Comme il cheminait le long de la mer de Galilée, Jésus aperçut Jacques, fils de Zébédée, et Jean son frère, en train d'arranger leurs filets ; et il les appela.

GLOIRE À DIEU ——————————— **page 195**

Prière ——— page 336

Lecture de la deuxième lettre de saint Paul apôtre aux Corinthiens 4, 7-15

Frères, nous portons un trésor comme dans des vases d'argile ; ainsi, on voit bien que cette puissance extraordinaire appartient à Dieu et ne vient pas de nous. En toute circonstance, nous sommes dans la détresse, mais sans être angoissés ; nous sommes déconcertés, mais non désemparés ; nous sommes pourchassés, mais non pas abandonnés ; terrassés, mais non pas anéantis. Toujours nous portons, dans notre corps, la mort de Jésus, afin que la vie de Jésus, elle aussi, soit manifestée dans notre corps. En effet, nous, les vivants, nous sommes continuellement livrés à la mort à cause de Jésus, afin que la vie de Jésus, elle aussi, soit manifestée dans notre condition charnelle vouée à la mort. Ainsi la mort fait son œuvre en nous, et la vie en vous. L'Écriture dit : *J'ai cru, c'est pourquoi j'ai parlé.* Et nous aussi, qui avons le même esprit de foi, nous croyons, et c'est pourquoi nous parlons. Car, nous le savons, celui qui a ressuscité le Seigneur Jésus nous ressuscitera, nous aussi, avec Jésus, et il nous placera près de lui avec vous. Et tout cela, c'est pour vous, afin que la grâce, plus largement répandue dans un plus grand nombre, fasse abonder l'action de grâce pour la gloire de Dieu.

— *Parole du Seigneur.*

Psaume 125

Ceux qui sèment dans les larmes
moissonnent dans la joie.

Quand le Seigneur ramena les captifs à Sion,
nous étions comme en rêve !
Alors notre bouche était pleine de rires,
nous poussions des cris de joie.

Alors on disait parmi les nations :
« Quelles merveilles fait pour eux le Seigneur ! »
Quelles merveilles le Seigneur fit pour nous :
nous étions en grande fête !

Ramène, Seigneur, nos captifs,
comme les torrents au désert.
Qui sème dans les larmes
moissonne dans la joie.

Il s'en va, il s'en va en pleurant,
il jette la semence ;
il s'en vient, il s'en vient dans la joie,
il rapporte les gerbes.

Alléluia. Alléluia. C'est moi qui vous ai choisis du milieu du monde, afin que vous alliez, que vous portiez du fruit, et que votre fruit demeure, dit le Seigneur. **Alléluia.**

Évangile de Jésus Christ selon saint Matthieu 20, 20-28

EN CE TEMPS-LÀ, la mère de Jacques et de Jean, fils de Zébédée, s'approcha de Jésus avec ses fils Jacques et Jean, et elle se prosterna pour lui faire une demande. Jésus lui dit : « Que veux-tu ? » Elle répondit : « Ordonne que mes deux fils que voici siègent, l'un à ta droite et l'autre à ta gauche, dans ton Royaume. » Jésus répondit : « Vous ne savez pas ce que vous demandez. Pouvez-vous boire la coupe que je vais boire ? » Ils lui disent : « Nous le pouvons. » Il leur dit : « Ma coupe, vous la boirez ; quant à siéger à ma droite et à ma gauche, ce n'est pas à moi de l'accorder ; il y a ceux pour qui cela est préparé par mon Père. » Les dix autres, qui avaient entendu, s'indignèrent contre les deux frères. Jésus les appela et dit : « Vous le savez : les chefs des nations les commandent en maîtres, et les grands font sentir leur pouvoir. Parmi vous, il ne devra pas en être ainsi : celui qui veut devenir grand parmi vous sera votre serviteur ; et celui qui veut être parmi vous le premier sera votre esclave. Ainsi, le Fils de l'homme n'est pas venu pour être servi, mais pour servir, et donner sa vie en rançon pour la multitude. »

— *Acclamons la Parole de Dieu.*

PRIÈRE SUR LES OFFRANDES. Purifie-nous, Seigneur, par le baptême de la passion de ton Fils, et nous pourrons t'offrir un sacrifice qui te plaise en la fête de saint Jacques qui fut le premier des Apôtres à boire à la coupe du Christ. Lui qui règne.

PRÉFACE. Vraiment, il est juste et bon de te rendre gloire, de t'offrir notre action de grâce, toujours et en tout lieu, à toi, Père très saint, Dieu éternel et tout-puissant, par le Christ, notre Seigneur. Car tu as fondé sur les Apôtres l'Église de ton Fils, pour qu'elle soit dans le monde le signe vivant de ta sainteté, et qu'elle annonce à tous les hommes l'Évangile du royaume des Cieux. C'est pourquoi, dès maintenant et pour l'éternité, nous pouvons t'acclamer avec les anges en disant à pleine voix : Saint !...

Les deux frères Jacques et Jean ont partagé la coupe du Seigneur, ils sont devenus les amis de Dieu.

PRIÈRE APRÈS LA COMMUNION. À la prière de l'Apôtre saint Jacques, viens à notre aide, Seigneur, en ce jour où pour célébrer sa fête nous avons reçu dans la joie tes dons sacrés. Par Jésus.

MÉDITATION DU JOUR

Le martyre secret

Il y a deux espèces de martyre : l'une dans l'âme, l'autre dans l'âme et dans l'action. Aussi pouvons-nous être martyrs, même si l'épée des persécuteurs ne nous donne pas la mort. Mourir de la main du persécuteur, c'est clairement le martyre ; supporter les outrages, aimer celui qui vous hait, c'est le martyre au secret de l'âme.

L'existence de ces deux genres de martyre, l'un en secret, l'autre en public, la vérité l'atteste qui répond à la demande des fils de Zébédée : *Pouvez-vous boire la coupe que je dois boire ?* Ils lui répondent aussitôt : *Nous le pouvons*, et le Seigneur leur réplique immédiatement : *Ma coupe, vous la boirez*. Que signifie pour nous la coupe, sinon la douleur de la Passion ? Le Seigneur le dit ailleurs : *Père, si cela est possible, que cette coupe s'éloigne de moi* (Mt 26, 39). Or les fils de Zébédée, c'est-à-dire Jacques et Jean, ne périrent pas tous deux par le martyre, et pourtant ils entendirent qu'ils boiraient tous les deux cette coupe. Jean ne finit pas sa vie par le martyre, et pourtant il fut martyr, car la passion qu'il n'avait pas subie dans son corps, il l'éprouva dans son âme. Cet exemple nous montre que nous pouvons être martyrs sans le glaive, si nous gardons vraiment la patience dans notre cœur.

ST GRÉGOIRE LE GRAND

Saint Grégoire le Grand († 604), docteur de l'Église, fut préfet de Rome, moine et fondateur, diacre, légat, puis pape de 590 à 604.

Prière du soir

Seigneur, Jésus, Roi des Apôtres,
louange à toi !

Gloire au Père, et au Fils, et au Saint-Esprit !

HYMNE

℟ Nous sommes le corps du Christ,
Chacun de nous est un membre de ce corps.
Chacun reçoit la grâce de l'Esprit,
Pour le bien du corps entier.
Chacun reçoit la grâce de l'Esprit,
Pour le bien du corps entier.

Dieu nous a tous appelés à la paix
que donne sa grâce,
Pour former un seul corps baptisé dans l'Esprit.
Dieu nous a tous appelés sous la croix
de Jésus Christ,
Pour former un seul corps baptisé dans l'Esprit.

Dieu nous a tous appelés au salut
par la renaissance,
Pour former un seul corps…
Dieu nous a tous appelés au salut
par l'Esprit Saint,
Pour former un seul corps…

Dieu nous a tous appelés à la gloire
de son Royaume,
Pour former un seul corps…
Dieu nous a tous appelés pour les noces
de l'Agneau,
Pour former un seul corps…

Psaume 115 **Dieu sauve son bien-aimé**

Comment rendre au Seigneur tout le bien qu'il nous a fait dans la résurrection de son Fils ? En offrant le sacrifice d'action de grâce qui plaît à Dieu, un cœur humble et reconnaissant.

Je crois, et je parlerai,
moi qui ai beaucoup souffert,
moi qui ai dit dans mon trouble :
« L'homme n'est que mensonge. »

Comment rendrai-je au Seigneur
tout le bien qu'il m'a fait ?
J'élèverai la coupe du salut,
j'invoquerai le nom du Seigneur.
Je tiendrai mes promesses au Seigneur,
oui, devant tout son peuple !

Il en coûte au Seigneur
de voir mourir les siens !
Ne suis-je pas, Seigneur, ton serviteur,
ton serviteur, le fils de ta servante, *
moi, dont tu brisas les chaînes ?

Je t'offrirai le sacrifice d'action de grâce,
j'invoquerai le nom du Seigneur.
Je tiendrai mes promesses au Seigneur,
oui, devant tout son peuple,
à l'entrée de la maison du Seigneur,
au milieu de Jérusalem !

Gloire au Père, et au Fils, et au Saint-Esprit,
pour les siècles des siècles. Amen.

Dieu qui souffres de la mort des tiens et qui brises les chaînes des malheureux, comment pourrions-nous te rendre tout le bien que tu nous as fait ? Accepte que nous te présentions, en sacrifice d'action de grâce, l'offrande de ton serviteur, le fils de ta servante.

Parole de Dieu

Actes 5, 40-42

LES MEMBRES DU CONSEIL rappelèrent alors les Apôtres et, après les avoir fait fouetter, ils leur interdirent de parler au nom de Jésus, puis ils les relâchèrent. Quant à eux, quittant le Conseil suprême, ils repartaient tout joyeux d'avoir été jugés dignes de subir des humiliations pour le nom de Jésus. Tous les jours, au Temple et dans leurs maisons, sans cesse, ils enseignaient et annonçaient la Bonne Nouvelle : le Christ, c'est Jésus.

Annoncez à tous les peuples la Bonne Nouvelle.

CANTIQUE DE MARIE (Texte, couverture A)

INTERCESSION

Prenons appui sur la foi qui nous vient de saint Jacques et des Apôtres et prions Dieu pour son peuple saint :

℟ Souviens-toi de ton Église, Seigneur.

Père, tu as voulu que ton Fils ressuscité
se manifeste à saint Jacques et aux Apôtres,
– fais de nous les témoins de sa résurrection.

Toi qui as envoyé ton Fils porter aux pauvres
la Bonne Nouvelle,
– donne-nous d'annoncer l'Évangile.

Toi qui as envoyé ton Fils semer la Parole,
– envoie des ouvriers à ta moisson.

Toi qui as envoyé ton Fils réconcilier le monde
avec toi par son propre sang,
– fais de nous des instruments de paix.

Toi qui as fait asseoir ton Fils à ta droite
dans les cieux,
– accueille nos morts dans la joie du Royaume.

Intentions libres

Notre Père…

Car c'est à toi qu'appartiennent
le règne, la puissance et la gloire,
pour les siècles des siècles !

[MARDI 26 JUILLET
Sainte Anne et saint Joachim]

Prière du matin

Dieu saint, toute sainteté vient de toi !

Gloire au Père, et au Fils, et au Saint-Esprit,
au Dieu qui est, qui était, et qui vient,
pour les siècles des siècles. Amen. Alléluia.

HYMNE

℟ C'est toi qui nous appelles, Seigneur Jésus,
Sur ton chemin de lumière et de vie ;
Donne-nous de te suivre, Seigneur Jésus,
Dans la foi, dans l'amour.

Tu es la Bonne Nouvelle, nous libérant du péché ;
Tu ouvres aux hommes tes frères,
la voie de la sainteté !

Tu rassembles en un seul peuple,
des hommes de tout pays ;
Enfants de Dieu dans l'Église, unis par la charité.

Tu invites tes disciples à marcher jusqu'à la croix ;
Tu leur montres l'espérance où les entraîne ta voie.

PSAUME 23 Criez de joie pour le roi de gloire

Le baptême a purifié nos cœurs et, en suivant le Christ, nous avançons vers la montagne sainte où il nous attend.

Au Seigneur, le monde et sa richesse,
la terre et tous ses habitants !
C'est lui qui l'a fondée sur les mers
et la garde inébranlable sur les flots.

Qui peut gravir la montagne du Seigneur
et se tenir dans le lieu saint ?
L'homme au cœur pur, aux mains innocentes,
qui ne livre pas son âme aux idoles
(et ne dit pas de faux serments).

Il obtient, du Seigneur, la bénédiction,
et de Dieu son Sauveur, la justice.
Voici le peuple de ceux qui le cherchent !
Voici Jacob qui recherche ta face !

Portes, levez vos frontons, +
élevez-vous, portes éternelles :
qu'il entre, le roi de gloire !

Qui est ce roi de gloire ? +
C'est le Seigneur, le fort, le vaillant,
le Seigneur, le vaillant des combats.

Portes, levez vos frontons, +
levez-les, portes éternelles :
qu'il entre, le roi de gloire !

Qui donc est ce roi de gloire ? +
C'est le Seigneur, Dieu de l'univers ;
c'est lui, le roi de gloire.

Gloire au Père, et au Fils, et au Saint-Esprit,
pour les siècles des siècles. Amen.

Parole de Dieu Isaïe 55, 3-5

Prêtez l'oreille ! Venez à moi ! Écoutez, et vous vivrez. Je m'engagerai envers vous par une alliance éternelle : ce sont les bienfaits garantis à David. Lui, j'en ai fait un témoin pour les peuples, pour les peuples, un guide et un chef. Toi, tu appelleras une nation inconnue de toi ; une nation qui ne te connaît pas accourra vers toi, à cause du Seigneur ton Dieu, à cause du Saint d'Israël, car il fait ta splendeur.

Il est droit, il est bon le Seigneur,
sa justice dirige les humbles !

CANTIQUE DE ZACHARIE (Texte, couverture B)

LOUANGE ET INTERCESSION

Le Christ notre Seigneur, le Fils unique du Père a voulu prendre notre humanité, vivre dans une famille et la remplir de bénédictions. Prions-le avec foi :

℟ Garde nos familles dans la paix.

Toi qui as vécu avec Marie et Joseph
dans la maison de Nazareth,
– sanctifie nos familles.

Toi qui as donné à Anne et Joachim
de mettre au monde Marie, la joie du monde,
– garde-nous dans la paix.

Toi qui as cherché les intérêts de ton Père,
– fais de nous des adorateurs en esprit et en vérité.

Toi qui as aimé tes proches, toi qu'ils ont aimé,
– établis toutes les familles dans l'union.

Toi qui es venu annoncer la Bonne Nouvelle de la vie,
– nous te prions pour tous ceux qui souffrent,
dans leur famille, de la désunion, de la maladie,
de l'abandon, de la misère.

Intentions libres

Toi qui nous as enseigné la prière des fils,
apprends-nous chaque jour à dire en vérité :

Notre Père…

Seigneur, toi qui es le Dieu de nos Pères, tu as donné à sainte Anne et à saint Joachim de mettre au monde celle qui deviendrait la mère de ton Fils ; accorde-nous, à leur commune prière, le salut que tu as promis à ton peuple. Par Jésus Christ, ton Fils, notre Seigneur.

La messe

Mardi de la 17e semaine du temps ordinaire

Sainte Anne et saint Joachim *Mémoire*

● *Anne et Joachim, « les parents de la Mère de Dieu » (a. d'ouverture), ne nous sont pas connus par les Évangiles mais par des traditions qui peuvent remonter à la première moitié du IIe siècle. Le père et la mère de Marie constituent le chaînon qui relie l'ancien Israël au nouveau. « Ils ont reçu la bénédiction du Seigneur » (a. de la communion) et « par eux nous est venue la bénédiction promise à tous les peuples » (a. et p. d'ouverture, p. sur les offrandes). Ils ont donné naissance à celle de qui devait naître le Fils unique de Dieu (p. après la communion). C'est pourquoi saint Jean de Damas peut les saluer en ces termes : « Joachim et Anne, couple heureux ! Toute la création vous est débitrice. C'est par vous en effet qu'elle a offert au Créateur le don supérieur à tous les dons d'une mère toute sainte, seule digne de celui qui l'a créée. »*
Le culte de sainte Anne a grandi dans le rayonnement de celui de Marie. C'est à Jérusalem, dans la basilique de « Sainte-Marie, où elle est née », que Jean de Damas célébrait au VIIIe siècle les aïeux de Jésus. Tout naturellement, cette basilique allait devenir l'église Sainte-Anne-des-Croisés. Mais, dès le VIe siècle, sainte Anne était honorée à Constantinople dans une basilique qui fut dédiée en son honneur un 25 juillet. Le culte de saint Joachim s'est joint beaucoup plus tard à celui de son épouse. ●

Fêtons Anne et Joachim, les parents de la Mère de Dieu, par eux nous est venue la bénédiction promise à tous les peuples.

PRIÈRE ——— page précédente

(Lectures de la mémoire : Si 44, 1.10-15 ; Ps 131 ; Mt 13, 16-17.)

Lecture du livre de Jérémie 14, 17-22

QUE MES YEUX RUISSELLENT de larmes nuit et jour, sans s'arrêter ! Elle est blessée d'une grande blessure, la vierge, la fille de mon peuple, meurtrie d'une plaie profonde. Si je sors dans la campagne, voici les victimes de l'épée ; si j'entre dans la ville, voici les souffrants de la faim. Même le prophète, même le prêtre parcourent le pays sans comprendre.
As-tu donc rejeté Juda ? Es-tu pris de dégoût pour Sion ? Pourquoi nous frapper sans remède ? Nous attendions la paix, et rien de bon ! le temps du remède, et voici l'épouvante ! Seigneur, nous connaissons notre révolte, la faute de nos pères : oui, nous avons péché contre toi ! À cause de ton nom, ne méprise pas, n'humilie pas le trône de ta gloire ! Rappelle-toi : ne romps pas ton alliance avec nous ! Parmi les idoles des nations, en est-il qui fassent pleuvoir ? Est-ce le ciel qui nous donnera les pluies ? N'est-ce pas toi, Seigneur notre Dieu ? Nous espérons en toi, car c'est toi qui as fait tout cela.
— *Parole du Seigneur.*

PSAUME 78

Pour la gloire de ton nom,
Seigneur, délivre-nous !

Combien de temps, Seigneur, durera ta colère ?
Ne retiens pas contre nous les péchés de nos ancêtres :
que nous vienne bientôt ta tendresse,
car nous sommes à bout de force !

Aide-nous, Dieu notre Sauveur,
pour la gloire de ton nom !
Délivre-nous, efface nos fautes,
pour la cause de ton nom !

Que monte en ta présence la plainte du captif !
Ton bras est fort : épargne ceux qui doivent mourir.
Et nous, ton peuple, le troupeau que tu conduis,
sans fin nous pourrons te rendre grâce.

Alléluia. Alléluia. La semence est la parole de Dieu, le semeur est le Christ ; celui qui le trouve demeure pour toujours. Alléluia.

Évangile de Jésus Christ
selon saint Matthieu 13, 36-43

EN CE TEMPS-LÀ, laissant les foules, Jésus vint à la maison. Ses disciples s'approchèrent et lui dirent : « Explique-nous clairement la parabole de l'ivraie dans le champ. » Il leur répondit : « Celui qui sème le bon grain, c'est le Fils de l'homme ; le champ, c'est le monde ; le bon grain, ce sont les fils du Royaume ; l'ivraie, ce sont les fils du Mauvais. L'ennemi qui l'a semée, c'est le diable ; la moisson, c'est la fin du monde ; les moissonneurs, ce sont les anges. De même que l'on enlève l'ivraie pour la jeter au feu, ainsi en sera-t-il à la fin du monde. Le Fils de l'homme enverra ses anges, et ils enlèveront de son Royaume toutes les causes de chute et ceux qui font le mal ; ils les jetteront dans la fournaise : là, il y aura des pleurs et des grincements de dents. Alors les justes resplendiront comme le soleil dans le royaume de leur Père.
Celui qui a des oreilles, qu'il entende ! »

— *Acclamons la Parole de Dieu.*

PRIÈRE SUR LES OFFRANDES. Nous t'en prions, Seigneur, accepte ce que nous t'offrons de grand cœur ; que nous ayons part à la bénédiction promise à Abraham et à sa descendance. Par Jésus, le Christ, notre Seigneur.

PRÉFACE. Vraiment, il est juste et bon de te rendre gloire, de t'offrir notre action de grâce, toujours et en tout lieu, à toi, Père très saint, Dieu éternel et tout-puissant. Car tu es glorifié dans l'assemblée des saints : lorsque tu couronnes leurs mérites, tu couronnes tes propres dons. Dans leur vie, tu nous procures un modèle, dans la communion avec eux, une famille, et dans leur intercession, un appui, afin que, soutenus par cette foule immense de témoins, nous courions jusqu'au bout l'épreuve qui nous est proposée et recevions avec eux l'impérissable couronne de gloire, par le Christ, notre Seigneur. C'est par lui que les anges célèbrent ta grandeur, que les esprits bienheureux adorent ta gloire, que s'inclinent devant toi les puissances d'en haut et tressaillent d'une même allégresse les innombrables créatures des cieux. À leur hymne de louange, laisse-nous joindre nos voix pour chanter et proclamer : **Saint !...**

Heureux les cœurs purs : ils ont reçu la bénédiction du Seigneur, ils ont trouvé grâce devant Dieu, leur Sauveur.

PRIÈRE APRÈS LA COMMUNION. Tu as voulu, Seigneur, que ton Fils unique naisse d'une famille humaine, pour que les hommes, dans un admirable échange, renaissent de ta propre vie ; accorde à ceux que tu as nourris du pain de tes enfants d'être sanctifiés par ton esprit d'adoption. Par Jésus, le Christ, notre Seigneur.

MÉDITATION DU JOUR

La force de l'Évangile

L'Évangile ne se borne pas à nous donner une explication rétrospective de l'origine du mal que nous constatons. Il nous promet, il nous offre une solution actuelle, une solution qui n'est pas une simple explication des choses, mais une action salvatrice. L'Évangile ne se contente pas d'éclairer le mal. Il se propose de vaincre le mal. Il ne nous promet pas simplement de percer enfin le mystère d'une réalité troublante. Il nous annonce que la réalité peut être, va être transformée. C'est en cela que l'Évangile est une intervention divine. Le Dieu créateur, que nous avions éloigné de nous par notre faute, revient à nous, pour *chercher et sauver ce qui était perdu* (Lc 19, 10). Il vient lui-même défaire les obstacles, les barrages que nous avions follement dressés entre nous et lui. Mieux, il vient lui-même porter pour nous, le poids trop lourd pour nos épaules. Il vient subir avec nous ce mal dont nous étions les auteurs, mais qui, sans pouvoir l'atteindre, était retombé sur nous. Identifiée à nous, la parole de Dieu faite chair vient le « porter » pour l'« ôter », suivant le mot à double sens de Jean Baptiste : *Voici l'Agneau de Dieu, voici celui qui porte* (ou, et : qui « ôte ») *les péchés du monde* (Jn 1, 29).

LOUIS BOUYER

Louis Bouyer († 2004), prêtre de l'Oratoire, a été professeur à l'Institut catholique de Paris. Deux fois nommé par le pape à la Commission internationale de théologie, il a participé à la préparation du concile de Vatican II, à la mise en œuvre de sa réforme liturgique et de son ouverture œcuménique.

Prière du soir

Dieu, viens à mon aide,
Seigneur, à notre secours.

Gloire au Père, et au Fils, et au Saint-Esprit,
au Dieu qui est, qui était, et qui vient,
pour les siècles des siècles. Amen. Alléluia.

HYMNE

Un homme au cœur de feu,
Qui est venu du Père et qui retourne à lui,
Jésus, le Premier-Né,
Un homme au cœur de feu,

Nous invite à le suivre en son retournement,
Jusqu'à renaître au Jour irradiant de Pâque.
Jésus, le Premier-Né,
nous invite à le suivre,

℟ Pour la gloire de Dieu
et sa haute louange,
Pour la gloire de Dieu
et le salut du monde !

Un homme sous l'Esprit,
À l'œuvre au sein du monde
en mal d'enfantement,
Jésus, Maître et Seigneur,
Un homme sous l'Esprit,
Nous invite à le suivre au rang des serviteurs,
À servir aux chantiers où il poursuit sa Pâque.
Jésus, Maître et Seigneur,
nous invite à le suivre,

Un homme épris de Dieu,
Le Fils obéissant jusqu'à mourir en croix,
Jésus, le Bien-Aimé,
Un homme épris de Dieu,
Nous invite à le suivre en son abaissement,
À marcher au chemin orienté vers Pâque.
Jésus, le Bien-Aimé,
nous invite à le suivre,

Un homme au cœur de chair,
Qui veut réconcilier la terre avec le ciel,
Jésus, Verbe de Vie,
Un homme au cœur de chair,
Nous invite au bonheur que donne son amour :
La joie qui vient de lui
vient témoigner de Pâque !
Jésus, Verbe de Vie,
nous invite au bonheur.

Cantique de l'Apocalypse (4)

Christ est ressuscité, il a fait de nous un peuple de saints. Rendons-lui gloire à jamais !

Tu es digne, Seigneur notre Dieu, *
de recevoir
l'honneur, la gloire et la puissance.

C'est toi qui créas l'univers ; *
tu as voulu qu'il soit :
il fut créé.

Tu es digne, Christ et Seigneur, *
de prendre le Livre
et d'en ouvrir les sceaux.

Car tu fus immolé, +
rachetant pour Dieu, au prix de ton sang, *
des hommes de toute tribu,
langue, peuple et nation.

Tu as fait de nous, pour notre Dieu,
un royaume et des prêtres, *
et nous régnerons sur la terre.

Il est digne, l'Agneau immolé, +
de recevoir puissance et richesse,
sagesse et force, *
honneur, gloire et louange.

Parole de Dieu

1 Jean 3, 1a.2

VOYEZ quel grand amour nous a donné le Père pour que nous soyons appelés enfants de Dieu – et nous le sommes. Bien-aimés, dès maintenant, nous sommes enfants de Dieu, mais ce que nous serons n'a pas encore été manifesté. Nous le savons : quand cela sera manifesté, nous lui serons semblables car nous le verrons tel qu'il est.

Je lève les yeux vers toi, mon Seigneur !

CANTIQUE DE MARIE (Texte, couverture A)

INTERCESSION

Avec un cœur d'enfant, supplions Dieu, notre Père, et disons-lui :

℟ Père, fais-nous voir ton amour !

Père très bon,
en ton Fils bien-aimé, nous sommes frères :
– accorde-nous de vivre ensemble et d'être unis.

Laisse venir à toi les enfants :
– ton royaume est à ceux qui leur ressemblent.

Donne à ceux qui préparent l'avenir
– de bâtir un monde juste et fraternel.

Tu nous demandes d'aimer nos ennemis :
– convertis leur cœur et le nôtre.

Accueille tes enfants dans ta demeure éternelle :
– qu'ils voient la douceur de ta face.

Intentions libres

Notre Père…

Car c'est à toi qu'appartiennent
le règne, la puissance et la gloire,
pour les siècles des siècles !

Saints
d'hier et d'aujourd'hui

En marche avec les saints des JMJ
Saint Raphaël Kalinowski
(Fêté le 19 novembre)

Elle est précieuse aux yeux du Seigneur,
la mort de ses saints.

Joseph Kalinowski (1835-1907) naît dans une famille catholique, à Vilnius en Lituanie, alors dans l'empire russe. Brillant élève, il part étudier en Russie et embrasse, comme ingénieur, une carrière militaire. Alors qu'il travaille à la construction d'une ligne de chemin de fer, il lit les *Confessions* de saint Augustin et redécouvre la foi qu'il avait mise de côté. Il quitte l'armée russe, et lors de l'insurrection polonaise (1863), il est nommé ministre de la Guerre, ce qui lui vaut, alors que les Russes étouffent la rébellion, une condamnation à mort commuée en déportation : dix ans en Sibérie. Il écrit alors : « Le monde peut me priver de tout, mais il me restera toujours un lieu caché qui lui est inaccessible : la prière ! » C'est en elle qu'il puise la force de venir en aide à ses compagnons d'infortune. Libéré, il lui faut encore quelques années de réflexion avant d'entrer chez les Carmes, à Graz en Autriche, où il prend le nom de Raphaël de Saint-Joseph. En 1881, il rentre en Pologne, est ordonné prêtre, devient prieur du couvent de Czerna, commence à travailler à l'essor du Carmel et fonde plusieurs couvents, dont celui de Wadowice, où il meurt le 15 novembre 1907.
« Notre tâche principale au Carmel est de converser avec Dieu en toutes nos actions. » Cela vaut pour chacun : que Raphaël nous apprenne l'art de cette conversation intime.

Bonne fête !
Joachim, Anne, Anabelle, Anaïs, Anaël, Nancy et Titus

MERCREDI 27 JUILLET

Prière du matin

Seigneur, ouvre mes lèvres,
et ma bouche publiera ta louange.

Gloire au Père, et au Fils, et au Saint-Esprit !

Hymne

℟ Que soit béni le Nom de Dieu
de siècles en siècles, qu'il soit béni !

À lui la sagesse et la force,
Toutes ses voies sont droites,
Il porte juste sentence en toute chose.

À lui le secret des abîmes,
Il connaît les ténèbres,
Et la lumière réside auprès de lui.

À lui la gloire et la louange,
Il répond aux prières,
Il donne l'intelligence et la sagesse.

Rendons gloire à Dieu notre Père,
À son Fils Jésus Christ,
Gloire à l'Esprit d'amour dans tous les siècles.

Cantique de Judith (16)

Le Christ a placé dans notre bouche le chant nouveau de la vie nouvelle, qui se chante éternellement dans le ciel.

Chantez pour mon Dieu sur les tambourins.
Jouez pour le Seigneur sur les cymbales !
Joignez pour lui l'hymne à la louange.

Exaltez-le ! Invoquez son nom !
Le Seigneur est un Dieu briseur de guerres ;
son nom est « Le Seigneur ».

Je chanterai pour mon Dieu un chant nouveau.
Seigneur, tu es glorieux, tu es grand,
admirable de force, invincible.

Que ta création, tout entière, te serve !
Tu dis, et elle existe. *
Tu envoies ton souffle : elle est créée.
Nul ne résiste à ta voix.

Si les bases des montagnes croulent dans les eaux,
si les rochers, devant ta face, fondent comme cire,
tu feras grâce à ceux qui te craignent.

Gloire au Père, et au Fils, et au Saint-Esprit,
pour les siècles des siècles. Amen.

Parole de Dieu — **1 Pierre 1, 13.15-16**

Après avoir disposé votre intelligence pour le service, restez sobres, mettez toute votre espérance dans la grâce que vous apporte la révélation de Jésus Christ. À l'exemple du Dieu saint qui vous a appelés, devenez saints, vous aussi, dans toute votre conduite, puisqu'il est écrit : *Vous serez saints, car moi, je suis saint.*

Ma lumière et mon salut,
c'est le Seigneur !

Cantique de Zacharie **(Texte, couverture B)**

Louange et intercession

À partir du texte des lectures, ou de l'actualité, on pourra formuler de libres demandes ou louanges :

– le don de la foi ;
– l'audace du partage ;
– la simplicité du cœur…

Intentions libres

Notre Père…

Dieu qui nous as sauvés, exauce-nous ; transforme-nous en disciples de la lumière et en artisans de la vérité ; puisqu'en naissant de toi nous sommes devenus des fils de lumière, fais que nous sachions te rendre témoignage devant les hommes. Par Jésus Christ, ton Fils, notre Seigneur.

Que le Seigneur de l'espérance nous remplisse
de toute joie et de toute paix dans la foi. Amen.

La messe

Mercredi de la 17e semaine du temps ordinaire

(En pensant aux jeunes réunis à Cracovie, on peut choisir les oraisons, entre filets, de la messe pour l'Église,* Missel romain, *n° I.2.)

Levons les yeux vers cette foule immense, que nul ne peut dénombrer, foule de tous peuples, nations, races et langues.

Prière. Seigneur, dans l'Alliance instaurée par ton Fils, tu ne cesses de te former un peuple qui se rassemble dans l'Esprit Saint sans distinction de races et sans frontières ; accorde à ton Église d'accomplir sa mission universelle : qu'elle soit le ferment et l'âme du monde pour que devienne la famille de Dieu toute l'humanité renouvelée dans le Christ. Lui qui règne.

Lecture du livre du prophète Jérémie — **15, 10.16-21**

C'est pour mon malheur, ô ma mère, que tu m'as enfanté, homme de querelle et de dispute pour tout le pays. Je ne suis le créancier ni le débiteur de personne, et pourtant tout le monde me maudit !

Seigneur, quand je rencontrais tes paroles, je les dévorais ; elles faisaient ma joie, les délices de mon cœur, parce que ton nom était invoqué sur moi, Seigneur, Dieu de l'univers. Jamais je ne me suis assis dans le cercle des moqueurs pour m'y divertir ; sous le poids de ta main, je me suis assis à l'écart, parce que tu m'as rempli d'indignation. Pourquoi ma souffrance est-elle sans fin, ma blessure, incurable, refusant la guérison ? Serais-tu pour moi un mirage, comme une eau incertaine ?
Voilà pourquoi, ainsi parle le Seigneur : « Si tu reviens, si je te fais revenir, tu reprendras ton service devant moi. Si tu sépares ce qui est précieux de ce qui est méprisable, tu seras comme ma propre bouche. C'est eux qui reviendront vers toi, et non pas toi qui reviendras vers eux. Je fais de toi pour ce peuple un rempart de bronze infranchissable ; ils te combattront, mais ils ne pourront rien contre toi, car je suis avec toi pour te sauver et te délivrer – oracle du Seigneur. Je te délivrerai de la main des méchants, je t'affranchirai de la poigne des puissants. »
— *Parole du Seigneur.*

Psaume 58

Dieu, mon rempart au temps de la détresse !

Délivre-moi de mes ennemis, mon Dieu ;
de mes agresseurs, protège-moi.
Délivre-moi des hommes criminels ;
des meurtriers, sauve-moi.

Voici qu'on me prépare une embuscade :
des puissants se jettent sur moi.
Je n'ai commis ni faute, ni péché, ni le mal, Seigneur,
pourtant ils accourent et s'installent.

Auprès de toi, ma forteresse, je veille ;
oui, mon rempart, c'est Dieu !

Le Dieu de mon amour vient à moi :
avec lui je défie mes adversaires.

Et moi, je chanterai ta force,
au matin, j'acclamerai ton amour.
Tu as été pour moi un rempart,
un refuge au temps de ma détresse.

Je te fêterai, toi, ma forteresse :
oui, mon rempart, c'est Dieu,
le Dieu de mon amour.

Alléluia. Alléluia. Je vous appelle mes amis, dit le Seigneur, car tout ce que j'ai entendu de mon Père, je vous l'ai fait connaître. Alléluia.

Évangile de Jésus Christ selon saint Matthieu 13, 44-46

EN CE TEMPS-LÀ, Jésus disait aux foules : « Le royaume des Cieux est comparable à un trésor caché dans un champ ; l'homme qui l'a découvert le cache de nouveau. Dans sa joie, il va vendre tout ce qu'il possède, et il achète ce champ.
Ou encore : Le royaume des Cieux est comparable à un négociant qui recherche des perles fines. Ayant trouvé une perle de grande valeur, il va vendre tout ce qu'il possède, et il achète la perle. »
— ***Acclamons la Parole de Dieu.***

PRIÈRE SUR LES OFFRANDES. Accueille avec bonté, Seigneur, les offrandes que nous te présentons, et donne à ton Église, née sur la croix du côté transpercé de ton Christ, de puiser dans cette eucharistie la sainteté dont elle doit vivre pour être plus digne de celui qui l'a créée : Jésus, le Christ, notre Seigneur.

L'Esprit et l'Épouse disent : « Viens ! » Amen ! Viens, Seigneur Jésus !

PRIÈRE APRÈS LA COMMUNION. Dieu qui donnes à ton Église de trouver dans ce sacrement la consolation et la force, apprends aux membres de ton peuple à vivre de leur communion au Christ, pour qu'en s'acquittant de leurs tâches en ce monde, ils aient à cœur de construire ton royaume. Par Jésus, le Christ, notre Seigneur.

MÉDITATION DU JOUR

Trouver le trésor qui est en soi

Examinons, d'un côté, le champ et, de l'autre, le trésor caché dans le champ, et demandons-nous comment il se fait qu'après avoir *trouvé ce trésor caché, l'homme, dans sa joie, s'en va et vend tout ce qu'il possède, afin d'acheter ce champ*. Il faut aussi se demander ce que représentent les biens qu'il vend. À mon avis, dans le contexte, le champ c'est l'Écriture plantée dans ce qu'il y a d'apparent parmi les textes des livres historiques, de la loi, des prophètes et de toutes leurs autres pensées divines – car c'est une plantation abondante et variée que celle des textes de l'Écriture entière –, et le trésor caché dans le champ, ce sont les pensées secrètes et enfouies sous ce qui est apparent, venues de la sagesse *demeurée voilée dans le mystère* (1 Co 2, 7) et dans le Christ *en qui se trouvent cachés les trésors de la sagesse et de la connaissance* (Col 2, 3).

En parcourant le champ, en scrutant les Écritures (cf. Jn 5, 39) et en cherchant à comprendre le Christ, l'homme trouve le trésor qui est en lui.

ORIGÈNE

Origène († v. 254), prêtre né à Alexandrie, penseur et spirituel éminent, fut le plus profond exégète de l'Antiquité chrétienne.

Prière du soir

Gloire au Père ! Gloire au Fils !
Gloire au Saint-Esprit !
Bienheureuse Trinité !

HYMNE

℟ Laissons-nous transformer
Par la lumière du Christ,
Goûtez et voyez comme est bon le Seigneur. *(bis)*

Nous recevons le Saint-Esprit :
Par lui nous contemplons la beauté de Dieu.

Nous recevons le Saint-Esprit :
Par lui nous devenons un seul corps
dans le Christ.

Nous recevons le Saint-Esprit :
Par lui nous devenons des enfants de lumière.

Nous recevons le Saint-Esprit :
Par lui nous aimons tous nos frères.

Nous recevons le Saint-Esprit :
Par lui le feu d'amour divin nous ressuscitera.

PSAUME 26 **Confiance intrépide en Dieu**

Qui pourrait nous séparer de l'amour de Dieu ? Au milieu des difficultés quotidiennes, il est le rempart qui protège, la lumière qui éclaire et la force qui sauve.

Le Seigneur est ma lumière et mon salut ; **lumière**
de qui aurais-je crainte ? * **salut**
Le Seigneur est le rempart de ma vie ; **rempart**
devant qui tremblerais-je ?

Si des méchants s'avancent contre moi
pour me déchirer, + **il est avec moi :**

ce sont eux, mes ennemis, mes adversaires, *
    qui perdent pied et succombent. victoire

Qu'une armée se déploie devant moi,
    mon cœur est sans crainte ; *
que la bataille s'engage contre moi,
    je garde confiance. confiance

J'ai demandé une chose au Seigneur,
    la seule que je cherche : +
habiter la maison du Seigneur
    tous les jours de ma vie, *
pour admirer le Seigneur dans sa beauté demeure
    et m'attacher à son temple. de beauté

Oui, il me réserve un lieu sûr lieu sûr
    au jour du malheur ; +
il me cache au plus secret de sa tente,
    il m'élève sur le roc. * roc
Maintenant je relève la tête
    devant mes ennemis.

J'irai célébrer dans sa tente tente
    le sacrifice d'ovation ; *
je chanterai, je fêterai le Seigneur. chant de fête

Écoute, Seigneur, je t'appelle ! * vers toi
    Pitié ! Réponds-moi ! je crie
Mon cœur m'a redit ta parole : j'appelle
    « Cherchez ma face. » * je cherche
C'est ta face, Seigneur, que je cherche :
    ne me cache pas ta face.

N'écarte pas ton serviteur avec colère : * toi :
    tu restes mon secours. secours
Ne me laisse pas, ne m'abandonne pas,
    Dieu, mon salut ! * salut

Mon père et ma mère m'abandonnent ; — père, mère
le Seigneur me reçoit.

Enseigne-moi ton chemin, Seigneur, * — chemin
conduis-moi par des routes sûres, — route
malgré ceux qui me guettent.

Ne me livre pas à la merci de l'adversaire : *
contre moi se sont levés de faux témoins — juge
qui soufflent la violence. — force

Mais j'en suis sûr, je verrai les bontés du Seigneur
sur la terre des vivants. * — courage
« Espère le Seigneur, sois fort et prends courage ;
espère le Seigneur. » — espérance dernière

Gloire au Père, et au Fils, et au Saint-Esprit,
pour les siècles des siècles. Amen.

Jésus, Verbe de Dieu, tu es la vraie lumière et le Sauveur du monde : avec toi, de qui aurions-nous peur ? Jésus, Christ et Seigneur, tu es vainqueur de l'Adversaire, le Père ne t'a pas abandonné : en toi, de qui aurions-nous peur ? Jésus, Fils bien-aimé, tu es le Rocher véritable, tu es la route sûre : prenant appui sur toi, de qui aurions-nous peur ?

Parole de Dieu — Jacques 1, 22.25

METTEZ LA PAROLE en pratique, ne vous contentez pas de l'écouter : ce serait vous faire illusion. Au contraire, celui qui se penche sur la loi parfaite, celle de la liberté, et qui s'y tient, lui qui l'écoute non pour l'oublier, mais pour la mettre en pratique dans ses actes, celui-là sera heureux d'agir ainsi.

Celui qui aime est né de Dieu et connaît Dieu.

CANTIQUE DE MARIE (Texte, couverture A)

Intercession

Dans la paix de l'Esprit Saint, prions le Seigneur Dieu :

℟ Kyrie eleison.

Prions pour les peuples de la terre
et pour ceux qui les gouvernent.

Pour ceux qui ont mis leur foi dans le Christ
et pour nos frères chrétiens les plus proches.

Pour ceux qui nous ont fait du bien
et pour ceux qui nous haïssent.

Pour ceux qui sont en danger,
pour les prisonniers, les affamés, les malades.

Pour ceux qui comptent sur nos prières
malgré notre faiblesse.

Pour nous-mêmes
et pour ceux qui reposent dans la paix.

Intentions libres

Notre Père…

Car c'est à toi qu'appartiennent
le règne, la puissance et la gloire,
pour les siècles des siècles !

SAINTS
D'HIER ET D'AUJOURD'HUI

En marche avec les saints des JMJ
SAINTE FAUSTINE
(Fêtée le 5 octobre)

Puissions-nous, à l'exemple des saints,
brûler du désir de servir Dieu et nos frères.

« Apôtre de la miséricorde divine », sœur Faustine est la première sainte canonisée par Jean-Paul II lors du Jubilé de l'an 2000.
Troisième de dix enfants de paysans profondément chrétiens, Hélène Kowalska (1905-1938) doit faire face à l'opposition de ses parents à la vocation religieuse qui l'attire depuis l'âge de 7 ans. C'est le 1er août 1925 qu'elle entre chez les sœurs de Notre-Dame-de-la-Miséricorde, à Varsovie. Pendant 13 ans, elle assure la tâche de jardinière, cuisinière et portière, à Plock, à Vilnius et à Cracovie. Durant toutes ces années, elle est favorisée de visites du Christ qu'elle consigne dans son *Petit Journal*. Avec l'accord de son confesseur, elle entreprend, non sans difficulté, de faire connaître au monde la miséricorde dont nous sommes à la fois les bénéficiaires et les témoins. Pour répondre à une demande du Christ, elle fait peindre le bien connu *Christ miséricordieux* qui soutient la prière du chapelet de la miséricorde. Atteinte de tuberculose, elle s'éteint à Cracovie à 33 ans.
Karol Wojtyła a largement contribué à faire connaître le message de sœur Faustine et, devenu pape, il a institué le dimanche de la Divine Miséricorde. Qu'elle nous aide en cette Année sainte à recevoir du Père un cœur compatissant et plein de miséricorde.

Bonne fête !
Célestin, Clémence et Berthold

[JEUDI 28 JUILLET]

Prière du matin

Seigneur, ouvre mes lèvres,
et ma bouche publiera ta louange.

Gloire au Père, et au Fils, et au Saint-Esprit !

Hymne

℟ Esprit de Dieu,
Viens nous donner la vie
Souffle sur nous,
Viens ranimer nos cœurs.

Viens des quatre vents, viens nous visiter,
Viens souffler sur nous, Esprit de force.
Viens des quatre vents, viens nous relever,
Viens, Souffle divin, sur ton peuple.

Esprit du Seigneur, viens pour nous sauver,
Purifie nos cœurs, guéris nos âmes,
Esprit du Seigneur, fais-nous revenir
Des ténèbres vers la lumière.

Viens, Esprit très saint, laisse-toi trouver,
Pour que nous marchions à ton écoute,
Viens, Esprit très saint, glorifier ton nom,
Toi le Tout-Puissant, fais-nous grâce.

Psaume 56 — Confiance en Dieu dans la souffrance

C'est dans l'épreuve que nous faisons l'expérience du salut et que nous en goûtons la joie. Chanter ce psaume est un acte de foi qui nous unit au Christ sauveur.

Pitié, mon Dieu, pitié pour moi !
En toi je cherche refuge,

un refuge à l'ombre de tes ailes,
aussi longtemps que dure le malheur.

Je crie vers Dieu, le Très-Haut,
vers Dieu qui fera tout pour moi.
Du ciel, qu'il m'envoie le salut :
(mon adversaire a blasphémé !)
Que Dieu envoie son amour et sa vérité !

Je suis au milieu de lions
et gisant parmi des bêtes féroces ;
ils ont pour langue une arme tranchante,
pour dents, des lances et des flèches.

Dieu, lève-toi sur les cieux :
que ta gloire domine la terre !

Ils ont tendu un filet sous mes pas :
j'allais succomber. *
Ils ont creusé un trou devant moi,
ils y sont tombés.

Mon cœur est prêt, mon Dieu, +
mon cœur est prêt ! *
Je veux chanter, jouer des hymnes !

Éveille-toi, ma gloire ! +
Éveillez-vous, harpe, cithare, *
que j'éveille l'aurore !

Je te rendrai grâce parmi les peuples, Seigneur,
et jouerai mes hymnes en tous pays.
Ton amour est plus grand que les cieux,
ta vérité, plus haute que les nues.

Dieu, lève-toi sur les cieux :
que ta gloire domine la terre !

Gloire au Père, et au Fils, et au Saint-Esprit,
pour les siècles des siècles. Amen.

Dieu Très-Haut qui as tout fait pour nous, sois notre refuge dans le malheur. Par ton amour et ta vérité, envoie-nous le salut. Avec Jésus que tu as élevé dans le ciel, nous chanterons ton immense gloire.

Parole de Dieu **Amos 5, 8 ; 9, 6**

L'auteur des Pléiades et d'Orion, qui change en matin l'ombre de la mort et rend le jour obscur comme la nuit, qui convoque les eaux de la mer et les répand à la surface de la terre, son nom est « Le Seigneur ». Lui qui bâtit son escalier dans le ciel et fonde sa voûte sur la terre, lui qui convoque les eaux de la mer et les répand à la surface de la terre, son nom est « Le Seigneur ».

Ô Seigneur notre Dieu,
qu'il est grand ton nom par tout l'univers !

Cantique de Zacharie **(Texte, couverture B)**

Louange et intercession

Rendons grâce au Christ, qui nous donne aujourd'hui la lumière, et supplions-le :

℟ Sois pour nous lumière et vérité !

Chaque jour, tu renouvelles tes merveilles ;
– ouvre nos yeux, donne-nous de les voir.

Toi, le Fils de l'homme,
– fais-nous aimer notre condition d'homme.

Tu as passé en faisant le bien ;
– que chacun de nos actes serve nos frères.

Tu es le Miséricordieux :
– accorde-nous patience et bonté
tout au long de ce jour. **Intentions libres**

Notre Père…

Dieu qui as séparé la lumière et les ténèbres, toi qui as appelé la lumière « jour » et les ténèbres « nuit », arrache aussi nos cœurs à l'obscurité du péché et fais-nous parvenir à la vraie lumière qui est le Christ. Lui qui règne.

LA MESSE

Jeudi de la 17e semaine du temps ordinaire

***(En ce jour, on peut choisir les oraisons, entre filets, de la messe votive du Saint-Sacrement,* Missel romain, *n*° 3.)**

Pour nourrir son peuple au désert, le Seigneur ouvre le ciel, il fait pleuvoir la manne : il donne un froment du ciel ; chacun se nourrit du pain des forts.

PRIÈRE. Dieu notre Père, dans le mystère pascal de ton Fils, tu as accompli la rédemption du monde ; puisque nous sommes rassemblés pour annoncer dans cette eucharistie la mort et la résurrection du Christ, fais que nous ressentions davantage les effets de ton œuvre de salut. Par Jésus Christ, ton Fils, notre Seigneur.

Lecture du livre du prophète Jérémie 18, 1-6

PAROLE DU SEIGNEUR adressée à Jérémie : « Lève-toi, descends à la maison du potier ; là, je te ferai entendre mes paroles. » Je descendis donc à la maison du potier. Il était en train de travailler sur son tour. Le vase qu'il façonnait de sa main avec l'argile fut manqué. Alors il recommença, et il fit un autre vase, selon ce qu'il est bon de faire, aux yeux d'un potier. Alors la parole du Seigneur me fut adressée : « Maison d'Israël, est-ce que je ne pourrais pas vous traiter comme fait ce potier ? – oracle du Seigneur. Oui, comme l'argile est dans la main du potier, ainsi êtes-vous dans ma main, maison d'Israël ! »

— *Parole du Seigneur.*

Psaume 145

Heureux qui s'appuie sur le Dieu de Jacob.

Ou bien :

Alléluia !

Chante, ô mon âme, la louange du Seigneur !
Je veux louer le Seigneur tant que je vis,
chanter mes hymnes pour mon Dieu tant que je dure.

Ne comptez pas sur les puissants,
des fils d'homme qui ne peuvent sauver !
Leur souffle s'en va : ils retournent à la terre ;
et ce jour-là, périssent leurs projets.

Heureux qui s'appuie sur le Dieu de Jacob,
qui met son espoir dans le Seigneur son Dieu,
lui qui a fait et le ciel et la terre
et la mer et tout ce qu'ils renferment !

Alléluia. Alléluia. Seigneur, ouvre notre cœur pour nous rendre attentifs aux paroles de ton Fils. Alléluia.

Évangile de Jésus Christ selon saint Matthieu 13, 47-53

En ce temps-là, Jésus disait aux foules : « Le royaume des Cieux est encore comparable à un filet que l'on jette dans la mer, et qui ramène toutes sortes de poissons. Quand il est plein, on le tire sur le rivage, on s'assied, on ramasse dans des paniers ce qui est bon, et on rejette ce qui ne vaut rien. Ainsi en sera-t-il à la fin du monde : les anges sortiront pour séparer les méchants du milieu des justes et les jetteront dans la fournaise : là, il y aura des pleurs et des grincements de dents. »
« Avez-vous compris tout cela ? » Ils lui répondent : « Oui. » Jésus ajouta : « C'est pourquoi tout scribe devenu

disciple du royaume des Cieux est comparable à un maître de maison qui tire de son trésor du neuf et de l'ancien. » Lorsque Jésus eut terminé ces paraboles, il s'éloigna de là. — *Acclamons la Parole de Dieu.*

PRIÈRE SUR LES OFFRANDES. En célébrant le mémorial de notre salut, nous te supplions, Seigneur : que le sacrement de ton amour soit pour nous le signe de l'unité et le lien de la charité. Par Jésus, le Christ, notre Seigneur.

« Je suis le pain vivant, qui est descendu du ciel, dit le Seigneur. Si quelqu'un mange de ce pain, il vivra éternellement ; le pain que je vous donne, c'est ma chair, pour la vie du monde. »

PRIÈRE APRÈS LA COMMUNION. Que cette participation à la table du Royaume nous sanctifie, Seigneur notre Dieu, pour que la communauté chrétienne trouve toute sa cohésion dans le corps et le sang de ton Christ. Lui qui règne avec toi.

MÉDITATION DU JOUR

Comme l'argile se laisse faire

Nous sommes dans la main de Dieu comme l'argile dans la main du potier, et toute notre vie consiste à nous laisser faire ainsi. Dieu nous donne la forme qu'il veut : prêtre de paroisse, religieux, père et mère de famille, célibataire, chrétien engagé… Nous naissons aussi avec tel tempérament, telle personnalité, tels dons, et plus tard apparaîtront nos défauts, nos fragilités. Il arrive que nous voulions renverser les rôles, prétendant dire à Dieu comment il doit agir, ce qu'il doit faire de nous ou avec nous, et encore : pourquoi m'a-t-il créé ainsi avec telle personnalité, telle fragilité, telle orientation ? C'est l'argile qui réagit et se plaint. L'erreur n'est pas de vouloir, mais de vouloir avec obstination, d'avoir l'idée de ce qu'il faut faire absolument. Cela rend sourd aux appels de l'Esprit, cela rend indisponible pour l'union gratuite à Dieu, car un tel attachement à sa volonté propre focalise toutes ses énergies et qui plus est, ne change rien à la situation. En admirant le travail du potier, Jérémie comprend tout cela. Il saisit surtout qu'il doit s'abandonner entre les mains de Dieu, et qu'ainsi, quelque chose de beau en sortira. Telle est sa vocation, telle est aussi la destinée de son peuple. Lui aussi, comme l'argile, va souffrir par l'invasion de Babylone, et cette souffrance le conduira certainement à la conversion pour retrouver à nouveau sa belle forme de peuple de Dieu, à l'image d'un vase d'argile modelé pour recevoir un splendide bouquet.

JOËL PRALONG

Joël Pralong, curé dans le diocèse de Sion, en Suisse, ancien infirmier en psychiatrie, a été ordonné prêtre en 1984.

Prière du soir

Viens à mon aide, Seigneur,
que, sans fin, je te rende grâce.

Gloire au Père, et au Fils, et au Saint-Esprit !

HYMNE

℟ Joyeuse lumière,
Splendeur éternelle du Père,
Saint et bienheureux, Jésus Christ.

Venant au coucher du soleil,
Contemplant la lumière du soir,
Nous chantons le Père et le Fils
Et le Saint-Esprit de Dieu.

Digne es-tu en tout temps d'être loué
Par de saintes voix,

Fils de Dieu, qui donnas la vie,
Et le monde te glorifie.

Fais descendre sur nous l'Esprit,
En qui nous invoquons le Père,
Qu'il soit la rosée de notre âme
Et la comble de ses présents de roi.

Que ma prière vers toi, Seigneur,
S'élève comme l'encens
Et mes mains devant toi,
Comme l'offrande du soir.

PSAUME 29 **Quand le deuil devient danse**

Il est fidèle, le Seigneur qui nous sauve. En nous relevant, il essuie toutes les larmes de nos yeux et met sur nos lèvres un chant d'action de grâce.

Je t'exalte, Seigneur : tu m'as relevé,
tu m'épargnes les rires de l'ennemi.

Quand j'ai crié vers toi, Seigneur,
mon Dieu, tu m'as guéri ; *
Seigneur, tu m'as fait remonter de l'abîme
et revivre quand je descendais à la fosse.

Fêtez le Seigneur, vous, ses fidèles,
rendez grâce en rappelant son nom très saint.

Sa colère ne dure qu'un instant,
sa bonté, toute la vie ; *
avec le soir, viennent les larmes,
mais au matin, les cris de joie.

Dans mon bonheur, je disais :
Rien, jamais, ne m'ébranlera !

Dans ta bonté, Seigneur, tu m'avais fortifié
sur ma puissante montagne ; *

pourtant, tu m'as caché ta face
et je fus épouvanté.

Et j'ai crié vers toi, Seigneur
j'ai supplié mon Dieu :

« À quoi te servirait mon sang
si je descendais dans la tombe ? *
La poussière peut-elle te rendre grâce
et proclamer ta fidélité ?

« Écoute, Seigneur, pitié pour moi !
Seigneur, viens à mon aide ! »

Tu as changé mon deuil en une danse,
mes habits funèbres en parure de joie.

Que mon cœur ne se taise pas,
qu'il soit en fête pour toi, *
et que sans fin, Seigneur, mon Dieu,
je te rende grâce !

Gloire au Père, et au Fils, et au Saint-Esprit,
pour les siècles des siècles. Amen.

Nous te rendons grâce, Maître de la vie et de la mort, car tu n'as pas abandonné ton Fils à la tombe, mais tu as voulu qu'après le soir de la Passion, il exulte en cris de joie, au matin de Pâques. Quand viennent pour nous les larmes et que tu nous caches ta face, laisse-nous crier vers toi et proclamer que ta fidélité nous relèvera.

Parole de Dieu — **1 Pierre 1, 6-9**

EXULTEZ DE JOIE, même s'il faut que vous soyez affligés, pour un peu de temps encore, par toutes sortes d'épreuves ; elles vérifieront la valeur de votre foi qui a bien plus de prix que l'or – cet or voué à disparaître et pourtant vérifié par le feu –, afin que votre foi reçoive louange, gloire et honneur quand se révélera Jésus Christ. Lui, vous l'aimez sans l'avoir vu ; en lui, sans le voir encore, vous mettez votre foi, vous exultez d'une joie inexprimable et remplie de gloire, car vous allez obtenir le salut des âmes qui est l'aboutissement de votre foi.

La joie du Seigneur est notre rempart !

CANTIQUE DE MARIE **(Texte, couverture A)**

INTERCESSION

Dieu est notre espérance ; il est notre secours. Supplions-le :

℟ Regarde, Seigneur, tes enfants !

Dieu, notre Dieu,
tu as scellé avec ton peuple une alliance éternelle,
– fais revivre en nous les merveilles de ton amour.

Devant la violence des vents contraires,
– que le souffle de ton Esprit rassure les croyants.

Que la cité terrestre ne cherche pas à s'édifier sans toi ;
– et ceux qui la construisent
n'auront pas travaillé en vain.

Que la fidélité soutienne ceux qui luttent,
– que notre amitié pacifie ceux qui souffrent.

Que nos frères défunts
entrent au nombre des bienheureux,
– qu'un jour ils nous accueillent dans ton paradis.

Intentions libres

Notre Père…

Car c'est à toi qu'appartiennent
le règne, la puissance et la gloire,
pour les siècles des siècles !

SAINTS
D'HIER ET D'AUJOURD'HUI

En marche avec les saints des JMJ
SAINT ALBERT CHMIELOWSKI
(Fêté le 25 décembre)

En célébrant les saints,
nous proclamons la victoire de la foi.

La vie d'Adam Chmielowski (1845-1916) est loin d'être linéaire. Né dans la région de Cracovie, il connaît les insurrections contre la Russie dominatrice. Prenant part à une bataille alors qu'il n'a que 17 ans, il est blessé et amputé d'une jambe. Pour éviter les représailles, il part à Paris où il fait des études d'ingénieur, mais étudie aussi la peinture. De retour en Pologne, en 1873, il est confronté à l'extrême misère du peuple. Il décide d'abandonner sa carrière de peintre pour s'occuper activement des pauvres. Après une grande crise spirituelle qui cesse lorsqu'il découvre l'infinie miséricorde de Dieu, il rejoint le tiers ordre franciscain et prend le nom de frère Albert. Il se fait pauvre parmi les pauvres, car pour les aimer et les aider, « il faut se baisser et descendre plus bas encore, devenir encore plus misérable », disait-il. Ayant épousé la cause des plus déshérités, frère Albert meurt le jour de Noël dans l'un des hospices qu'il avait fondés pour eux.
Aux jeunes se préparant aux JMJ en 2004, Jean-Paul II disait : « À un certain moment de sa vie, il rompit avec l'art, car il comprit que Dieu l'appelait à des devoirs bien plus importants. » Qu'à son exemple, nous trouvions dans le frère Albert « un appui spirituel particulier et un exemple » lorsque nous avons à prendre des décisions radicales.

Bonne fête !

Timon, Timéo, Bartimée, Camélien et Melchior

[VENDREDI 29 JUILLET
Sainte Marthe]

Prière du matin

Venez tous au Seigneur,
adorons notre Maître.

Gloire au Père, et au Fils, et au Saint-Esprit !

HYMNE

Pour que l'homme soit un fils à son image,
Dieu l'a travaillé au souffle de l'Esprit :
Lorsque nous n'avions ni forme ni visage,
Son amour nous voyait libres comme lui.

Nous tenions de Dieu la grâce de la vie,
Nous l'avons tenue captive du péché :
Haine et mort se sont liguées pour l'injustice,
Et la loi de tout amour fut délaissée.

Quand ce fut le jour, et l'heure favorable,
Dieu nous a donné Jésus, le Bien-Aimé :
L'arbre de la croix indique le passage
Vers un monde où toute chose est consacrée.

Qui prendra la route vers ces grands espaces ?
Qui prendra Jésus pour Maître et pour ami ?
L'humble serviteur a la plus belle place !
Servir Dieu rend l'homme libre comme lui.

CANTIQUE D'ISAÏE (45)

La sagesse de Dieu dépasse tout ce que nous connaissons, mais le Christ nous a fait connaître l'immensité de son amour, et c'est notre joie.

Vraiment tu es un Dieu qui se cache,
Dieu d'Israël, Sauveur !

Ils sont tous humiliés, déshonorés, *
ils s'en vont, couverts de honte,
ceux qui fabriquent leurs idoles.

Israël est sauvé par le Seigneur,
sauvé pour les siècles. *
Vous ne serez ni honteux ni humiliés
pour la suite des siècles.

Ainsi parle le Seigneur, le Créateur des cieux, +
lui, le Dieu qui fit la terre et la forma,
lui qui l'affermit, *
qui l'a créée, non pas comme un lieu vide,
qui l'a faite pour être habitée :

« Je suis le Seigneur : *
il n'en est pas d'autre !

« Quand j'ai parlé, je ne me cachais pas
quelque part dans l'obscurité de la terre ; *
je n'ai pas dit aux descendants de Jacob :
Cherchez-moi dans le vide !

« Je suis le Seigneur qui profère la justice,
qui annonce la vérité !

« Rassemblez-vous, venez, approchez tous,
survivants des nations !

« Ils sont dans l'ignorance,
ceux qui portent leurs idoles de bois, *
et qui adressent des prières
à leur dieu qui ne sauve pas.

« Déclarez-vous, présentez vos preuves,
tenez conseil entre vous :

qui donc l'a d'avance révélé
et jadis annoncé ?

« N'est-ce pas moi, le Seigneur ?
Hors moi, pas de Dieu ;
de Dieu juste et sauveur,
pas d'autre que moi !

« Tournez-vous vers moi : vous serez sauvés, *
tous les lointains de la terre !

« Oui, je suis Dieu : il n'en est pas d'autre ! +
Je le jure par moi-même ! *
De ma bouche sort la justice,
 la parole que rien n'arrête.

« Devant moi, tout genou fléchira, +
toute langue en fera le serment : *
Par le Seigneur seulement – dira-t-elle de moi –
 la justice et la force ! »

Jusqu'à lui viendront, humiliés,
tous ceux qui s'enflammaient contre lui.
Elle obtiendra, par le Seigneur, justice et gloire,
toute la descendance d'Israël.

Gloire au Père, et au Fils, et au Saint-Esprit…

Parole de Dieu Romains 12, 1-2

Je vous exhorte, frères, par la tendresse de Dieu, à lui présenter votre corps – votre personne tout entière –, en sacrifice vivant, saint, capable de plaire à Dieu : c'est là, pour vous, la juste manière de lui rendre un culte. Ne prenez pas pour modèle le monde présent, mais transformez-vous en renouvelant votre façon de penser pour discerner quelle est la volonté de Dieu : ce qui est bon, ce qui est capable de lui plaire, ce qui est parfait.

CANTIQUE DE ZACHARIE (Texte, couverture B)

LOUANGE ET INTERCESSION

Avec sainte Marthe et les saintes de tous les temps, louons et invoquons notre Sauveur :

℟ Viens, Seigneur Jésus !

Tu es le Maître que Marie écoutait
et que Marthe servait :
– donne-nous de te servir dans la foi et l'amour.

Sur les routes de Galilée,
les saintes femmes te suivaient :
– accorde-nous de mettre nos pas dans tes pas.

Tu as beaucoup pardonné à la pécheresse
parce qu'elle a beaucoup aimé :
– pardonne-nous, car nous avons beaucoup péché.

Tu appelles frère, sœur, mère celui qui fait ta volonté :
– conforme nos paroles et nos actes à ton vouloir.

Tu as fait des saintes femmes
les premières messagères de ta résurrection :
– envoie-nous proclamer à tes frères que tu es le Vivant.

Intentions libres

Notre Père…

Dieu éternel et tout-puissant, puisque ton Fils acceptait l'hospitalité que sainte Marthe lui offrait dans sa maison, apprends-nous, à son exemple, à servir le Christ en chacun de nos frères pour que tu nous reçoives dans la demeure des cieux. Par Jésus Christ, ton Fils, notre Seigneur et notre Dieu, qui règne avec toi et le Saint-Esprit, maintenant et pour les siècles des siècles.

LA MESSE

(Aujourd'hui, l'Évangile de la mémoire de sainte Marthe est obligatoire car il fait mention de la sainte fêtée, il n'est donc pas permis de prendre l'Évangile de la férie. Cependant, on peut choisir la première lecture de la férie ainsi que le psaume qui l'accompagne, page 385.)

Sainte Marthe

Mémoire

● *MARTHE APPARAÎT trois fois dans l'Évangile : au repas de Béthanie où, avec Marie sa sœur, elle accueille Jésus dans sa maison (a. d'ouverture) ; lors de la résurrection de son frère Lazare, où elle professe sa foi en Jésus « le Fils du Dieu vivant » (a. de la communion) ; et dans le banquet offert à Jésus six jours avant la Pâque* (Jn 12, 2). *Au cours des deux repas, Marthe s'occupe du service, tandis que Marie oint les pieds de Jésus avec un parfum précieux ou s'assied à ses pieds pour l'écouter. Lorsque Marthe se plaint à Jésus de ce que sa sœur ne l'aide pas, le Seigneur ne refuse pas « son dévouement empressé » (p. sur les offrandes), mais il lui fait reproche de s'inquiéter et de s'agiter, au risque de passer à côté de l'essentiel, qui est sa présence à lui. Il invite Marthe à plus de dépouillement, afin d'être moins absorbée : « Il faut peu de choses, une seule même », car être tout à fait à lui vaut mieux que d'être distrait de lui, même par d'excellentes occupations. « Elle a choisi la meilleure part », dit Jésus de Marie, non « oisive », mais « attentive ». Ce fut un honneur pour Marthe que de recevoir Jésus à sa table et de le servir. Mais chacun de nous peut, à son tour, exercer la même hospitalité : en servant nos frères, nous servons le Christ (cf. p. d'ouverture).* ●

Jésus entra dans un village. Une femme appelée Marthe le reçut dans sa maison.

Prière page 382

Lecture de la première lettre de saint Jean 4, 7-16

Bien-aimés, aimons-nous les uns les autres, puisque l'amour vient de Dieu. Celui qui aime est né de Dieu et connaît Dieu. Celui qui n'aime pas n'a pas connu Dieu, car Dieu est amour. Voici comment l'amour de Dieu s'est manifesté parmi nous : Dieu a envoyé son Fils unique dans le monde pour que nous vivions par lui. Voici en quoi consiste l'amour : ce n'est pas nous qui avons aimé Dieu, mais c'est lui qui nous a aimés, et il a envoyé son Fils en sacrifice de pardon pour nos péchés.

Bien-aimés, puisque Dieu nous a tellement aimés, nous devons, nous aussi, nous aimer les uns les autres. Dieu, personne ne l'a jamais vu. Mais si nous nous aimons les uns les autres, Dieu demeure en nous, et, en nous, son amour atteint la perfection. Voici comment nous reconnaissons que nous demeurons en lui et lui en nous : il nous a donné part à son Esprit. Quant à nous, nous avons vu et nous attestons que le Père a envoyé son Fils comme Sauveur du monde.

Celui qui proclame que Jésus est le Fils de Dieu, Dieu demeure en lui, et lui en Dieu. Et nous, nous avons reconnu l'amour que Dieu a pour nous, et nous y avons cru. Dieu est amour : qui demeure dans l'amour demeure en Dieu, et Dieu demeure en lui.

— *Parole du Seigneur.*

Psaume 33

Je bénirai le Seigneur en tout temps.

Ou bien :

Goûtez et voyez
comme est bon le Seigneur.

Je bénirai le Seigneur en tout temps,
sa louange sans cesse à mes lèvres.
Je me glorifierai dans le Seigneur :
que les pauvres m'entendent et soient en fête !

Magnifiez avec moi le Seigneur,
exaltons tous ensemble son nom.
Je cherche le Seigneur, il me répond :
de toutes mes frayeurs, il me délivre.

Qui regarde vers lui resplendira,
sans ombre ni trouble au visage.
Un pauvre crie ; le Seigneur entend :
il le sauve de toutes ses angoisses.

L'ange du Seigneur campe alentour
pour libérer ceux qui le craignent.
Goûtez et voyez : le Seigneur est bon !
Heureux qui trouve en lui son refuge !

Saints du Seigneur, adorez-le :
rien ne manque à ceux qui le craignent.
Des riches ont tout perdu, ils ont faim ;
qui cherche le Seigneur ne manquera d'aucun bien.

Ou bien :

Vendredi de la 17e semaine du temps ordinaire

Lecture du livre du prophète Jérémie 26, 1-9

AU DÉBUT DU RÈGNE de Joakim, fils de Josias, roi de Juda, il y eut cette parole venant du Seigneur : « Ainsi parle le Seigneur : Tiens-toi dans la cour de la maison du Seigneur. Aux gens de toutes les villes de Juda qui viennent se prosterner dans la maison du Seigneur, tu diras toutes les paroles que je t'ai ordonné de leur dire ; n'en retranche pas un mot. Peut-être écouteront-ils, et reviendront-ils chacun de son mauvais chemin ? Alors je renoncerai au

mal que je projette de leur faire à cause de la malice de leurs actes. Tu leur diras donc : Ainsi parle le Seigneur : Si vous ne m'écoutez pas, si vous ne marchez pas selon ma Loi, celle que j'ai mise sous vos yeux, si vous n'écoutez pas les paroles de mes serviteurs les prophètes, que je vous envoie inlassablement, et que vous n'avez pas écoutés, je traiterai cette Maison comme celle de Silo, et ferai de cette ville un exemple de malédiction pour toutes les nations de la terre. »
Les prêtres, les prophètes et tout le peuple entendirent Jérémie proclamer ces paroles dans la maison du Seigneur. Et quand Jérémie eut fini de dire à tout le peuple tout ce que le Seigneur lui avait ordonné de dire, les prêtres, les prophètes et tout le peuple se saisirent de lui en disant : « Tu vas mourir ! Pourquoi prophétises-tu, au nom du Seigneur, que cette Maison deviendra comme celle de Silo, que cette ville sera dévastée et vidée de ses habitants ? » Et tout le peuple se rassembla autour de Jérémie dans la maison du Seigneur.

— *Parole du Seigneur.*

PSAUME 68

Dans ton grand amour, Dieu, réponds-moi.

Sauve-moi, mon Dieu :
les eaux montent jusqu'à ma gorge !
Plus abondants que les cheveux de ma tête,
ceux qui m'en veulent sans raison.

Ils sont nombreux, mes détracteurs,
à me haïr injustement.
C'est pour toi que j'endure l'insulte,
que la honte me couvre le visage.

Je suis un étranger pour mes frères,
un inconnu pour les fils de ma mère.
L'amour de ta maison m'a perdu ;
on t'insulte, et l'insulte retombe sur moi.

Et moi, je te prie, Seigneur :
c'est l'heure de ta grâce ;
dans ton grand amour, Dieu, réponds-moi,
par ta vérité sauve-moi.

Alléluia. Alléluia. Moi, je suis la lumière du monde, dit le Seigneur. Celui qui me suit aura la lumière de la vie. Alléluia.

Évangile de Jésus Christ selon saint Jean 11, 19-27

EN CE TEMPS-LÀ, beaucoup de Juifs étaient venus réconforter Marthe et Marie au sujet de leur frère. Lorsque Marthe apprit l'arrivée de Jésus, elle partit à sa rencontre, tandis que Marie restait assise à la maison. Marthe dit à Jésus : « Seigneur, si tu avais été ici, mon frère ne serait pas mort. Mais maintenant encore, je le sais, tout ce que tu demanderas à Dieu, Dieu te l'accordera. » Jésus lui dit : « Ton frère ressuscitera. » Marthe reprit : « Je sais qu'il ressuscitera à la résurrection, au dernier jour. » Jésus lui dit : « Moi, je suis la résurrection et la vie. Celui qui croit en moi, même s'il meurt, vivra ; quiconque vit et croit en moi ne mourra jamais. Crois-tu cela ? » Elle répondit : « Oui, Seigneur, je le crois : tu es le Christ, le Fils de Dieu, tu es celui qui vient dans le monde. »
— *Acclamons la Parole de Dieu.*

Ou bien :

Évangile de Jésus Christ selon saint Luc 10, 38-42

EN CE TEMPS-LÀ, Jésus entra dans un village. Une femme nommée Marthe le reçut. Elle avait une sœur appelée Marie qui, s'étant assise aux pieds du Seigneur, écoutait sa parole. Quant à Marthe, elle était accaparée par les

multiples occupations du service. Elle intervint et dit : « Seigneur, cela ne te fait rien que ma sœur m'ait laissé faire seule le service ? Dis-lui donc de m'aider. » Le Seigneur lui répondit : « Marthe, Marthe, tu te donnes du souci et tu t'agites pour bien des choses. Une seule est nécessaire. Marie a choisi la meilleure part, elle ne lui sera pas enlevée. »
— Acclamons la Parole de Dieu.

PRIÈRE SUR LES OFFRANDES. Nous proclamons tes merveilles, Seigneur, en fêtant sainte Marthe, et nous te supplions, humblement : tu accueillais son dévouement empressé ; accepte l'hommage de notre liturgie. Par Jésus, le Christ, notre Seigneur.

Marthe dit à Jésus : « Tu es le Messie, le Fils du Dieu vivant, celui qui vient dans le monde. »

PRIÈRE APRÈS LA COMMUNION. Seigneur, notre Dieu, que la communion au corps et au sang de ton Fils nous détourne de toute chose périssable ; ainsi pourrons-nous, à l'exemple de sainte Marthe, progresser sur terre dans un sincère amour pour toi et connaître au ciel la joie de te contempler sans fin. Par Jésus, le Christ, notre Seigneur.

MÉDITATION DU JOUR

Écouter sa parole

L'appel à écouter se fait pressant aux différentes étapes de l'histoire du peuple choisi. C'est la supplication d'un Dieu dont les prophètes se font inlassablement l'écho : *Écoute Israël !, Ah si mon peuple écoutait !, Écoute le Seigneur ton Dieu.* La parole originelle, *homme et femme il les fit* (Gn 1, 27), est parole d'amour. Elle est toujours sur les ondes, en désir d'être écoutée ! Qui dit parole, dit écoute mutuelle, dialogue, rencontre. Dans la maison de Marthe, Jésus confirme sa sœur Marie qui, à ses yeux, a choisi la part reconnue comme la meilleure, celle d'être en service d'écoute, avant de s'engager dans une multitude de services, à l'instar de Marthe. L'appel à écouter est un appel à obéir, à mettre en pratique. Il faut pourtant toute une vie pour apprendre à obéir, non aux nombreuses commandes, souvent contradictoires, qui nous viennent de l'extérieur, mais à la commande intérieure qui se fait entendre dans l'intime du cœur. Jésus lui-même, selon l'épître aux Hébreux (5, 8), a appris dans la souffrance ce qu'est cette obéissance, ce « oui » à la voix intérieure qui est le « oui » de la foi.

RITA GAGNÉ

Rita Gagné est une religieuse ursuline canadienne. Ancienne coordinatrice de la pastorale au diocèse de Gaspé (Québec), elle anime maintenant des retraites.

Prière du soir

Venez tous au Seigneur,
adorons notre Maître.

Gloire au Père, et au Fils, et au Saint-Esprit,
au Dieu qui est, qui était, et qui vient,
pour les siècles des siècles. Amen. Alléluia.

HYMNE

Prenez la tenue de service,
Servants de Dieu, servez vos frères ;
Soyez du peuple des souffrants !
Que vos sueurs et votre sang
Fassent lever pour cette terre
Des fruits de paix dans la justice !

℟ C'est le vivant qui te rend toute gloire,
À toi qui es le Dieu vivant ! C'est le vivant !

Vêtus de la Robe nuptiale,
Accueillez l'aube qui s'annonce ;
Soyez un peuple de veilleurs :
Reconnaissez à ses lueurs
L'homme accompli qui vient aux noces,
Nimbé du jour dont il tressaille !

Restez en tenue de louange,
Tout habillés d'hymnes nouvelles :
Soyez le peuple des chanteurs !
Devenez l'arbre ivre de fleurs
Où les humains que Dieu appelle
Feront concert avec les anges.

PSAUME 40 **Prière confiante dans la détresse**

Aimer Dieu et son prochain est le double commandement de l'amour qui donne la vie. « Va, et toi aussi, fais de même », nous dit Jésus.

Heureux qui pense au pauvre et au faible :
le Seigneur le sauve au jour du malheur !
Il le protège et le garde en vie, heureux sur la terre.
Seigneur, ne le livre pas à la merci de l'ennemi !
Le Seigneur le soutient sur son lit de souffrance :
si malade qu'il soit, tu le relèves.

J'avais dit : « Pitié pour moi, Seigneur,
guéris-moi, car j'ai péché contre toi ! »
Mes ennemis me condamnent déjà : **ennemis**
« Quand sera-t-il mort ? son nom, effacé ? »
Si quelqu'un vient me voir, ses propos sont vides ;
il emplit son cœur de pensées méchantes,
il sort, et dans la rue il parle.

Unis contre moi, mes ennemis murmurent, **ennemis**
à mon sujet, ils présagent le pire :
« C'est un mal pernicieux qui le ronge ;

le voilà couché, il ne pourra plus se lever. »
Même l'ami, qui avait ma confiance ami
et partageait mon pain, m'a frappé du talon.

Mais toi, Seigneur, prends pitié de moi ;
relève-moi, je leur rendrai ce qu'ils méritent.
Oui, je saurai que tu m'aimes
si mes ennemis ne chantent pas victoire. ennemis
Dans mon innocence tu m'as soutenu
et rétabli pour toujours devant ta face.

Béni soit le Seigneur,
Dieu d'Israël, * Dieu
depuis toujours et pour toujours ! toujours
Amen ! Amen !

Seigneur Jésus, toi qui as guéri les malades et pardonné aux pécheurs, toi qui as dit : « Heureux les miséricordieux, ils obtiendront miséricorde », apprends-nous à penser aux pauvres et à soutenir ceux qui souffrent, de sorte que tu nous prennes en pitié et nous sauves au jour du Jugement.

Parole de Dieu

Luc 12, 35-37

RESTEZ EN TENUE de service, votre ceinture autour des reins, et vos lampes allumées. Soyez comme des gens qui attendent leur maître à son retour des noces, pour lui ouvrir dès qu'il arrivera et frappera à la porte. Heureux ces serviteurs-là que le maître, à son arrivée, trouvera en train de veiller. Amen, je vous le dis : c'est lui qui, la ceinture autour des reins, les fera prendre place à table et passera pour les servir.

Ne suis-je pas, Seigneur,
ton serviteur ?

CANTIQUE DE MARIE

(Texte, couverture A)

INTERCESSION

En la fête de sainte Marthe, prions et supplions :

℟ Souviens-toi, Seigneur, de ton Église !

Par les martyres qui n'ont pas craint
d'affronter la mort,
– donne à ton Église le courage dans les épreuves.

Par les épouses qui ont vécu dans la sainteté,
– accorde à ton Église d'être le ferment de salut
que tu offres au monde.

Par les veuves qui ont consacré leur solitude
à la prière et à la charité,
– fais de ton Église le lieu où s'accomplit
le dessein de ton amour.

Par les mères de famille
que tu as bénies dans leurs enfants,
– donne à ton Église d'engendrer
tous les hommes à une vie nouvelle.

Par toutes les saintes qui ont reçu
le grâce de contempler ton visage,
– accorde aux défunts de l'Église
la joie de te voir sans fin.

Intentions libres

Notre Père…

Car c'est à toi qu'appartiennent
le règne, la puissance et la gloire,
pour les siècles des siècles !

SAINTS
D'HIER ET D'AUJOURD'HUI

En marche avec les saints des JMJ
SAINT JEAN DE KENTY
(Fêté le 23 décembre)

Les saints ont mis en pratique la parole de Dieu,
qu'ils nous aident à rendre témoignage à l'Évangile.

La petite commune de Kenty, non loin de Cracovie, voit grandir Jean (1397-1473), enfant doux et pieux, bien disposé aux études. L'université Jagellonne de Cracovie ouvre ses portes à cet étudiant assidu qui s'adonne avec succès à la philosophie et à la théologie. L'étudiant doué devient un brillant professeur au sein de cette même université. Nommé curé de paroisse, ayant une modeste opinion de lui-même, il renonce à cette charge pour laquelle il ne se sent pas compétent. C'est dans l'université que son talent bien cultivé porte de nombreux fruits. La prière est la source où il renouvelle ses forces pour se mettre au service des étudiants autant que des pauvres qu'il secourt avec discrétion et efficacité. Dans la bulle pour la canonisation de Jean de Kenty, le pape Clément XIII écrivait : « Son humilité s'accompagnait d'une rare simplicité, digne d'un enfant ; aussi, dans ses actions et ses paroles, il n'y avait aucun artifice, aucun faux-semblant ; ce qu'il avait au fond du cœur venait facilement sur ses lèvres. » Or, « Dieu seul occupait tout son cœur, Dieu seul était sur ses lèvres ».
Demandons à saint Jean de Kenty de découvrir la profondeur de l'amour du Christ et d'en rayonner : *Là où est ton trésor, là aussi sera ton cœur* (Mt 6, 21).

Bonne fête !
Marthe, Marta, Lazare, Loup et Oleg

[SAMEDI 30 JUILLET]

Saint Pierre Chrysologue

Prière du matin

Venez, adorons le Maître du monde.

Gloire au Père, et au Fils, et au Saint-Esprit,
au Dieu qui est, qui était, et qui vient,
pour les siècles des siècles. Amen. Alléluia.

HYMNE ACATHISTE

Réjouis-toi en qui resplendit la joie du Salut,
Réjouis-toi en qui s'éteint la sombre malédiction,
Réjouis-toi en qui Adam est relevé de sa chute,
Réjouis-toi en qui Ève est libérée de ses larmes.

Réjouis-toi Montagne dont la hauteur
dépasse la pensée des hommes,
Réjouis-toi Abîme à la profondeur insondable
même aux anges,
Réjouis-toi, tu deviens le Trône du Roi,
Réjouis-toi, tu portes en ton sein
Celui qui porte tout.

Réjouis-toi Étoile qui annonces le Lever du Soleil,
Réjouis-toi, tu accueilles en ta chair ton enfant
et ton Dieu,
Réjouis-toi, tu es la première
de la Création Nouvelle,
Réjouis-toi, en toi nous adorons l'Artisan
de l'univers.

Réjouis-toi Épouse inépousée !
Alléluia, alléluia, alléluia !

PSAUME 118 (XIX) **J'espère en ta parole**

Chaque matin, reconnaissons que le Seigneur est proche de nous et disposons nos cœurs à vivre de sa parole.

J'appelle de tout mon cœur : réponds-moi ;
je garderai tes commandements. tes commandements
Je t'appelle, Seigneur, sauve-moi ;
j'observerai tes exigences. tes exigences
Je devance l'aurore et j'implore :
j'espère en ta parole. ta parole
Mes yeux devancent la fin de la nuit
pour méditer sur ta promesse. ta promesse
Dans ton amour, Seigneur, écoute ma voix :
selon tes décisions fais-moi vivre ! tes décisions
Ceux qui poursuivent le mal s'approchent,
ils s'éloignent de ta loi. ta loi
Toi, Seigneur, tu es proche,
tout dans tes ordres est vérité. tes ordres
Depuis longtemps je le sais :
tu as fondé pour toujours tes exigences. tes exigences

Gloire au Père, et au Fils, et au Saint-Esprit,
pour les siècles des siècles. Amen.

Apprends-moi à devancer l'aurore pour approcher ta loi et découvrir, ô mon Dieu, comme tu es proche.

Parole de Dieu **Romains 16, 25-27**

À CELUI QUI PEUT VOUS rendre forts selon mon Évangile qui proclame Jésus Christ : révélation d'un mystère gardé depuis toujours dans le silence, mystère maintenant manifesté au moyen des écrits prophétiques, selon l'ordre du Dieu éternel, mystère porté à la connaissance de toutes les nations pour les amener à l'obéissance de la foi, à Celui qui est le seul sage, Dieu, par Jésus Christ, à lui la gloire pour les siècles. Amen.

CANTIQUE DE ZACHARIE (Texte, couverture B)

LOUANGE ET INTERCESSION

Avec toutes les générations qui ont chanté la gloire de la Vierge Marie, disons à Dieu notre reconnaissance :

℟ Nous te louons, Seigneur, et nous te bénissons !

Pour l'humilité de la Vierge,
et sa docilité à ta parole,

Pour son allégresse
et pour l'œuvre, en elle, de l'Esprit,

Pour l'enfant qu'elle a porté,
qu'elle a couché dans la mangeoire,

Pour son offrande au Temple
et son obéissance à la Loi,

Pour sa présence à Cana,
pour sa tranquille prière,

Pour sa foi dans l'épreuve,
pour sa force au Calvaire,

Pour sa joie au matin de Pâques,
et parce qu'elle est notre mère,

Intentions libres

Notre Père…

Écoute-nous, Seigneur, et accorde-nous la paix profonde que nous te demandons. Ainsi en te cherchant tous les jours de notre vie, et soutenus par la prière de la Vierge Marie, nous parviendrons sans encombre jusqu'à toi. Par Jésus Christ, ton Fils, notre Seigneur et notre Dieu, qui règne avec toi et le Saint-Esprit, maintenant et pour les siècles des siècles.

LA MESSE

Samedi de la 17e semaine du temps ordinaire

SAINT PIERRE CHRYSOLOGUE (Ve S.) *Mémoire facultative*

● *PIERRE DE RAVENNE, qui devint évêque de la cité impériale, fut avant tout un pasteur. Il a beaucoup prêché, ce qui lui valut le nom de Chrysologue (Parole d'or). Dans sa prédication, il tint toujours à demeurer très simple. « Il faut parler au peuple, disait-il, dans la langue du peuple. »* ●

Les noms des saints restent vivants pour toujours; les peuples racontent leur sagesse et l'Église proclame leur louange.

PRIÈRE. **Dieu qui as fait de saint Pierre Chrysologue un grand prédicateur de ton Verbe incarné, par son intercession, accorde-nous ta grâce: ouvre nos cœurs à l'intelligence des mystères du salut et donne-nous d'en témoigner par toute notre vie. Par Jésus Christ, ton Fils, notre Seigneur et notre Dieu, qui règne avec toi et le Saint-Esprit, maintenant et pour les siècles des siècles.**

Lecture du livre du prophète Jérémie **26, 11-16.24**

EN CES JOURS-LÀ, les prêtres et les prophètes dirent aux princes et à tout le peuple: « Cet homme mérite la mort, car il a prophétisé contre cette ville; vous l'avez entendu de vos oreilles. » À son tour Jérémie s'adressa à tous les princes et à tout le peuple: « C'est le Seigneur qui m'a envoyé prophétiser contre cette Maison et contre cette ville, et dire toutes les paroles que vous avez entendues. Et maintenant, rendez meilleurs vos chemins et vos actes, écoutez la voix du Seigneur votre Dieu; alors il renoncera au malheur qu'il a proféré contre vous. Quant à moi, me voici entre vos mains, faites de moi ce qui vous semblera bon et juste. Mais sachez-le bien: si vous me faites mourir, vous allez vous charger d'un sang innocent, vous-mêmes

et cette ville et tous ses habitants. Car c'est vraiment le Seigneur qui m'a envoyé vers vous proclamer toutes ces paroles pour que vous les entendiez. » Alors les princes et tout le peuple dirent aux prêtres et aux prophètes : « Cet homme ne mérite pas la mort, car c'est au nom du Seigneur notre Dieu qu'il nous a parlé. » Comme la protection d'Ahiqam, fils de Shafane, était acquise à Jérémie, il échappa aux mains de ceux qui voulaient le faire mourir.
— *Parole du Seigneur.*

PSAUME 68

C'est l'heure de ta grâce,
Dieu, réponds-moi.

Tire-moi de la boue,
sinon je m'enfonce :
que j'échappe à ceux qui me haïssent,
à l'abîme des eaux.

Que les flots ne me submergent pas,
que le gouffre ne m'avale,
que la gueule du puits
ne se ferme pas sur moi.

Et moi, humilié, meurtri,
que ton salut, Dieu, me redresse.
Et je louerai le nom de Dieu par un cantique,
je vais le magnifier, lui rendre grâce.

Les pauvres l'ont vu, ils sont en fête :
« Vie et joie, à vous qui cherchez Dieu ! »
Car le Seigneur écoute les humbles,
il n'oublie pas les siens emprisonnés.

Alléluia. Alléluia. Heureux ceux qui sont persécutés pour la justice, car le royaume des Cieux est à eux ! **Alléluia.**

Évangile de Jésus Christ selon saint Matthieu 14, 1-12

EN CE TEMPS-LÀ, Hérode, qui était au pouvoir en Galilée, apprit la renommée de Jésus et dit à ses serviteurs : « Celui-là, c'est Jean le Baptiste, il est ressuscité d'entre les morts, et voilà pourquoi des miracles se réalisent par lui. » Car Hérode avait fait arrêter Jean, l'avait fait enchaîner et mettre en prison. C'était à cause d'Hérodiade, la femme de son frère Philippe. En effet, Jean lui avait dit : « Tu n'as pas le droit de l'avoir pour femme. » Hérode cherchait à le faire mourir, mais il eut peur de la foule qui le tenait pour un prophète.
Lorsque arriva l'anniversaire d'Hérode, la fille d'Hérodiade dansa au milieu des convives, et elle plut à Hérode. Alors il s'engagea par serment à lui donner ce qu'elle demanderait. Poussée par sa mère, elle dit : « Donne-moi ici, sur un plat, la tête de Jean le Baptiste. » Le roi fut contrarié ; mais à cause de son serment et des convives, il commanda de la lui donner. Il envoya décapiter Jean dans la prison. La tête de celui-ci fut apportée sur un plat et donnée à la jeune fille, qui l'apporta à sa mère. Les disciples de Jean arrivèrent pour prendre son corps, qu'ils ensevelirent ; puis ils allèrent l'annoncer à Jésus.

— Acclamons la Parole de Dieu.

PRIÈRE SUR LES OFFRANDES. Daigne accepter, Seigneur, ce sacrifice que nous te présentons de grand cœur en la fête de saint Pierre Chrysologue ; fidèles à son enseignement, nous voulons nous offrir tout entiers en célébrant cette eucharistie. Par Jésus, le Christ, notre Seigneur.

Voici l'intendant fidèle et sensé que le Maître a placé à la tête de ses serviteurs, pour leur donner en temps voulu leur part de blé.

PRIÈRE APRÈS LA COMMUNION. Ceux que tu fortifies, Seigneur, par le pain vivant, forme-les aussi par l'enseignement du Christ, pour qu'à l'exemple de saint Pierre Chrysologue, ils connaissent ta vérité et en vivent dans ton amour. Par Jésus, le Christ, notre Seigneur.

MÉDITATION DU JOUR

Une offrande vivante

C'est un ministère inouï que le sacerdoce chrétien, puisque l'homme est à la fois l'offrande et le prêtre. Il ne cherche plus à l'extérieur ce qu'il doit immoler à Dieu ; il apporte avec lui et en lui ce que, pour lui-même, il va sacrifier à Dieu ; l'offrande demeure ce qu'elle est et le prêtre reste inchangé ; l'offrande sacrifiée demeure vivante et le prêtre qui l'offre ne saurait la tuer. Sacrifice étonnant où le corps est offert sans être immolé et le sang sans être répandu !

Je vous exhorte, dit l'Apôtre, *par la miséricorde de Dieu, à offrir vos corps en offrande vivante* (Rm 12, 1). Frères, ce sacrifice est à l'image de celui qui a immolé son corps vivant pour la vie du monde : il a vraiment fait de son corps une offrande vivante, car bien que tué il vit. En cette admirable victime, la mort a sa rançon, mais l'offrande demeure, l'offrande vit, tandis que la mort a son châtiment. C'est pourquoi, chez les martyrs, la mort est une naissance, la fin un commencement. En les tuant on les fait vivre, et ils brillent dans le ciel alors qu'on pensait les avoir éteints sur la terre.

Sois donc, homme, le sacrifice de Dieu et son prêtre ; ne gaspille pas ce que la puissance de Dieu t'a donné et accordé.

ST PIERRE CHRYSOLOGUE

Par sa « parole d'or », saint Pierre Chrysologue († 450), archevêque de Ravenne, nous laisse cent soixante-seize sermons d'inspiration biblique.

Prière du soir

18e semaine du temps ordinaire

Que ma prière devant toi s'élève comme un encens,
et mes mains, comme l'offrande du soir.

Gloire au Père, et au Fils, et au Saint-Esprit !

HYMNE

℟ Chantons avec toute l'Église,
La joie donnée par le Seigneur,
Entrons au cœur de son alliance
Où la vie de Dieu jaillit pour tous.
Jésus Christ, témoin fidèle,
ouvre-nous les portes du ciel.

Au souvenir des merveilles de Pâques
Notre cœur se réjouit.
Ta résurrection fortifie notre espérance.

Rien n'est plus vrai que ta Parole,
Pain et vin seront ton corps
Livré pour tous les hommes.

Ton amour est si puissant
Que tu demandes au Père
De nous introduire dans la gloire du ciel.

Vienne l'heure où l'Esprit
Envahira nos cœurs
Pour les rendre brûlants d'amour.

CANTIQUE AUX PHILIPPIENS (2)

Suivre le Christ jusqu'en son abaissement, c'est recevoir du Père la grâce de la vie nouvelle et éternelle.

Le Christ Jésus, +
ayant la condition de Dieu, *

ne retint pas jalousement
  le rang qui l'égalait à Dieu.
Mais il s'est anéanti, *
prenant la condition de serviteur.

Devenu semblable aux hommes, +
reconnu homme à son aspect, *
il s'est abaissé,
devenant obéissant jusqu'à la mort, *
et la mort de la croix.

C'est pourquoi Dieu l'a exalté : *
il l'a doté du Nom
  qui est au-dessus de tout nom,

afin qu'au nom de Jésus
  tout genou fléchisse *
au ciel, sur terre et aux enfers,

et que toute langue proclame :
  « Jésus Christ est Seigneur » *
à la gloire de Dieu le Père.

Parole de Dieu — **Colossiens 1, 2b-6ab**

À vous, la grâce et la paix de la part de Dieu notre Père. Nous rendons grâce à Dieu, le Père de notre Seigneur Jésus Christ, en priant pour vous à tout moment. Nous avons entendu parler de votre foi dans le Christ Jésus et de l'amour que vous avez pour tous les fidèles dans l'espérance de ce qui vous est réservé au ciel ; vous en avez déjà reçu l'annonce par la parole de vérité, l'Évangile qui est parvenu jusqu'à vous. Lui qui porte du fruit et progresse dans le monde entier.

Nous te rendons grâce, ô notre Dieu !

Cantique de Marie — **(Texte, couverture A)**

INTERCESSION

À la veille du jour du Seigneur, supplions-le de regarder avec bonté ce que fut notre vie pendant la semaine :

℟ Accueille-nous, Seigneur, en ta bonté.

Créateur souverain, tu nous as confié le monde :
– pour tout progrès, merci ;
pour toute lâcheté, pardon.

Tu nous as donné des compagnons de travail :
– pour les secours donnés et reçus, merci ;
pour les malveillances et les jalousies, pardon.

Tu nous as donné des frères :
– pour les témoignages d'affection, merci ;
pour tout manque d'amour, pardon.

Tu nous as donné de rencontrer des inconnus :
– pour les amitiés qui se sont nouées, merci ;
pour nos indifférences, pardon.

Regarde avec bonté ceux qui sont morts
de mort brutale ou dans l'isolement :
– accueille-les dans le repos éternel.

Intentions libres

Notre Père… Car c'est à toi qu'appartiennent…

Heureuse es-tu, Vierge Marie !
Par toi, le salut est entré dans le monde,
Comblée de gloire, tu te réjouis devant le Seigneur,
tu cries de joie à l'ombre de ses ailes.
Sainte Mère de Dieu,
prie pour nous, pauvres pécheurs.

Demain, le 18e dimanche du temps ordinaire a la préséance sur la mémoire de saint Ignace de Loyola.

SAINTS
D'HIER ET D'AUJOURD'HUI

En marche avec les saints des JMJ
SAINT STANISLAS KAZIMIERCZYK
(Fêté le 3 mai)

Rendons grâce à Dieu pour ses saints
qui nous enseignent le zèle de la charité.

Kazimierz est un petit faubourg de Cracovie, aujourd'hui incorporé à la ville, où vivent les parents de Louis Sołtys (1433-1489). Après ces études à l'université Jagellonne, il entre chez les chanoines réguliers auprès desquels il a été formé dans l'enfance, prend le nom de Stanislas et reçoit l'ordination en 1462. « Pour beaucoup, a dit Jean-Paul II, il a été un guide sur le chemin de la vie spirituelle. » Il a passé toute sa vie dans la paroisse du Corpus Christi à Cracovie, et c'est sur ce territoire, finalement assez restreint, qu'il a donné la pleine mesure de sa sainteté, faisant de l'eucharistie le centre de sa vie, et de la Vierge Marie, la confidente et la conseillère de chaque instant. Confesseur recherché pour sa perspicacité, prédicateur réputé – il défend avec vigueur la doctrine de la présence réelle –, il avait, comme son ami Jean de Kenty, un grand amour pour les personnes pauvres et malades qu'il secourait. Sa douceur et sa compassion inspiraient confiance, si bien qu'un grand nombre de personnes venaient lui confier leur âme, leur projet, leur souci.
Qu'il nous aide, lorsque nous nous confessons, à mettre en vérité nos fautes sous la lumière de la miséricorde divine, pour que grandisse en nous la joie d'être pardonnés.

Bonne fête !
Pierre, Donatille, Juliette, Godeleine, Godeline et Bogdan

18e du temps ordinaire

Parole de Dieu pour un dimanche

Toujours plus

Christelle Javary

TOUJOURS PLUS. Tel est le mot d'ordre de l'homme riche de l'Évangile de ce dimanche. Son domaine a beaucoup rapporté, ses greniers sont pleins. Alors il lui en faut de plus vastes, pour continuer à entasser. Jusqu'où ? Jusqu'à l'absurde. Entouré de millions de grains de blé, il festoie en solitaire. Il est convaincu d'être à l'abri du besoin, il se sent rassuré d'être abondamment pourvu pour de nombreuses années, mais il oublie qu'il peut tout posséder, sauf sa propre vie. La mort le dépouillera brutalement de ses illusions, et c'est son héritier qui profitera de tous ses biens. *Vanité des vanités, tout est vanité !*

Toujours plus. Tel est aussi le mot d'ordre de l'Apôtre Paul. Toujours plus haut : regardons vers le ciel et non plus vers la terre. Toujours plus du Christ, lui qui est notre tout, lui qui est en tous. En lui nous est donnée la surabondance de la grâce divine. Par lui nous avons accès à la vie éternelle, sur laquelle la mort n'a pas de prise. D'ailleurs, nous sommes déjà ressuscités, avec le Christ. L'homme ancien n'est plus. Place à l'homme nouveau, appelé à prendre sa pleine dimension et à entrer dans la gloire. Nous sommes constitués héritiers du bien suprême : le royaume même de Dieu. Rejetons donc les désirs étriqués, les comportements mesquins, l'étroitesse du péché. Sous la conduite de l'Esprit, nous sommes envoyés pour répandre autour de nous toujours plus d'amour, toujours plus de foi, toujours plus d'espérance. ■

Les intentions dominicales

Ces intentions sont à adapter en fonction de l'actualité et de l'assemblée qui célèbre.

Pour être riche en vue de Dieu, mettons toute notre charité à intercéder pour que l'humanité puisse mener une vie digne et paisible.

Pour l'Église appelée à la pauvreté radicale.

Pour ceux qui accaparent les richesses au détriment des autres.

Pour ceux qui ont renoncé à toute richesse par amour du Christ.

Pour les jeunes rassemblés à Cracovie autour du saint-père.

Pour les pauvres que nous croisons, pour ceux que nous servons et pour ceux dont nous ignorons qu'ils sont pauvres.

Pour ceux qui souffrent de solitude en ces mois d'été.

Pour notre communauté qui rassemble des riches et des pauvres, et apprend le partage.

Dieu qui nous apprends la vraie mesure de nos jours, inspire-nous les actes de charité qui te plaisent et conduis-nous vers le Royaume. Par Jésus, le Christ, notre Seigneur.

[DIMANCHE 31 JUILLET]

18e du temps ordinaire

Prière du matin

Peuple choisi par Dieu,
viens adorer ton chef et ton pasteur.

Louez le Seigneur, tous les peuples; **Ps 116**
fêtez-le, tous les pays!

Son amour envers nous s'est montré le plus fort;
éternelle est la fidélité du Seigneur!

Gloire au Père, et au Fils, et au Saint-Esprit...

HYMNE

℟ ***Laudate Dominum, laudate Dominum,***
Omnes gentes, alléluia.

Louez Dieu, louez Dieu
Dans son temple saint,
Louez-le au ciel de sa puissance.
Louez-le pour ses actions éclatantes,
Louez-le, louez-le selon sa grandeur.

Alléluia, alléluia,
que tout être vivant chante louange au Seigneur.

Acclamez, acclamez Dieu toute la terre,
Chantez à la gloire de son nom, en disant:
Toute la terre se prosterne devant toi,
Elle chante pour toi, elle chante pour ton nom.

PSAUME 150 **Symphonie de louange à Dieu**

Remplis de l'Esprit Saint, proclamons, par toute la terre, les merveilles de Dieu pour que tout être vivant chante louange au Seigneur!

Louez Dieu dans son temple saint,
louez-le au ciel de sa puissance ;
louez-le pour ses actions éclatantes,
louez-le selon sa grandeur !

Louez-le en sonnant du cor,
louez-le sur la harpe et la cithare ;
louez-le par les cordes et les flûtes,
louez-le par la danse et le tambour !

Louez-le par les cymbales sonores,
louez-le par les cymbales triomphantes !
Et que tout être vivant
chante louange au Seigneur !

Gloire au Père, et au Fils, et au Saint-Esprit…

Parole de Dieu

Romains 5, 1-2.5

NOUS QUI SOMMES devenus justes par la foi, nous voici en paix avec Dieu par notre Seigneur Jésus Christ, lui qui nous a donné, par la foi, l'accès à cette grâce dans laquelle nous sommes établis ; et nous mettons notre fierté dans l'espérance d'avoir part à la gloire de Dieu. L'espérance ne déçoit pas, puisque l'amour de Dieu a été répandu dans nos cœurs par l'Esprit Saint qui nous a été donné.

Viens, Esprit d'amour ! Viens !

CANTIQUE DE ZACHARIE

(Texte, couverture B)

LOUANGE ET INTERCESSION

(d'après les litanies des saints)

Jésus, Fils du Dieu vivant,

℟ De grâce, écoute-nous.

Accorde à tous les peuples la justice et la paix.

Rassemble en ton Corps
ceux qui confessent ton nom.

Conduis tous les hommes à la lumière de l'Évangile.

Affermis-nous et garde-nous fidèles à ton service.

Élève nos désirs vers les biens éternels.

Sois bienfaisant pour nos bienfaiteurs.

Donne à chacun les fruits de la terre,
pour que nous puissions te rendre grâce.

Intentions libres

Notre Père…

Pour accomplir ta volonté, Dieu notre Père, ton Fils a vécu libre dans ce monde sans rien s'approprier. Que tous les biens dont nous disposons nous renvoient au-delà, vers toi qui les dispenses avec largesse et vers nos frères pour une vie de partage. En communion avec Jésus, le Christ, notre Seigneur et notre Dieu, pour les siècles des siècles.

LA MESSE

18e dimanche du temps ordinaire

Viens me délivrer, Seigneur, Dieu, viens vite à mon secours : tu es mon aide et mon libérateur, Seigneur, ne tarde pas.

GLOIRE À DIEU page 195

PRIÈRE. Assiste tes enfants, Seigneur, et montre à ceux qui t'implorent ton inépuisable bonté ; c'est leur fierté de t'avoir pour Créateur et Providence : restaure pour eux ta création et, l'ayant renouvelée, protège-la. Par Jésus Christ, ton Fils, notre Seigneur.

Lecture du livre de Qohèleth 1, 2 ; 2, 21-23

VANITÉ DES VANITÉS, disait Qohèleth. Vanité des vanités, tout est vanité ! Un homme s'est donné de la peine ; il est avisé, il s'y connaissait, il a réussi. Et voilà qu'il doit laisser son bien à quelqu'un qui ne s'est donné aucune peine. Cela aussi n'est que vanité, c'est un grand mal ! En effet, que reste-t-il à l'homme de toute la peine et de tous les calculs pour lesquels il se fatigue sous le soleil ? Tous ses jours sont autant de souffrances, ses occupations sont autant de tourments : même la nuit, son cœur n'a pas de repos. Cela aussi n'est que vanité.

— *Parole du Seigneur.*

PSAUME 89

Tu fais retourner l'homme à la poussière ;
tu as dit : « Retournez, fils d'Adam ! »
À tes yeux, mille ans sont comme hier,
c'est un jour qui s'en va, une heure dans la nuit.

Tu les as balayés : ce n'est qu'un songe ;
dès le matin, c'est une herbe changeante :
elle fleurit le matin, elle change ;
le soir, elle est fanée, desséchée.

Apprends-nous la vraie mesure de nos jours :
que nos cœurs pénètrent la sagesse.
Reviens, Seigneur, pourquoi tarder ?
Ravise-toi par égard pour tes serviteurs.

Rassasie-nous de ton amour au matin,
que nous passions nos jours dans la joie et les chants.
Que vienne sur nous la douceur du Seigneur notre Dieu !
Consolide pour nous l'ouvrage de nos mains.

Lecture de la lettre
de saint Paul apôtre aux Colossiens 3, 1-5.9-11

FRÈRES, si vous êtes ressuscités avec le Christ, recherchez les réalités d'en haut : c'est là qu'est le Christ, assis à la droite de Dieu. Pensez aux réalités d'en haut, non à celles de la terre.
En effet, vous êtes passés par la mort, et votre vie reste cachée avec le Christ en Dieu. Quand paraîtra le Christ, votre vie, alors vous aussi, vous paraîtrez avec lui dans la gloire. Faites donc mourir en vous ce qui n'appartient qu'à la terre : débauche, impureté, passion, désir mauvais, et cette soif de posséder, qui est une idolâtrie. Plus de mensonge entre vous : vous vous êtes débarrassés de l'homme ancien qui était en vous et de ses façons d'agir, et vous vous êtes revêtus de l'homme nouveau qui, pour se conformer à l'image de son Créateur, se renouvelle sans cesse en vue de la pleine connaissance. Ainsi, il n'y a plus le païen et le Juif, le circoncis et l'incirconcis, il n'y a plus le barbare ou le primitif, l'esclave et l'homme libre ; mais il y a le Christ : il est tout, et en tous.
— *Parole du Seigneur.*

Alléluia. Alléluia. Heureux les pauvres de cœur, car le royaume des Cieux est à eux ! **Alléluia.**

Évangile de Jésus Christ selon saint Luc 12, 13-21

EN CE TEMPS-LÀ, du milieu de la foule, quelqu'un demanda à Jésus : « Maître, dis à mon frère de partager avec moi notre héritage. » Jésus lui répondit : « Homme, qui donc m'a établi pour être votre juge ou l'arbitre de vos partages ? » Puis, s'adressant à tous : « Gardez-vous bien de toute avidité, car la vie de quelqu'un, même dans l'abondance, ne dépend pas de ce qu'il possède. » Et il leur dit cette parabole : « Il y avait un homme riche, dont le domaine avait bien rapporté. Il se demandait : "Que vais-je faire ? Car je n'ai pas de place pour mettre ma récolte." Puis il se dit : "Voici ce que je vais faire : je vais démolir mes greniers, j'en construirai de plus grands et j'y mettrai tout mon blé et tous mes biens. Alors je me dirai à moi-même : Te voilà donc avec de nombreux biens à ta disposition, pour de nombreuses années. Repose-toi, mange, bois, jouis de l'existence." Mais Dieu lui dit : "Tu es fou : cette nuit même, on va te redemander ta vie. Et ce que tu auras accumulé, qui l'aura ?" Voilà ce qui arrive à celui qui amasse pour lui-même, au lieu d'être riche en vue de Dieu. »

— *Acclamons la Parole de Dieu.*

CREDO ———— page 197

PRIÈRE SUR LES OFFRANDES. Dans ta bonté, Seigneur, sanctifie ces dons ; accepte le sacrifice spirituel de cette eucharistie, et fais de nous-mêmes une éternelle offrande à ta gloire. Par Jésus, le Christ, notre Seigneur.

PRÉFACE ———— page 200

Tu nous donnes, Seigneur, la vraie manne, ce pain venu du ciel qui comble tous les désirs.

Ou bien :

« Je suis le pain de la vie, dit le Seigneur, celui qui vient à moi n'aura plus jamais faim, celui qui croit en moi n'aura plus jamais soif. »

PRIÈRE APRÈS LA COMMUNION. Seigneur, entoure d'une constante protection ceux que tu as renouvelés par le pain du ciel ; puisque tu ne cesses de les réconforter, rends-les dignes de l'éternel salut. Par Jésus, le Christ, notre Seigneur.

MÉDITATION DU JOUR

S'enrichir en vue de Dieu

Comme bien souvent, Jésus ne répond pas directement aux demandes de renseignements qui lui sont adressées. Il prend le problème à la racine. Car souvent, derrière ces querelles d'héritage se cache un mauvais comportement, un mal fondamental de la vie humaine : la cupidité ! Gardez-vous de toute cupidité ! Et comme Jésus ne traite jamais les sujets qu'il aborde uniquement en théorie ou dans l'abstraction, il raconte aussitôt une histoire sur la cupidité.

Jésus veut que ses histoires nous touchent. Leur but est d'interpeller personnellement ses auditeurs et de les amener à se sentir concernés. Je lis cette parabole de Jésus sur cet homme riche qui veut toujours plus, toujours plus grand, toujours mieux réussir, comme un avertissement pour notre temps. C'est ce que l'on voit partout ! Il n'y a pas que dans l'agriculture que l'on a « abattu » l'ancien pour construire du neuf toujours plus grand. Dans tous les domaines, l'ancien doit disparaître pour faire place à des constructions toujours plus gigantesques, afin que la croissance augmente. Et de même que l'homme riche de l'Évangile rêve de se prélasser après avoir construit du grand et du neuf, ainsi notre société espère-t-elle que le rêve d'un grand bien-être se perpétue.

La mort met radicalement en question toute cupidité. Qu'emporteras-tu de ce que tu as gagné dans une âpre querelle d'héritage ? Jésus traite le cupide d'insensé, d'idiot. N'est-ce pas pure idiotie que de vouloir avoir toujours plus ? « Le sens de la vie » dit Jésus, ce n'est pas de thésauriser. Mais comme c'est difficile de se défaire de la cupidité ! Déjà les enfants se chamaillent pour le « c'est à moi, pas à toi » ! Une seule chose compte vraiment : *S'enrichir en vue de Dieu*, ce qui veut dire être riche en bonté, en humanité, en amour, en charité. Cet héritage-là, personne ne nous le disputera ! C'est le meilleur héritage !

CARD. CHRISTOPH SCHÖNBORN

Le cardinal Schönborn (né en 1945) est archevêque de Vienne, en Autriche, depuis 1995. Il est président de la Conférence des évêques d'Autriche et il a été l'un des maîtres d'œuvre du Catéchisme de l'Église catholique.

Prière du soir

HYMNE

Louange à Dieu, Très-Haut Seigneur,
Pour la beauté de ses exploits ;
Par la musique et par nos voix,
Louange à Lui, dans les hauteurs !

Louange à Lui, puissance, honneur,
Pour les actions de son amour ;
Au son du cor et du tambour,
Louange à Lui pour sa grandeur !

Tout vient de Lui, tout est pour lui :
Harpes, cithares, louez-Le.
Cordes et flûtes, chantez-Le :
Que tout vivant Le glorifie !

Rien n'est trop grand pour notre Dieu,
Rien n'est trop beau pour Jésus Christ !
Louange et gloire à leur Esprit,
Dans tous les siècles, en tout lieu !

CANTIQUE DE L'APOCALYPSE (19)

Nous sommes le Corps du Christ, nous sommes le temple de l'Esprit, nous sommes le peuple de Dieu qui exulte de joie.

Le salut, la puissance,
la gloire à notre Dieu,
Alléluia !
Ils sont justes, ils sont vrais,
ses jugements.
Alléluia !

Célébrez notre Dieu,
serviteurs du Seigneur,
Alléluia !
vous tous qui le craignez,
les petits et les grands.
Alléluia !

Il règne, le Seigneur,
notre Dieu tout-puissant,
Alléluia !
Exultons, crions de joie,
et rendons-lui la gloire !
Alléluia !

Car elles sont venues,
les Noces de l'Agneau,
Alléluia !
Et pour lui son épouse
a revêtu sa parure.
Alléluia !

Parole de Dieu — 2 Thessaloniciens 2, 13-14

À TOUT MOMENT nous devons rendre grâce à Dieu à votre sujet, frères, vous qui êtes aimés du Seigneur, puisque Dieu vous a choisis en premier pour être sauvés par l'Esprit qui sanctifie et par la foi en la vérité. C'est à cela que Dieu vous a appelés par notre proclamation de l'Évangile, pour que vous entriez en possession de la gloire de notre Seigneur Jésus Christ.

Je bénirai le Seigneur,
toujours et partout.

HYMNE DE LOUANGE **(Texte, couverture C)**

LOUANGE

Avec les témoins du Christ ressuscité sur qui nous appuyons notre foi, rendons grâce à Dieu le Père :

℟ Loué sois-tu, Seigneur de gloire !

Loué sois-tu pour Jésus de Nazareth,
le prophète puissant par la parole et par les actes :
il a été crucifié, il est à jamais vivant.

Pour le Messie que tu as envoyé :
en son nom, les boiteux marchent,
les aveugles voient, les sourds entendent.

Pour ton Fils qui s'est fait obéissant
jusqu'à mourir sur la croix :
il est exalté au-dessus de tout nom.

Pour le Christ ressuscité
qui s'est fait reconnaître au partage du pain :
il est au milieu des siens pour la suite des jours.

Pour le premier-né d'entre les morts :
il entraîne vers toi
tous ceux que la mort retenait captifs.

Intentions libres

Notre Père… Car c'est à toi qu'appartiennent…

Claire Balanant

14e dimanche ordinaire

3 juillet 2016

Au seuil de la dispersion estivale, nous sommes envoyés par Jésus car *la moisson est abondante, mais les ouvriers sont peu nombreux* (Lc 10, 2). La joie est au cœur de ce dimanche, ne manquons pas de lui donner sa place. *Toute la terre* […] *chante pour toi* (Ps 65, 4), notre assemblée aussi.

Ouverture de la célébration

Pour accompagner la procession d'entrée, *Si le Père vous appelle* O 154-1 (*CNA*[1] 721 ; *MNA*[2] 83.23), couplets 1, 2, et 3 ; son refrain reprend la dernière phrase de l'Évangile : « Vos noms sont inscrits dans les cieux. » Conviennent aussi *Dieu nous éveille à la foi* IA 20-70-3 (*CNA* 546 ; *Voix nouvelles* 69), avec son couplet : « Dieu nous convoque à la joie », ou la version de J.-P. Brazier (*Voix nouvelles* 98) ; *Quelle est cette voix ?* (*Voix nouvelles* 70 ; livret Ancoli 2011) dont le texte correspond tout à fait à ce dimanche : « Quelle est cette voix qui t'invite au bonheur ? […] Heureux qui l'entendra […] il connaîtra la joie de Dieu. » Pendant la préparation pénitentielle, quand nous chantons le *Kyrie*, rappelons-nous que c'est « un chant par lequel les fidèles acclament le Seigneur et implorent sa miséricorde » (présentation générale du *Missel romain*, n° 52).

1. *CNA : Chants notés de l'assemblée.*
2. *MNA : Missel noté de l'assemblée.*

Liturgie de la Parole

Le psaume 65 est un psaume de louange: *Réjouissez-vous avec Jérusalem! Votre cœur sera dans l'allégresse* (Is 66, 10.14). Pour ce psaume, prendre soit la proposition page 65, soit l'antienne bien connue (*CNA*, p. 81, ou *Voix nouvelles* 88) avec sa psalmodie à deux voix égales. Après la liturgie de la Parole, s'il y a une chorale, elle pourrait faire entendre une version très festive de ce psaume: *Voyez les hauts faits de Dieu* ZL 65-7 (*Voix nouvelles* 79), psaume choral 65 de C. Villeneuve, ou *Acclamez Dieu toute la terre* ZL 65-6 (livret Ancoli 2004), de J. Berthier. C'est un psaume souvent mis en musique par les compositeurs, comme le *Jubilate Deo* de L. Halmos (*Voix nouvelles* 95).

Liturgie eucharistique

En action de grâce après la communion, *Avec ta joie* YD 22-37-1 (*Voix nouvelles* 87; *Signes Musiques* 112); « Avec ton nom qui enchante nos lèvres [...] nous accueillons ta grâce »; ou *Dieu Très-Haut qui fais merveille* Y 127-1 (*CNA* 548; *MNA* 46.17), « Béni sois ton nom! »; *Seigneur, tu es toute ma joie* DEV 309 (*Il est vivant* 12-43) « car ton amour jamais ne s'éloignera de moi ».

Envoi

Pour accompagner la procession de sortie, prenons le grand refrain de *Envoyés dans ce monde* HY 20-35 (*CNA* 443); « Bénissons notre Dieu! C'est lui qui nous envoie! » sans couplet si la sortie se fait rapidement; ou *Allez par toute la terre* TL 20-76 (*CNA* 533; *Voix nouvelles* 23; *Signes Musiques* 30).

15e dimanche ordinaire

10 juillet 2016

Les lectures de ce dimanche mettent l'accent sur la parole de Dieu, *elle est tout près de toi, cette Parole, elle est dans ta bouche et dans ton cœur* (Dt 30, 14) ; nous sommes invités à la mettre en pratique en suivant les commandements du Seigneur. En ce début d'été, les paroisses qui accueillent des personnes en vacances veilleront à faciliter leur participation par le chant, et s'il y a de nombreuses personnes étrangères, à prendre des chants de répertoire international comme les chants de Taizé ou le chant de l'Année de la miséricorde *Misericordes sicut Pater* (www.iubilaeummisericordiae.va ; *Voix nouvelles* 99).

Ouverture de la célébration

Lors de la procession d'entrée, à la suite de la croix, le lectionnaire pourrait être apporté solennellement et déposé sur l'ambon. Pour nous introduire à l'écoute de la parole de Dieu, nous chanterons *Écoute la voix du Seigneur* X 548 [A 548[3]] (*CNA* 761), *Église de ce temps* K 35-64 (*CNA* 661, *Signes Musiques* 64) dans la version d'E. Daniel, ou *Regarde avec amour. Église de ce temps* K 35-64-3 (*Voix nouvelles* 81) dans la version de P. Craipeau.
Pour la préparation pénitentielle, prendre *Fils du Père éternel* (*CNA* 169) avec ses répons « Kyrie eleison » *(Kyrie grégorien XI)* et ses invocations : « Premier-né d'une multitude de frères » qui sont en étroite relation avec la 2e lecture.
Pour chanter le *Gloire à Dieu*, prendre une mélodie très

3. Les anciennes cotes sont entre crochets.

connue qui fera facilement l'unanimité : AL 23-09 (*CNA* 197) de la *Messe du partage*.

▪ Liturgie de la Parole ▪

Pour le psaume 68, voir page 141. Le lectionnaire propose un deuxième psaume, le 18B, qui est une réponse lumineuse à la première lecture. L'antienne : « Les préceptes du Seigneur sont droits » est présentée dans *Voix nouvelles* 95 avec la psalmodie de M. Godard, faisant alterner soliste et assemblée. Le verset de l'acclamation à l'Évangile relie clairement la première lecture, le psaume 18 et l'Évangile : « Tes paroles, Seigneur, sont esprit et elles sont vie. » Le chantre le psalmodiera avec un *Alléluia* joyeux tel celui de J.-P. Cap (*CNA* 215-23 ; *Voix nouvelles* 73) avec son système de reprises, l'*Alléluia « irlandais »* U 622 (*CNA* 215-37), *Alléluia « Dieu règne »* (*CNA* 215-6) ou encore *Alléluia « du Jubilé »* U 27-30 (*CNA* 215-7 ; *Voix nouvelles* 73).

▪ Liturgie eucharistique ▪

Pendant la communion, le tropaire *Voici le pain partagé* D 14-42 (*CNA* 348 ; *Voix nouvelles* 77 ; *Signes Musiques* 88) avec son refrain court très facilement mémorisable : « Recevez le corps du Christ, devenez le corps du Christ. » Si l'on préfère laisser l'orgue jouer pendant la communion, on chantera après, en rendant grâce avec le cantique des trois enfants *Bénissez le Seigneur* Z (AT) 22 (*Voix nouvelles* 88 ; *Signes Musiques* 117), ou *Par la musique et par nos voix* U 43-38 (*CNA* 572 ; *Voix nouvelles* 30 ; *Signes Musiques* 130).

16e dimanche ordinaire

17 juillet 2016

En ce dimanche, l'Évangile nous invite à réfléchir sur nos choix : savons-nous repérer ce qui est essentiel ? Savons-nous discerner dans nos vies ce qui nous rapproche du Seigneur ? Savons-nous l'accueillir ? Savons-nous nous mettre à l'écoute de sa parole ? Le psaume apporte déjà quelques réponses concrètes à la question : « Qui séjournera sous ta tente ? »

Ouverture de la célébration

Chaque dimanche, le Seigneur nous invite et nous accueille ; nous l'accueillons en nous ; nourris de sa parole et de son pain de vie, nous repartons fortifiés et heureux de témoigner de son amour. Pour accompagner la procession d'entrée, prendre *Dieu nous accueille* A 174 (*CNA* 545 ; *Voix nouvelles* 51 ; *Signes Musiques* 62) ou *Dieu nous éveille à la foi* IA 20-70-3 (*CNA* 546 ; *Voix nouvelles* 69), avec son couplet : « Dieu nous convoque à la joie », ou dans la version de J.-P. Brazier (*Voix nouvelles* 98) ; ou encore *Quelle est cette voix ?* (*Voix nouvelles* 55 ou 70 ; livret Ancoli 2011) : « Quelle est cette voix qui t'invite au bonheur ? [...] C'est la voix du Dieu Sauveur [...]. Heureux qui choisira de tout miser sur lui. »

Liturgie de la Parole

Le psaume 14 est une petite catéchèse pour le croyant qui veut vivre selon la volonté du Seigneur, selon sa justice, *inébranlable* et miséricordieuse. Il sera chanté avec la nouvelle antienne présentée dans ce numéro, page 241, ou celle de G. Notebaert (*Voix nouvelles* 94) avec deux psalmistes alternant tous les deux stiques. La prière universelle pourrait prendre une forme litanique avec des invocations très courtes cantillées par le chantre et ponctuées par un répons de l'assemblée : *Écoute-nous, Dieu très bon* U 21-82 (*CNA* 231-5).

■ Liturgie eucharistique ■

Si on chante pendant la communion, reprendre le tropaire de dimanche dernier : *Voici le pain partagé* D 14-42 (*CNA* 348 ; *Voix nouvelles* 77 ; *Signes Musiques* 88), ou *En marchant vers toi, Seigneur* D 380 (*CNA* 326 ; *Voix nouvelles* 91 ; *Signes Musiques* 100) avec sa dimension trinitaire : « Ta lumière nous conduit par le Père, dans l'Esprit, au Royaume de la vie. » Pour garder l'orientation de la liturgie de la Parole, on pensera à *T'approcher Seigneur* GP 22-68-6 (*CNA* 590) : « Mais que ta Parole conduise mes pas, [...] demeure ma joie... » Si on chante après la communion, nous rendrons grâce avec le psaume 91 : *Qu'il est bon de rendre grâce* ZL 91 (*Voix nouvelles* 14 ; livret Ancoli 2011) de J.-M. Dieuaide, avec son alternance soliste et assemblée, celle-ci répétant facilement après le soliste ; ou *Bénissez le Seigneur* du répertoire de Taizé pour son aspect litanique et festif, facile à reprendre par tous. Convient aussi *En accueillant l'amour,* dans la version de J. Berthier DP 379 (*Voix nouvelles* 82 ; livret Ancoli 2015), ou dans celle de P. Esquivié DP 126 (*CNA* 325 ; *MNA* 29.15 ; *Voix nouvelles* 79).

17e dimanche ordinaire

24 juillet 2016

En ce dimanche, les lectures nous offrent deux grands axes de réflexion : avec saint Paul, celui de la résurrection, dans les autres lectures, la prière à travers l'intercession d'Abraham, la prière de louange (psaume) et l'enseignement de Jésus (le *Notre Père*).

■ Ouverture de la célébration ■

Chaque dimanche, nous fêtons Jésus ressuscité : *Tu as triomphé de la mort* IP 165 (*CNA* 594 ; *MNA* 35.61 ; *Voix nouvelles* 28 ; *Signes Musiques* 133), *Jour du Vivant* IP 34-92-8 (*CNA* 561 ; *Voix nouvelles* 3 et 83 ; *Signes Musiques* 44), *Dieu règne* I 47 (*CNA* 490 ; *MNA* 42.11 ; *Voix nouvelles* 53 ; *Signes Musiques* 44), ou le tropaire *Père, glorifie ton Fils* IX 20-09 (*Voix nouvelles* 3 et 94 ; *Signes Musiques* 44).
Pour la préparation pénitentielle, prendre le texte du *Missel Romain, Par ton mystère pascal* dans la version de P. Lamon AL 18-69-4 (*Voix nouvelles* 83 ; livret Ancoli 2011), ou de la *Messe pascale* de P. Robert AL 56-29.

■ Liturgie de la Parole ■

On ne manquera pas de chanter le psaume 137 qui, au-delà de la tonalité suppliante de l'antienne, est une belle exultation : « Tu as entendu les paroles de ma bouche. Le Seigneur fait tout pour moi. » Pour la prière universelle, en écho à l'invitation de Jésus, tournons-nous vers le Père avec le refrain : « Notre Père et notre Dieu, nous te prions » (*CNA* 231-12). À la fin de la liturgie de la Parole, s'il y a un groupe de chanteurs, il pourra faire entendre cette très belle prière de saint Ignace *Seigneur, par ta grâce* (*Voix nouvelles* 95).

Liturgie eucharistique

Pendant la procession des dons, le canon *Dieu notre Père, voici le pain* B 57-30 (*Voix nouvelles* 73 ; *Signes Musiques* 88) : « Voici le pain, […] voici le vin, […] voici nos vies » ; en période d'apprentissage, chaque phrase est répétée facilement par l'assemblée jusqu'à ce qu'elle soit autonome pour le chanter en canon.

Il sera bien, aujourd'hui, de chanter le *Notre Père* : la version la plus connue, dite de Rimski-Korsakov, *Notre Père* AL 82 (*CNA* 285 ; *MNA* 27.13), ou celle de X. Darasse AL 109-2 (*CNA* 284 ; livrets Ancoli 2011 ; *Signes Musiques* 88), ou tout simplement le ton du *Missel romain*. Chaque communauté agira avec discernement pour que personne ne se sente exclu de cette prière qui est celle de tous, ni les personnes qui ne chantent pas, ni les étrangers présents dans l'assemblée.

Après la communion, on chantera une hymne d'action de grâce comme *Grâce te soit rendue* MY 36-76-7 (*Voix nouvelles* 74) ; le psaume 137 dans une version très festive *Chantez au Seigneur* ZL 137-5 (*Voix nouvelles* 97) ; le psaume 112 *Louez, serviteurs du Seigneur* ZL 112-2 (*CNA* 567 ; *MNA* 29.52 ; *Voix nouvelles* 71-72), ponctué d'alléluias ; ou encore *Que mon cœur ne se taise pas* DEV 283 (*Voix nouvelles* 89) de J. Berthier : « Que sans fin je te rende grâce, Seigneur mon Dieu » qu'on chantera en *ostinato* à plusieurs reprises.

18e dimanche ordinaire

31 juillet 2016

Au plein cœur de l'été, ouvrant la liturgie de la Parole retentit la lecture de Qohèleth (Ecclésiaste) : *Vanité des vanités, tout est vanité*, puis saint Paul nous propose de rechercher les réalités d'en haut, et enfin, l'Évangile nous invite à être riches en vue de Dieu. Prenons le temps d'écouter ensemble cette parole de Dieu si étonnante dans le monde d'aujourd'hui.

Ouverture de la célébration

Pour accompagner la procession d'entrée, nous choisirons un chant manifestant la dimension ecclésiale de la célébration : *Dieu nous a tous appelés* KD 14-56-1 (*CNA* 571 ; *Voix nouvelles* 22 ; *Signes Musiques* 71) « pour former un seul corps baptisé dans l'Esprit » ; *Si le Père vous appelle* O 154-1 (*CNA* 721, couplets 1, 2, et 3) « à quitter toute richesse pour ne suivre que son Fils » ; ou un chant nous incitant à construire le royaume de Dieu, comme *Vivez l'espérance* T 52-46 (*Voix nouvelles* 85) du répertoire de Sainte-Anne d'Auray, avec ses couplets inspirés des écrits de Jean-Paul II : « La parole du Christ indique le chemin pour aller vers le Père » ; ou *Quelle est cette voix?* (*Voix nouvelles* 55 et 70 ; livret Ancoli 2011) : « C'est la voix du Créateur. [...] Heureux qui choisira de travailler pour lui à la venue de son règne ; il connaîtra la joie de Dieu. »

Liturgie de la Parole

L'antienne du psaume 89 n'est pas modifiée dans la nouvelle traduction du lectionnaire ; on prendra soit la proposition page 410, soit celle du *CNA*, page 106, avec sa psalmodie à 4 stiques, soit celle du *Psautier des dimanche*, année C, d'*Église qui chante*, n° 189. Pour l'acclamation à l'Évangile, prendre un *Alléluia* bien connu comme celui de *Par la musique* (*CNA* 215-20), sur la musique de Schütz bien connue dans de nombreux pays européens, ou l'*Alléluia 7* de Taizé (*CNA* 215-27).

Liturgie eucharistique

Pendant la procession de communion, nous pouvons chanter *Nous formons un même corps* D 105 (*CNA* 570 ; *MNA* 85.16 ; *Voix nouvelles* 93 ; *Signes Musiques* 54 et 95) ou *Sous le regard de Dieu* D 575 (*CNA* 725 ; *Voix nouvelles* 78 ; *Signes Musiques* 82), *Venez vous abreuver à la source cachée* (*Voix nouvelles* 84) sur un beau texte inspiré des écrits d'Édith Stein (Thérèse-Bénédicte de la Croix) : « Dans le cœur transpercé de Jésus sont unis le Royaume des cieux et la terre d'ici-bas. »
Si l'on préfère laisser l'orgue jouer, on chantera une hymne d'action de grâce après la communion : *Dieu Très-Haut qui fais merveille* Y 127-1 [C 127-1] (*CNA* 548), « Béni soit ton nom », ou *Tenons en éveil* Y 243-1 (*CNA* 591 ; *MNA* 47.25 ; *Signes Musiques* 33 et 148), « Gardons au cœur le souvenir de ses merveilles » ; ou *Ubi caritas* du répertoire de Taizé ; ou l'un des chants proposés pour les dimanches précédents.

MAGNIFICAT

MAGNIFICAT est publié par Magnificat SAS au capital de 789 230 €. Président, directeur de la publication : Vincent Montagne. Principal actionnaire : Média-Participations Paris au capital de 50 494 416 €. N° CPPAP : 0919 K 85377. N° ISSN : 1240-0971. Dépôt légal à parution.

Impression : CPI-Clausen & Bosse, Birkstraße 10, D-25917 Leck, Allemagne.

RÉDACTION : courrier@magnificat.fr
15-27, rue Moussorgski 75018 Paris

PROMOTION : magnificat-promo@magnificat.fr

MAGNIFICAT est un mensuel conçu pour aider les chrétiens à unir leur vie à la prière de l'Église universelle, tout spécialement par la liturgie. MAGNIFICAT n'est pas un livre pour le célébrant et ne remplace pas le *Missel romain* ou les lectionnaires.

La chronique musicale de MAGNIFICAT
en partenariat avec les librairies La Procure

Dominique Fournier

❖ *Le petit livre d'Anna Magdalena Bach*
Direction : Olivier Beaumont — ADF-Bayard

À destination de sa seconde épouse, ce merveilleux petit livre écrit en partie de la main de J.-S. Bach permet d'entrer à l'intime de sa famille. Quelques compositeurs appréciés du Cantor viennent compléter ces sublimes feuillets. C'était une l'époque où l'on aimait avoir à sa disposition ses pièces « chéries », celles qui s'échangeaient alors dans l'Europe baroque.

Sous la direction d'Olivier Beaumont, ce CD se révèle une véritable petite malle aux trésors. En effet, tout concourt à faire de cet enregistrement un événement: l'instrumentation variée et la diversité des pièces, mais surtout la qualité des cinq interprètes. Qui pourra rester insensible à la célèbre aria *Bist du bei mir*?

❖ *Kora à l'abbaye du Bec-Hellouin*
Jacques Burtin, kora — ADF-Bayard

Voici un disque qui suit son chemin au fil des années. La kora a déjà eu les faveurs de ces chroniques mais, sans être un oubli, ce CD de Jacques Burtin n'y avait pas encore trouvé sa place. C'est chose faite aujourd'hui. Très souvent recommandées pour accompagner des temps de méditation ou de lecture, les plages de ce CD apaisent l'auditeur. Un peu éloignée de la musique des griots sénégalais, la kora, grande harpe à vingt et une cordes, se laisse découvrir ici dans une veine plutôt occidentale, avec des mélodies souples et originales, dont Jacques Burtin, avouons-le, a le secret. Il suffit d'entendre la *Danse de la nuit*, et plus loin *Seul, en secret*, longue et belle méditation sur un texte de Thérèse d'Avila, pour s'en convaincre. Sincèrement, à écouter!

La prophétie s'est réalisée sous nos yeux

Pierre-Marie Varennes

Œuvre présentée en couverture.

Qui lit encore les grands prophètes français du XXe siècle ? Qui lit encore Péguy, Claudel, Bernanos, Saint-Exupéry ? Chacun, de son point de vue, fulminait contre la venue d'une même abomination : « leur » civilisation se mourait. Alors qu'il eût fallu parfaire cette civilisation, afin que le royaume de Dieu grandît sur terre, tout ce qui en faisait le génie allait bientôt disparaître. Le matérialisme, l'hédonisme, la préoccupation de soi-même (aujourd'hui on dirait le développement personnel) allaient submerger, avec la vraie foi et les anciennes vertus, la beauté, la bonté et la vérité. Le signe de l'avènement de cette fin du monde, c'est que les mégapoles terrifiantes confinaient déjà la civilisation rurale et pastorale en objets pour meubler leurs musées. Depuis, la prophétie s'est réalisée. Le terreau fécond qui fertilisait notre civilisation s'en est allé. Les villages ont été désertés ; les relations humaines se sont virtualisées ; la foi et la dévotion sont en voie d'extinction ; les repères moraux, qui loin de contraindre guidaient des hommes libres, ont été pervertis. Les pauvres, humbles et fiers, avec leur magnifique noblesse exaltée par Pagnol, ont disparu du champ social.

En couverture de MAGNIFICAT, cette charmante scène pastorale a été peinte par Jozef Israëls en 1864. Elle met en lumière un aspect angoissant et mystérieux de cette prophétie : dans la nouvelle civilisation qui vient, c'est-à-dire la nôtre, la parole de Dieu ne touchera plus immédiatement l'esprit et le cœur, celui qui, de près ou de loin, n'a jamais préparé la bonne terre à la sueur de son front, n'a jamais vécu les semailles et les moissons, n'a jamais gardé les moutons et n'a jamais sauvé une brebis égarée, celui-là se trouve de fait mis à distance de l'Évangile et de ses paraboles. N'en soyons pas tristes : nous voici encouragés à mieux approfondir la parole de Dieu, à mieux en faire la lecture divine ; et jusqu'à ce qu'il revienne dans la gloire, notre Seigneur Jésus Christ demeure présent au monde. Mais peut-être pouvons-nous profiter de nos vacances à la campagne pour retrouver, avec un brin de nostalgie, une perle de la sève qui nourrissait la ferveur de nos pères dans la foi. ◆

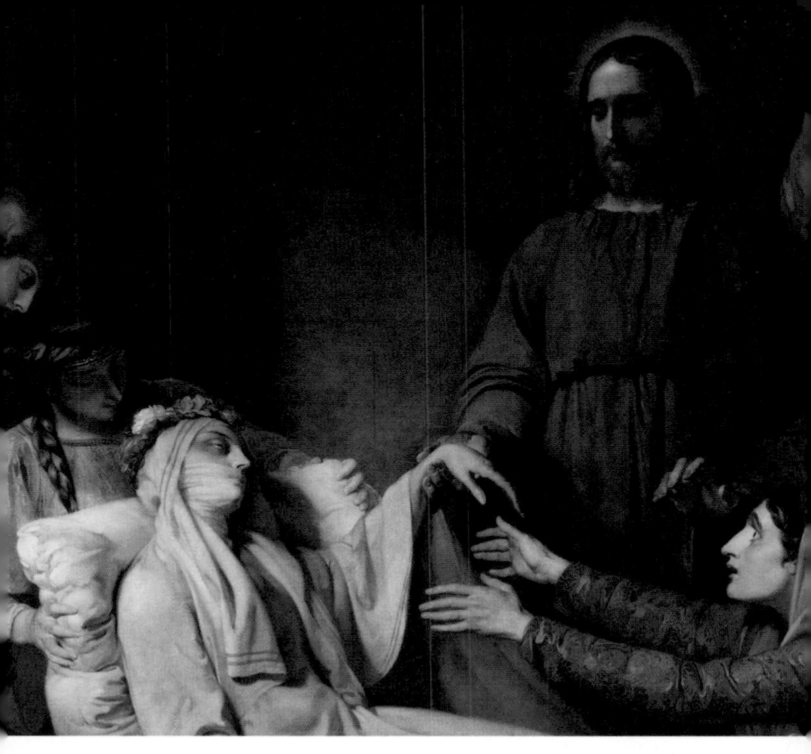

La Résurrection de la fille de Jaïre (1820), Henry Thomson (1773-1843), Tate Collection, Londres, Royaume-Uni.

Une résurrection !

L'épisode de la résurrection de la fille de Jaïre est rapporté par Matthieu (9, 18-26), Marc (5, 21-42) et Luc (8, 40-56). Il a été commenté par les plus savants des biblistes et des théologiens, il a donné lieu à des interprétations riches et éclairées par des lectures aussi audacieuses que celles de la psychanalyse. Les arts visuels ne s'en sont pourtant pas si fréquemment emparés.

Jaïre était un homme qui exerçait des responsabilités importantes. Le terme grec employé pour le désigner, « archisunagogos », est généralement traduit par « chef de synagogue ». Or, sa fille unique, âgée de 12 ans, se meurt : il tombe aux pieds de Jésus et le supplie de venir la sauver. Intervient un épisode qui s'enchâsse dans le précédent : Jésus, qui se fraie un passage dans une foule compacte, est touché par une femme malade de pertes de sang qui, s'étant fait reconnaître, témoigne devant le peuple de sa guérison. *Jésus lui dit alors : « Ma fille, ta foi t'a sauvée »* (Mc 5, 34). Mais, dans l'intervalle, la jeune malade est morte. On essaie de dissuader Jaïre de déranger Jésus. C'est alors que ce dernier prononce les mots si fondamentaux pour notre foi : *Ne crains pas, crois seulement* (Mc 5, 36). Il se rend chez Jaïre. Le texte en arrive alors à sa « pointe » : *Jésus saisit la main de l'enfant, et lui dit : « Talitha koum », ce qui signifie : « Jeune fille, je te le dis, lève-toi ! » Aussitôt la jeune fille se leva* (Mc 5, 41-42).

Représenter l'instant « le plus fécond » du récit évangélique

Henry Thomson est un peintre anglais de la première moitié du XIXe siècle, fidèle à l'enseignement et aux principes esthétiques de la Royal Academy, dont il fut membre. Proche par le style du néo-classicisme français, il traite de sujets issus de la Bible ou de l'histoire ancienne, dans une manière sobre, presque austère, bien qu'éloquente. Dans un décor dépouillé, quasiment minimal, en un plan rapproché, comme si l'épisode se donnait à voir sur une scène de théâtre,

il concentre tous ses moyens picturaux sur l'instant précis où le Christ prend la main de la petite morte. Ce geste est mentionné par les trois évangélistes, même par Matthieu qui ne consacre que quelques lignes à l'épisode entier. Thomson fait ainsi le choix de l'instant crucial, du moment le plus chargé de signification, le plus fécond.
Tout concourt à conduire le regard du spectateur vers la rencontre des deux mains : la main droite de Jésus soulève le poignet gauche de la jeune fille, entraînant sa main encore inerte. Ce point de rencontre est du reste situé précisément au centre de la composition : il suffit de tracer virtuellement deux diagonales pour s'en rendre compte. Les autres personnages, nombreux, ne sont que des faire-valoir, placés autour des deux personnages principaux. Ils sont au nombre de sept, chiffre qui n'est pas choisi au hasard, mais porteur d'une sacralité intrinsèque. Certains sont faciles à reconnaître : à droite du tableau, aux pieds de la jeune fille, son père et sa mère expriment des émotions intenses. La femme, à genoux, tend les bras vers sa fille comme pour accompagner de son désir de mère le retour à la vie qui, de manière aussi extraordinaire que timide, est en train de se manifester sous ses yeux. Jaïre, quant à lui, vit une expérience profonde : les yeux fixés sur son enfant, la bouche légèrement entrouverte, il est comme pétrifié. Le peintre n'a négligé aucun détail, pas même celui de ses mains levées, presque ouvertes, qui expriment la stupéfaction. Les trois hommes qui se situent en arrière de la scène, à droite, sont sans doute Pierre, Jacques et Jean dont Marc et Luc signalent la présence. Mais comment identifier les trois autres, situés dans la partie basse et gauche de la toile ? Une jeune fille,

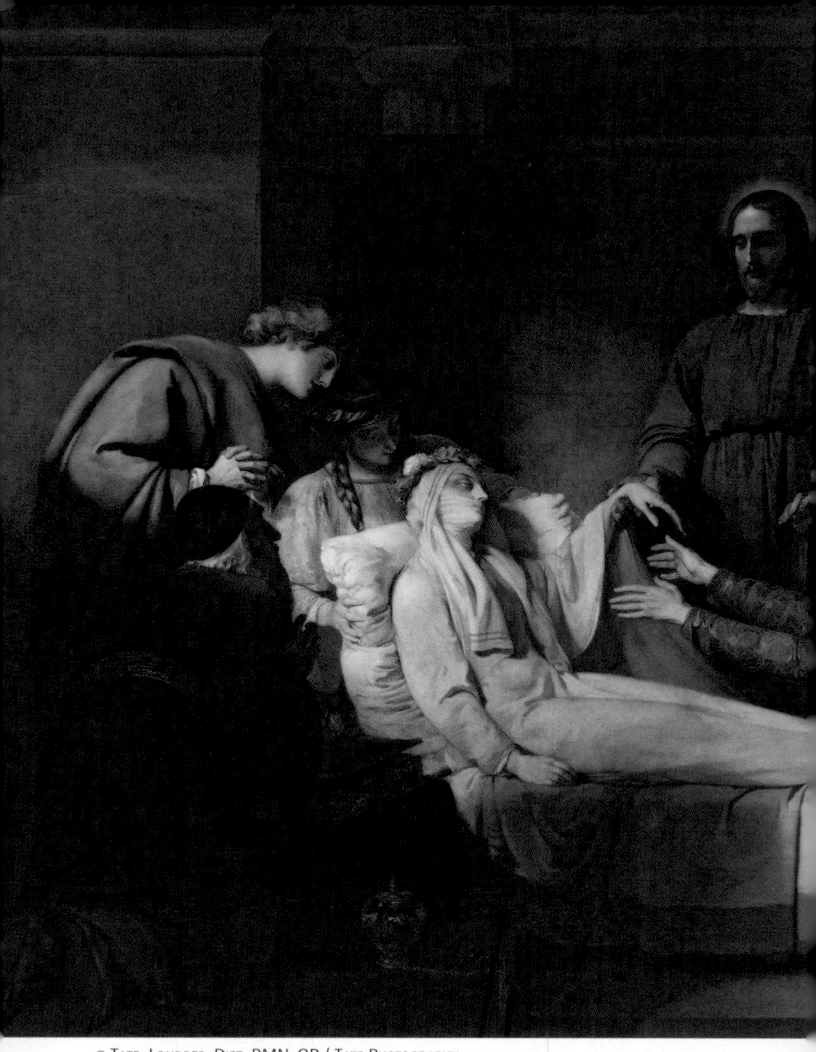

un tout jeune homme, un vieil homme. Ce dernier, vêtu d'un costume sombre, portant calotte et longue barbe, pourrait représenter l'Ancien Testament, alors

que le jeune homme, au costume rouge clair et au visage d'ange, figurerait les Temps Nouveaux ouverts par l'Incarnation. La jeune fille, elle, tient des deux mains l'oreiller de la fille de Jaïre. À l'époque où la toile est peinte, comme au cours des siècles précédents, on dort soutenu par un ou des oreillers, ou encore par un traversin. Un personnage allongé à plat sur un lit évoque la mort. Le sens du geste de la jeune fille à la natte est donc clair : elle accompagne, en remontant l'oreiller, le relèvement de sa compagne. D'une certaine manière, elle accède ainsi au rang de disciple du Maître. Le peintre a apporté beaucoup d'attention à la représentation de la jeune miraculée. Déjà enveloppée dans le suaire rituel, elle en émerge à peine ; à la pâleur de la mort n'échappe que la partie supérieure de son visage aux yeux encore clos.

Voir pour croire, croire pour vivre

L'instant crucial retenu par le peintre, pour donner toute sa mesure, doit évidemment être replacé dans la temporalité du récit évangélique. Tous les niveaux de foi s'y donnent à découvrir : celle de Jaïre dans un premier temps, qui demande une imposition des mains ; demande-t-il au thaumaturge de faire le geste qui guérit ? On ne sait. Les gens qui arrivent de la maison pensent inutile de déranger le Maître puisque la jeune fille est morte ; ils considèrent sans doute que ce n'est qu'un maître. Jaïre partage peut-être cet avis mais Jésus l'a invité à une foi plus grande : *Ne crains pas, crois seulement.* Il s'agit de quitter la peur pour accéder à la vraie foi. On entend ensuite les moqueries de ceux auxquels Jésus dit que la petite dort. La foi de Jaïre a été alors de croire sans savoir ce qui allait se passer, d'accepter la venue de Jésus chez lui, d'entendre sa parole – « elle dort » –, et de le laisser mettre tout le monde dehors. Pour un chef de synagogue, si jamais rien ne se passait, c'était se déconsidérer. Jésus ne va pas faire une imposition des mains mais prendre la main de la jeune fille pour la faire se lever. *Lève-toi* est bien un verbe de résurrection. Dieu vient à notre secours, même à l'heure où il n'y a plus d'espoir, et il vient même au secours de notre foi. Mais nous pouvons souligner aussi que c'est par la foi d'un autre que la jeune fille a été relevée. Ce qui veut dire que nous avons à compter sur la foi des autres, de nos proches, de l'Église, comme nous avons à soutenir les autres de cette foi qui est la nôtre.

■ *Claire Barbillon et P. Bruno Laurent*
Professeur d'histoire de l'art, université de Poitiers ;
vicaire et aumônier, Paris.

Pour mieux admirer les détails de ce chef-d'œuvre :
www.magnificat.fr

MAGNIFICAT

BON D'ABONNEMENT

☐ **OUI,** je souscris un abonnement à MAGNIFICAT

Je choisis : ☐ **LE FORMAT POCHE** (10,3 x 15,7 cm)
☐ **LE GRAND FORMAT** (11,3 x 17 cm)

1 TARIFS

France	1 an	☐ Normal : 39 €	☐ Solidarité : 55 €	☐ Réduit* : 20 €
	2 ans	☐ Normal : 69 €	☐ Solidarité : 99 €	
Dom, UE Belgique	1 an	☐ Normal : 42 €	☐ Solidarité : 55 €	☐ Réduit* : 33 €
	2 ans	☐ Normal : 79 €	☐ Solidarité : 99 €	(Belgique uniquement)
Suisse	1 an	☐ Normal : 50 CHF	☐ Solidarité : 70 CHF	
	2 ans	☐ Normal : 100 CHF	☐ Solidarité : 140 CHF	
TOM Autres pays	1 an	☐ Normal : 59 €	☐ Solidarité : 75 €	
	2 ans	☐ Normal : 104 €	☐ Solidarité : 129 €	
Canada	1 an	☐ 65$CDN (grand format uniquement)		

* Le tarif réduit est strictement réservé aux étudiants et aux personnes pouvant justifier de difficultés financières. Il est disponible uniquement en format poche.

2 MES COORDONNÉES

M., Mme, Mlle

Nom

Prénom

Adresse

Adresse

Ville

Code postal

Pays

Téléphone

E-mail :

Année de naissance :

3 RÈGLEMENT (VOIR AU DOS) ➡

3 RÈGLEMENT

☐ CHÈQUE (uniquement en euros, à l'ordre de MAGNIFICAT) ☐ MANDAT

☐ CARTE BANCAIRE

N°: ____ ____ ____ ____

DATE EXP. : __ __

3 DERNIERS CHIFFRES FIGURANT AU DOS DE VOTRE CARTE BANCAIRE : ___

N° TÉL. DU TITULAIRE DE LA CARTE : __________

DATE ET SIGNATURE OBLIGATOIRES :

4 Le BON D'ABONNEMENT accompagné du règlement est à retourner sous enveloppe affranchie à :

Pour la France, l'UE, les Dom-Tom et le reste du monde :

SOTIAF / MAGNIFICAT – TSA 29021 – 35 909 RENNES Cedex 9

Tél. : 02 99 55 10 20 – Fax : 02 99 55 87 88

BA0716

email : magnificat.france@sotiaf.fr

Abonnez-vous et réabonnez-vous par Internet : www.magnificat.fr

Un abonnement à MAGNIFICAT offre 12 numéros par an, un hors-série Semaine sainte **et l'accès gratuit à l'édition mensuelle sur Internet et sur iPhone**

(Télécharger l'application MAGNIFICAT sur l'App Store).

BELGIQUE : Je verse la somme de .... €
sur le compte IBAN BE64 0688 9989 0952, BIC GKCCBEBB de Dipromédia.
ÉDITIONS FIDÉLITÉ – Rue Blondeau, 7 – 5000 Namur
Tél. : 081/ 22 15 51 – Fax : 081/ 22 08 97 – email : magnificat@editionsjesuites.com

SUISSE (BON D'ABONNEMENT ET CONFIRMATION DU VERSEMENT SONT À RETOURNER À) :
SOTIAF / MAGNIFICAT SUISSE – TSA 29021 – 35909 Rennes Cedex 9 – France
Tél. : 021/ 616 80 00 – email : magnificat-suisse@sotiaf.fr
Paiement par versement : En faveur de Dargaud (Suisse) SA / Magnificat
Z.I. du Grand-Pré 2C, 1510 Moudon. IBAN CH7900767000A53196940
SWIFT : BCVLCH2LXXX – Banque Cantonale Vaudoise, 1001 Lausanne

CANADA : Je joins mon règlement de 65 $CDN (taxes comprises) – grand format
REVUE SAINTE-ANNE / MAGNIFICAT – 9795, Boul. Sainte-Anne
Sainte-Anne-de-Beaupré, QC G0A 3C0 – Tél. : (418) 827-4538 ou 1-800-363-3585
Fax : (418) 827-4530 – email : mag@revuesainteanne.ca

Tarifs valables jusqu'au 31/12/2016